散文

第四卷

废名全集

陈建军／编

武汉出版社

（鄂）新登字 08 号
图书在版编目（CIP）数据

废名全集. 第四卷, 散文 / 陈建军编. — 武汉 : 武汉出版社, 2023.10
ISBN 978-7-5582-6071-1

Ⅰ.①废… Ⅱ.①陈… Ⅲ.①废名（1901-1967）—全集 Ⅳ.①I217.2

中国国家版本馆CIP数据核字（2023）第096929号

编　　者：陈建军
责任编辑：明廷雄
封面设计：刘福珊
督　　印：方　雷　代　湧
出　　版：武汉出版社
社　　址：武汉市江岸区兴业路136号　　　邮　　编：430014
电　　话：(027)85606403　　85600625
http://www.whcbs.com　　E-mail: whcbszbs@163.com
印　　刷：湖北新华印务有限公司　　　经　　销：新华书店
开　　本：880 mm × 1230 mm　　1/32
印　　张：13.375　　　　字　　数：295千字
版　　次：2023年10月第1版　　2023年10月第1次印刷
定　　价：980.00元（全套十卷）

版权所有·翻印必究
如有质量问题，由本社负责调换。

废名北京大学毕业照

废名女儿冯止慈、儿子冯思纯

《骆驼草》周刊创刊号

周作人赠废名自制茶杯

《古槐梦遇小引》手迹（俞平伯《古槐梦遇》，世界书局 1936 年 1 月初版）

古槐梦遇小引

我曾有赠师兄一联，其文曰："可爱泰在一古树，相喜年来寸心知。"此一棵树，便是古槐梦遇之古槐也。记不清在那一年，但一定是我第一次往平伯家裏访平伯，别的什麽也都不记得。只是平伯送我出大门的时候，指了一棵槐树我看，并说此树比此屋还老。这个情景我总是记得，而且常常对这棵树起一种憧憬。等待要我把这

《冯文华烈士传略》手稿

目　　录

第四卷　散文

西铭民胞物与论 ································ (3)
现代日本小说集 ································· (5)
寄友人 J. T. ···································· (7)
"呐喊" ··· (11)
从牙齿念到胡须 ································· (13)
忙里写几句 ····································· (15)
也来"闲话" ···································· (17)
"偏见" ·· (18)
作战 ·· (20)
"公理" ·· (22)
狗记者 ·· (24)
俄款与国立九校 ································ (25)
共产党的光荣 ·································· (26)
就算是搭题 ···································· (27)
忘记了的日记 ·································· (29)
《寂寞扎记》附记 ······························· (34)

说梦 …………………………………………………… (35)
"William Shakespeare"的卷首 …………………… (43)
Balzac 的一叶 ……………………………………… (45)
死者马良材 ………………………………………… (51)
关于校对 …………………………………………… (52)
《骆驼草》发刊词 …………………………………… (54)
"中国自由运动大同盟宣言" ……………………… (55)
闲话 ………………………………………………… (57)
补白 ………………………………………………… (60)
闲话 ………………………………………………… (61)
死之 beauty ………………………………………… (63)
闲话 ………………………………………………… (74)
闲话 ………………………………………………… (77)
随笔 ………………………………………………… (79)
阿左林的话 ………………………………………… (81)
草话 ………………………………………………… (83)
过中秋 ……………………………………………… (84)
立斋谈话 …………………………………………… (87)
国庆日之朝 ………………………………………… (91)
往日记 ……………………………………………… (93)
随笔 ………………………………………………… (99)
斗方夜谭 …………………………………………… (107)
看树 ………………………………………………… (118)
《春在堂所藏苦雨斋尺牍》题跋 …………………… (120)
悼秋心(梁遇春君) ………………………………… (121)

《周作人散文钞》序	(124)
今年的暑假	(131)
秋心遗著序	(133)
"古槐梦遇"小引	(136)
跋"落叶树"	(138)
读论语	(140)
知堂先生	(143)
《樱桃》批语	(148)
新诗问答	(149)
关于派别	(156)
蝇	(171)
莫字	(173)
志学	(175)
三竿两竿	(177)
水浒第十三回	(179)
无题	(181)
孔子说诗	(183)
陶渊明爱树	(185)
如切如磋	(187)
陈亢	(189)
钓鱼	(191)
中国文章	(193)
孔门之文	(195)
女子故事	(197)
神仙故事(一)	(200)

永远是黑暗和林庚	(202)
神仙故事（二）	(204)
赋得鸡	(206)
偶感	(209)
金圣叹的恋爱观	(212)
贬金圣叹	(214)
诗与词	(216)
冬眠曲及其他	(218)
二十五年我的爱读书	(220)
小园集序	(221)
琴序	(223)
罗袜生尘	(225)
随笔	(227)
为赵巨渊题笺	(229)
天马诗集	(230)
父亲做小孩子的时候	(232)
黄梅初级中学同学录序三篇	(237)
响应"打开一条生路"	(244)
树与柴火	(249)
关于"夜半钟声到客船"	(251)
讲一句诗	(253)
教训	(255)
打锣的故事	(261)
放猖	(265)
小时读书	(268)

为黄裳题笺 …………………………………………… (272)
小孩子对于抽象的观念 ……………………………… (273)
黄梅初级中学二四区毕业同学所办怀友录序 ……… (275)
立志 …………………………………………………… (277)
谈用典故 ……………………………………………… (279)
散文 …………………………………………………… (284)
再谈用典故 …………………………………………… (288)
我怎样读论语 ………………………………………… (293)
读朱注 ………………………………………………… (300)
殖民地的时期已经过去了 …………………………… (304)
光荣而艰巨的任务必须完成 ………………………… (306)
歌颂 …………………………………………………… (310)
纪念鲁迅 ……………………………………………… (313)
感谢和喜悦 …………………………………………… (318)
鲁迅先生给我的教育 ………………………………… (321)
高潮到来了 …………………………………………… (323)
读古书 ………………………………………………… (325)
必须党领导文艺 ……………………………………… (327)
必须做左派 …………………………………………… (334)
刺恶篇 ………………………………………………… (338)
《废名小说选》序 …………………………………… (342)
腐朽的资产阶级文艺思想,伟大的工农兵方向 …… (345)
百十五回本"水浒"替我们解决了一个问题 ………… (352)
结合自己学习汉语言文学的经验谈谈综合大学汉语言文学
　　专业的教学计划 ………………………………… (355)

伟大的文艺工农兵方向……………………………………（366）

贺新年………………………………………………………（372）

谈谈新诗……………………………………………………（375）

个人规划……………………………………………………（379）

语言学课程整改笔谈………………………………………（381）

关于新民歌
  吉林大学中文系教授冯文炳委员的发言（摘要）……（387）

读"丰收集"…………………………………………………（389）

伟大的战士
  ——纪念鲁迅逝世二十五周年…………………………（395）

仰之弥高　钻之弥坚………………………………………（398）

我爱"枯木朽株齐努力"的形象……………………………（412）

难忘的图画…………………………………………………（414）

冯文华烈士传略……………………………………………（417）

散　文

本卷收散文 127 篇,其中 1949 年前 100 篇,1949 年后 27 篇。

西铭民胞物与论①

儒墨是非，由来久矣。然儒曰"仁"，墨曰"兼爱"，就二语论之，无甚径庭。盖孔子答樊须问仁曰"爱人"，孟子亦曰"仁者爱人"，"兼爱"者即兼人而爱之之谓，故曰无甚径庭也。后人不明儒墨之所以异，而求之片词之间。求之不得，则强为之词，是终无以黜墨，而亦非所以尊儒也。然则是非奚在？曰欲明是非，当先别同异。后儒阐发仁道，无逾西铭。余尝以其所言合墨子而较之，得其不同之实焉。盖张子之爱原乎理，墨子之爱原乎势。张子之爱爱以道，墨子之爱爱以利。张子之爱，先本而后末；墨子之爱，务末而忘本。此其所以异也。张子言乾坤不言天地，诚以乾坤言性情，而天地言形体，其所重者在性情不在形体也。以为同在乾坤之中，即同得乾坤之性以为性，我与人之性无异也。物与人之性，全与偏之分也。我爱我之性，亦爱无异我者之性，与偏于我者之性。是以民胞物与，乃性分之不容已，故曰原乎理也。墨子兼爱，虽亦法天而言，然非体乎性情之同也，审乎祸福之间也。故其言曰相爱则治，相恶则乱。因乱之起于不爱而言

---

① 载邹登泰评选、苏州振新书社1923年版《全国学校文府》卷四，署"湖北省立第一师范本科三年级　冯文炳"。文后有评语："原心秒忽，析理豪芒，是有得于宋儒微言者。"标点符号系本书编者所加。

爱,故曰原乎势也。今夫祖父之爱其子孙者,有遗之以金帛,有遗之以礼义。其爱也同,其所以爱之者异,张墨之言爱犹是也。张子以人之性全而受之于天地,亦当全而归之。西铭所言无非存心养性之事。存心养性,全而归之之方也。我能全而归之,亦欲人全而归之,所谓立己立人达己达人之道也。其以育英才为颖封人之锡类,意可知矣。是与遗子孙以礼义者然,故曰爱以道也。夫存心养性之事,求之墨子有之乎?其言曰有力者疾以助人,有财者勉以分人,是与遗子孙以金帛者然也。虽亦曰有道者劝以教人,则其所谓道,力之道财之道,其所谓教,力之教财之教,非存心养性之道,育才锡类之教也,故曰爱以利也。夫张子以乾坤配父母,民物比胞与,其立言非不高且远也,然予悟卑且近者于高且远者之中矣。配之比之,所以重之也,重之所以劝孝弟也。其意曰对父母当孝,对胞与当弟。能孝能弟矣,又不可以止也。乾坤亦父母也,民物亦胞与也,亦当弟之孝之。是盖孝弟为仁本之义,故曰先本而后末也。墨子则利天下与利亲并言,是二本而无分也。又曰臣子之不孝,君父之不慈,盗之爱室,窃之爱身,大夫之相乱,诸侯之相攻,皆起于不兼爱。兼爱则国不相攻,家不相乱,盗贼无有,君臣父子能慈孝,是君臣父子与盗贼家国之爱并言也。虽亦曰先爱利人之亲,然后人亦爱利吾之亲,似无害于孝。然吾闻爱己之亲,然后能爱人之亲者矣,未闻爱己之亲而同于爱人之亲者也。而墨子言之若是,不亦务末而忘本乎?呜呼!原乎理而爱,无所为而爱也;原乎势而爱,有所为而爱也。爱以道,道无穷而可守;爱以利,利有尽而难持。先本后末,与务末忘本,得失尤不较而知,此同异别而是非自明者也。虽然,墨之爱虽不及儒,而立言之心犹可取。彼徒利己而不利人,且以毒人者,是又墨子之罪人矣。

现代日本小说集[①]

那天我往周作人先生家,周先生告诉我《现代日本小说集》已出版,回头,便匆忙跑到东安市场。第一次是在下午二点钟,说是只到两本,已经卖了,我的眉头皱起来,但也高兴,这么快居然也就有人买了。第二次拿着书回家,天上已有好多星。这其间的时刻,是在成贤街孔庙里看柏树;——空手回去,不愿;到琉璃厂,又怕前门车揉起来的灰尘。

我不熟悉日本的情形,从国人抵货运动看来,大约是很可仇视的岛国,然而读了武者小路实笃《与支那未知的友人》,不觉又战栗,对于"最难解的国要算是支那",没有勇气来分辨了。

中译的日本小说,我早已读过几篇,便是现在这集子中的几篇;刚刚读完的那刹那,心里只感舒服,转念到,著者是……,不觉已生了惊异,想着这只是绝无而仅有罢,但"最难解的国要算是支那",已经由我而证明了。

这集子共是三十篇,篇篇令我读了舒服,但又怅惘,为什么我们贵国很少这样的人呢?——本自己兴趣,选定一种生活的样式,浸润于此,酣醉于此,无论是苦是甜。这回决不是由虚骄

[①] 载北京《晨报副镌》1923年9月15日第235号,署名冯文炳。

而生嫉愤了,我只深深的感着"中国人的悲哀呵。"

　　但美中也感不足,便是排印多有错误的地方。我的脾气太坏,比方心爱的衣衫,偶然涂污一点,吃饭也感感辣辣。我爱这集子,因之也就抱怨"手民"了。

　　　　　　　　　　　　　　一九二三,九,十二。

寄友人J.T.[①]

今天突然接到你的一封信。当我还没有展开,看了信面的字迹同寄者的姓氏,好像初春时分第一次听到了雷声,心想,可不是J.T.吗?

十年来,天涯地角,全凭一种力——深深藏在我们的心,偷了空儿便自自然然从彼此的心窝放射出来的一种力摄引着。这么几行字!为什么飞来这么几行字呢?弦本是紧张着,猛的一摸擦,动弹得不容易静止!我不得不想,你是怎样的不能够不写呵!

你原来寄住在一位朋友的家里。

我偶然回乡,不在严寒,便在酷暑。是四年前罢,正月初三,我同我的弟弟经过你的门口,弟弟昂起头来对我笑,这不是同哥哥一路踢毽子,我笑他手里提着酒壶必定会输给哥哥的J.T.哥哥的家吗?我问弟弟近来街上会着J.T.哥哥没有,朝门口便走出来你的继母同你曾经告诉我你最是恼而仍不得不喊着姐姐的那位姑娘。我问她们,哥儿呢?回答是,不在这里。我见了她们的冷淡的神气,把我为你抱不平,埋怨你不私地告诉你的爸爸的

[①] 载上海《浅草》季刊1923年12月第1卷第3期,署名冯文炳。

孩子时的怒愤，又回复起来了。但也气你，虽然爸爸死了，毕竟是男子汉，为什么让别人站在自己爸爸的华屋门口不热心于爸爸的唯一娇儿的朋友的询问呢？然而在当时似乎还没有留心到你的住处的问题了。

那天是除夕后第一节日，自然是初七，我从我叔叔家赴宴回来，远远望见要〔耍〕戏场的那边，同我一样方向走着一个少年——是J.T.？是！我大概已经站住了。你穿的是看去好像短褂的长衫，却不现得宽松，令我安心：棉袍是穿着的。我待要喊，你已转湾了。快一点步子，马上也可以赶上，然而我竟□慢慢的走，——记不清楚，也许是站着未动。

那时我是怎样羡妒你呵：我是J.T.(.)，J.T.(.)是我，那才好哩。我五六岁，你自然是七八岁，端阳节，我们许多小孩约到城外去逛，这其中只有你穿的是绿纺绸长衫，其余的穿着漂白竹布裤褂，便算顶阔。你的父亲耽心我们欺负你，恭维我们，贿赂我们，我们走近城门，他还站在那儿望。

我望着你走了。什么时候到家，我不记得。晚上我们家人团在一块儿喝酒，我的母亲问我，焱儿，怎的不作声？至今还如昨日事。

离家前一晚，我同我的妻出外散步。走到南门拐角，我站住了！这不是我们最得意的调弄的所在吗？我走进临城的一间屋，还提防有狗咬我。迎面是我记忆里那人的长兄，我说，请问，J.T.现在……？不待我说完，他已有了干脆的回答，我也懒洋洋的掉转头了。这回不愤怒，只奇怪，这是应该知道的！……我的妻很窘的笑我：惯于这样没来由的行动！我说，妻呵，你不知道我的心事，这是我的朋友的妻的家，那时我们都是小孩，常是同他窥伺他的妻,等到两匹狗狺狺的吠来,我们才一溜烟跑哩。

你原来寄住在一位朋友的家里。

你还记得罢,十二年前,我们三个十岁上下的英雄,我和你,另外是我的堂兄,得了武昌革命的消息,决议贡献我们的小头颅,——当时还不以为小,方法是应募童子军,最费踌躇的要算路费。我的主意最多,你是有钱的,吩咐你到爸爸的钱柜里去偷,而且典当项带的银圈,我同我的堂兄也各就能力去筹。动身那一天,我同我的堂兄已经筹好了票钱五千,站在你屋旁的草原等候,——隔夜这么约着。我愤极了,往返你的门口,连你的影子也瞧不见,终于是我两人走,说你不足与谋。——其实这时已经气馁,不得不走的,是不奈何那五张大票。走到离城十里远远望见船埠的沙滩,我同我的堂兄面对面坐着歇息了。而我像是被一只鹰挟着飞到半空忽然又抛掉快要落下了!我大声号哭了!结果自然是循原路走回,把适才预备路用的糕点,尽腹一饱。你羞于见我同我的堂兄,然而我们原谅你,你的爸爸不比我们的动不动打骂。

现在,我的堂兄终日站〈成〉柜台打算盘。我呢,你来信问我有什么权利享受你所不能享受的一切;不错,我住在高贵的学校,伴在俊秀的青年,享受你所不能享受的一切!但是朋友呵,每当黄昏,暂时离开一日的激恼,对着镜子喘息,常是这样想哩:J. T. 倒好!

你将板起暂白可爱的面孔——现在也许变了,顿着两脚:你也嘲弄我!不,决不,我实在是这样想呵:只有孤儿是最有福——爸爸被捉去了,再没有人比他更受欺侮,他只有哭。是呵,这哭,这哭便是我痴心羡慕的东西!哭而感到凄凉罢,怯弱罢,世间上那有比凄凉怯弱更是好过的日子呢?一个人没有衣穿,只可怜自己的冷;一个人没有饭吃,只可怜自己的饿;到处感到人的无礼,然而也乐于人的顾盼:这是多么好过的日子呀。

我是可怜的,人是幸福的,——我也曾这么宽慰自己。倘若不再往下想,那才好呵!我可怜吗?我并不缺欠什么,我的肚子装得满满。人幸福吗?想到幸福便替他们战栗,——其实他们也不希罕我,好像真个幸福!我气闷呵,有没有这样的扇子,可以借给我一点凉风呢?

你将平心听我的话,心想,也许如此。倒底是怎样呢,笼统的说着总不行——你将追问。这可对你不起。我正在写这信的前半,很恬静,很舒服,一提到自己,我的心便不属我了!虽然也想把他捉住,越用力却越是跑得远远,而且不是循着直线跑!总之,我羡慕哭,我的眼睛干得发烧;我幻想我是一个孤儿,孤儿只可怜自己。你是孤儿,你却气愤我,气愤我的地位比你好!我好的是什么呢?悲哀呵,为人而悲哀呵。我的肩膀是无力的;那担子,那别人的笑颜、别人的话声,都一秒一秒的来增加重量的担子是不知何时止的。有一日,我将从梦里向你哭,说我已经死了,我压不过倒在地下死了,那么,我也许清凉罢!而你也许后悔:气愤我是不该的罢。

望着一定的战场,贡献我们的头颅,那是我们的英雄行为呵。我记是记着的,然而杀敌斩将也只是游戏一般的快意,跑到那里去了呢?

一九二〇三,九,十七。

"呐喊"[1]

  我不是批评家,也不知道什么才算得文艺批评,平常只爱一篇一篇的读文章,来清醒我自己,扩大我自己。现在便报告这态度之施用于《呐喊》者。

  我每当愤激或嫌恶的时候,总说不出话来,说话要心头舒服,发生了悲哀或同情;我的悲哀或同情的对像,不一定是高者伟者,——几乎都是卑者贱者,所以我崇拜"杀身成仁,舍身取义"的文天祥,我尤眷念那忠实地自白着"本图宦达,不矜名节"的李密。在文艺上,凡是本着悲哀或同情而来表现卑者贱者的作品,我都欢喜。

  因此,《呐喊》里面合我的脾胃的是《孔子己》了。

  鲁迅君的文章,在零碎发表的时候,我都看过一遍两遍,只有《孔乙己》,到现在每当黄昏无事,还同着其他相同性质的作品拿起来一路读。正如著者在自序中那几句随便的对话:"那么,你钞他是什么意思呢?""没有什么意思。"不过若问他有什么用,我却要郑重的踌躇一会。世间上的效用,有可计量的,有不可计量的,先生教我一章书,我立刻添了一章书的知识,放学回家见

---

[1] 载北京《晨报副镌》1924年4月13日第81号,署名冯文炳。

了母亲,我的脚跳起来了,脸上也立刻是一阵笑,——你能说母亲所给与我的不及先生那么多吗?我读完《孔乙己》之后,总有一种阴暗而沉重的感觉,仿佛远远望见一个人,屁股垫着蒲包,两手踏着地,在旷野当中慢慢地走。我虽不设想我自己便是这"之乎者也"的偷书贼,(我平素读别的小说如显克微支的《乐人扬珂》,梭罗古勃的《微笑》,仿佛我就是扬珂,就是格里沙,)但我总觉得他于我很有缘法。

鲁迅君的刺笑的笔锋,随在可以碰见,如《白光》里的陈士成,《端午节》里的方玄绰,至于阿Q,更要使人笑得个不亦乐乎,独有孔乙己我不能笑,——第一次读到"多乎哉?不多也",也不觉失声,然而马上止住了,阴暗起来了。这可见得并不是表现手段的不同,——我不得不推想到著者执笔时的心情上去呵。

《故乡》,《药》,自然也有许多人欢喜,我也不想分出等级,说这一定差些,但他们决不能引起我再读的兴趣,——意思固然更有意思了,除掉知道更有意思而外,不能使我感觉什么。

临末我也说一句俏皮话:我在饭馆里,面包店里,都听到恭维《呐喊》的声音,著者"我决不是一个振臂一呼应者云集的英雄"的发见,可以说是不再适用了。——那么,鲁迅君,你还以所感到者为寂寞么?

四月九日夜十时。

从牙齿念到胡须①

在纸上忽然填了这么一个题目,那么,我就写下去罢,——鲁迅先生,你知道吗?在这里有一个人时常念你!

有两个人,我想我们的趣味并不怎样相同的,然而我时常念他。一是盲诗人爱罗先珂,一便是鲁迅先生。那位盲诗人我只在课堂上见过他的面貌,听过他的声音,到现在我仿佛还看见他挤在那火车上的一角,倘若我会画画,我一定能够画出他当时的形相来,——那是因了 CM 先生的一篇文章罢。

鲁迅先生我也只见过两回面,在今年三四月间。第一次令我非常的愉快,悔我来得迟。第二次我觉得我所说的话完全与我心里的意思不相称,有点苦闷,一出门,就对自己说,我们还是不见的见罢,——这是真的,我所见的鲁迅先生,同我在未见以前,单从文章上印出来的,能够说有区别吗?

从此我没有见鲁迅先生,然而有时我还是觉得要见一面的,记得一天傍晚,我在大路旁闲步,从我后面驰过去一乘洋车,坐车的好像是鲁迅先生,特别是因为那胡子同外套,我预备急忙的去拉他的手,——车子走得远了。

---

① 载北京《京报副刊》1925 年 12 月 14 日第 357 号,署名冯文炳。

我当初也"批评"过《呐喊》，那时还不知道作者有这么多的胡子（这个发现颇出我意外，）文人大抵是相轻的，（或者不如照鲁迅先生的话至少以无损于己者为限更为确当，）所以一面称好，一面又多少露出并不怎样佩服的神气，——这叫我现在笑个不住了，同时对于一般所谓批评文字（连吊唁的也在内）自信能分外了解。

鲁迅先生近来时常讲些"不干净"的话，我们看见的当然是他的干净的心，（这自然是依照蔼理斯的意见，不过我自己另外有一点，就是，我们的不干净也是干净，否则世上到那里去找干净呢？）甚至于看见他的苦闷。他在《从胡须说到牙齿》里谈笑话似的写他"执事"回来碰落门牙，读者诸君，你们读了怎样呢？我是阴郁的吁一声"唔！"

我们到底是有福的，——我在这里一吁，不可以一直波到鲁迅先生的唇边吗？

忙里写几句[1]

西滢先生我是最熟识不过的,然而真理是真理,朋友是朋友,所以我草这篇小文。

西滢先生在《现代评论》做了许多闲话,我读了总是有点摸不着头脑,想起儿时熟读过的袁了凡《钢鉴》。现在只就《现代评论》第五十三期上的来谈谈。

就是这一篇,我也只选取论文艺的那一段,因为倘若拿全篇来论,我这篇文章应该早已动手了。

西滢先生说,"我们看稿的标准也许比较严格些。"又说,"我们偶然有时把标准微少放低些……"我实在不知道西滢先生的"标准"是怎样的标准,更不知道"高""低"是怎样高低法。西滢先生既没有明白的指示我们,我且从"几篇极有价值的创作和批评"当中来归纳一归纳罢。

这立刻又起了麻烦,所谓"几篇"是那几篇呢,不要一篇篇的来找吗?倘若真正的找出了一篇或两篇,我又怎样会知道是西滢先生的"几篇"呢?那么我的"科学的精神"不是白费了吗?

所以西滢先生的"标准"我到底不能知道。

---

[1] 载北京《京报副刊》1925年12月15日第358号,署名冯文炳。

其实最近一年来,一般专家文士的标准我是知道的,那是"群众"两个大字,你如不信,请到他们广告上去搜寻。

我的话暂且这样终止,我自愧我还不能如西滢先生所说,"要大胆的批评自己的朋友"。

也来"闲话"[①]

白话文自有他的不朽作品,胡适之,梁漱溟也自有他的特别地方,若有人捧《中国哲学史大纲》,《东西文化及其哲学》替白话文保镖,我敢说他是"以耳代目"。

鲁迅,疑古玄同反对"东方文明",自然都不是无病的呻吟,"东方文明"若嘲笑于捧梅兰芳者之口,我敢说他是"人云亦云",——他自己就是活"东方文明"。

冯文炳的《忙里讲〔写〕几句》里面有这么一句:"倘若真正的找出了一篇或两篇……"我读了很觉惊异。他"自有他的身分",何至于这样降格轻许?而我又相信他的话是有分寸的,于是真到"大报"上去找,——啊,有了,一篇,两篇,他自己的恰恰两篇。但我怪他太客气了一点。

[①] 手稿,附1925年12月26日致鲁迅函内,署名春风。原件现藏北京鲁迅博物馆(北京新文化运动纪念馆)。

"偏见"①

近来时常见到"偏见"两个字,我顿时觉得我平素所认为不偏者,不妨也称之曰"偏",较少麻烦。比方我相信的一个人,爱读的一篇文章,我也叫人家去相信,叫人家去读,而他却还没有达到我这样的境界,或者别有肺肝,同我辩驳起来,我有许多闲工夫去对付他吗?不得已只有说这是我的偏见,他纵或讨厌我,也只得忍气吞声。

以上是我采用"偏见"的理由。现在且述我的"偏见",就是:

凡为周作人先生所恭维的一切都是行,反之,凡为他所斥驳的一切都是不行,大有"夫人不言,言必有中"之概。

朋友们,老冯虽然一向倔强,却还没有把他的时间用来说这样气愤话,予不得已也!社会上是非不明,猴子都来充大王,教青年何去何从?

其实我的"偏",正由于不偏。我不相信人家都说假话,我对于无论那一种人都信托。我所最相信的人,有时我也疑心他中了流言,比如鲁迅先生说某名教授愤慨他的《头发的故事》,我总以为未必如此。到了我所相信的人,真如卜效廉先生所说,"你

---

① 载北京《京报副刊》1925 年 12 月 28 日第 370 号,署名冯文炳。

的人格与学问,早就做了我先天的恩物",被人暗射起来,我不得不大声疾呼,天下事不可为矣!无已就谥我以"偏见",我也没有法。

既然动了手,不妨更写几句。

今年上季,有许多朋友问我对于几位"专家"作品的意见,我比时很不肯如心直述,因为他们虽然不大像样,总还不至于归在"礼拜六"项下。而他们竟互相标榜起来,仿佛一手可以掩尽识者耳目,我实在佩服他们的大胆。你如说这也是我的偏见,我却承认不得许多,有点不耐烦,——你们难道连肥皂的味道也辨不出吗?

作　　战①

记得辛亥那年,我是十岁,我的哥哥告诉我黄兴在武昌做大元帅,并且称述他是怎样的一个英雄,我听了真是磨拳擦掌,立志要做这么一个英雄。一天我的堂兄从学校回来,他说他听见人家说武昌招募学生军,"我们也去吗?"我们真是忘了形,以为自己是纠纠〔赳赳〕的一个武夫,并不是晚上睡觉还要"来尿"的小学生,从父亲柜子里偷拿几张台票,跑去当兵。

我们的确也走了十里路之遥,走到那里,倘若真去就要上船了,然而我蹲在地下哭起来了,我的堂兄替我揩眼泪,牵我回家。

这一段小小的"传奇",颇足以做我过去生活的纪念,因为我后来完全没有那杀敌斩将的英雄气概了。提起"革命",我总有点愧于心而不敢出诸口,——我是怕杀掉脑壳的,而我又总把"革命"与"杀掉脑壳"连在一起。我的小孩时的朋友,真有几个在当兵,越发使我自惭,前年我预备出小说集子的时候,颇踌躇不决,我觉得这不像我所做的事了。

然而人世的经验,我一天多比一天了,我所见的革命志士,完全与我心里的不一样,我立刻自认我已经是一个革命志

---

① 载北京《京报副刊》1925年12月31日第373号,署名冯文炳。

士！——除掉白刃架在脖子上以为是可怕,我还差了什么呢？

不知从什么时候起,这一"怕"似乎也渐渐的消灭下去了,而我也并不嘲笑从前的"怕",因为在我是同一的来源——我自己觉得如此,正如感到一切的苦甜一样。

从此我毫不踌躇的大胆的踏上我的"战地",——这两个字我用来真是充分的愉快,对得起血肉横飞的战地上的我的朋友。

我依然住在两年前的一间房子,捏着两年前一只秃笔。

"公理"[①]

记得罗素先生的 *Principles of Social Reconstruction* 上有这样意思的话：倘若有一种国际的联合，裁判甲国与乙国间的争端，最好是不要讲什么公理，只估量他们如果打仗结果是怎样，裁判便也怎样。

罗素不讲公理吗？自然不是的，他有他的深意。

我现在只是断章取义的来谈一谈"公理"，至于罗素先生的本意是什么，不在话下。

"公理"摆在面孔上面，是咱们中国人的特长，试一翻历年内争的电报，一定可以发现出许多。推而至于什么"水平线"呀，"标准"呀之类，尽管名色不同，都是吾道一以贯之。而我是始终不测其高深的。

如要勉强附会，我从圣经贤传上也得出了一条公理，——这如几何学上的公理，如下：

"尔安则为之！"

这是怎么讲呢？比方有一桩事，要做了才爽快，我马上就去做，其义一；又如大家爱国，我却坐在书房里抽烟卷，也不怕人家

[①] 载北京《京报副刊》1925年12月31日第373号，署名冯文炳。

骂我冷血,其义二。

所以我的公理其实就是"偏见",你如要替我换招牌。

写毕附记:这几天竟一发不可收拾的讲了许多闲话,虽然没有多花时间,心却跑到腔子外面去了,太不上算,自即日起,还是躲在"研究室""推敲作品"。

狗记者①

　　昨日段祺瑞嗾使卫队枪杀我群众，凡有血气，都誓与卖国贼不共天日的。北京许多报纸，一向是瞎眼迷心，为虎作伥，我们本不屑理会，早已当作异类的！

　　然而他们却会摆起"法律"，"公道"的狗脸，拿我们志士的血，作他们信口开河的资料！枪弹子还没有穿进我们的胸，我们的眼睛要替我们的死者睁开，我们的嗓子要替我们的死者提高，齐声打狗！

　　我从狗群中抓出一头来——渊泉！他在今天的《晨报》上做一篇鸟社论，充分表现狗伎俩。

　　大家不要以为我接着同他有什么辩驳，不，决不！我只痛恨我们当时没有"携带手枪"，——不然此刻还容狗来插嘴吗？"先除奸人，再言运动"，狗也会这样说。

三月十九日。

---

① 载北京《京报副刊》1926年3月21日第445号，署名冯文炳。

俄款与国立九校[①]

俄款委员是那几位,我不知道,但徐谦我是知道的,头一天我听说九校教职员代表要撤换他,第二天他是"通缉令"第一。

俄款预备拿来干什么,我不知道,如果不"同情"于"教书先生而兼主中馈",不使他们"一点钟内便可取到现款",我倒极端同情。

中国现在有许多事要做,要做自然要钱,但国立九校关门,决不值得我们留意!"学生荒废学业",也无劳"以师长资格表示歉憾",——这样的"学业","荒废"了算什么鸟事?

[①] 载北京《京报副刊》1926年3月24日第448号,署名冯文炳。

共产党的光荣①

可怜奴气十足的中国国民,中国的绅士阶级,动不动就以"共产党","暴徒",加在热心运动者头上!

共产党难道与研究系,安福系一样,出在好汉口里觉得可羞吗?它至多不过"过激",但这是多么光荣的一个名词呢?

据奴才的话,此刻无论什么运动,都有共产党参加其间!但这无异于说:我们是躲在狗窠里。

既然是党徒,难道不要参加运动吗?

---

① 载北京《京报副刊》1926年3月24日第448号,列为"大屠杀后的种种呼声"之第一则,题为"一,共产党的光荣。",署名冯文炳。

就算是搭题[1]

我现在不是嘲笑那一个人,也不是响应那一个人,(说是嘲笑也可以,说是响应也可以,)只就他们的话来略略表示我所见到的真理。

西滢先生说,"我不能因为我不尊敬鲁迅先生的人格,就不说他的小说好",——这是"什么话"？我不懂。

鲁迅先生在《桃色的云序》里有这样的句子:"世间本没有别的言说,能比诗人以语言文字画出自己的心和梦,更为明白晓畅的了。"——这是真的。但我还要加一句:这所谓"诗人",连真的批评家也在内,慢说做小说者。

西滢先生将曰:"你这是什么话？我不懂!"

西滢先生的不懂是真不懂,——其实不懂又何妨,只要他"不说"小说。

鲁迅先生在《野草》之二十三上说:

"草木在旱干的沙漠中间,拼命伸长它的根,吸取深地中的

---

[1] 载北京《京报副刊》1926年4月21日第474号,署名冯文炳。

水泉,来造成碧绿的林莽,自然是为了自己的'生'的,然而使疲劳枯竭的旅人,一见就怡然觉得遇到了暂时息肩之所,这是如何的可以感激,而且可以悲哀的事?!"

呜呼,他真是一语破的!然而不足为外人道也。

但我不妨告诉西滢先生一句:文艺上的创作与鉴赏要作如是观,不过创作者自身立刻也成了"旅人"。

忘记了的日记[1]

我在去年六月里决定要写日记,写了不过十天却没有写下去了。今天拿出来看,自己觉得喜欢,把他发表出来。有几节我想拿来做别的文章的材料则不发表。

一九二七年四月十二日。

日记前面的几行字:
我预备将来写某一种东西,开始做日记。我在过去的四年之内,有种种不同的心情,想起来很爱惜,越幼稚,"不洁净",越爱惜得利害,可惜有许多现在已经捉不住了。

一九二六年

今天接到弟弟的来信,称我是天才,也觉得很欢喜。

六月一日

赚得全世界,空虚了自己。

同日

想起了许多往事,很羞,又很难过。陶诗云:"……行行停出

---

[1] 载北京《语丝》周刊1927年4月23日第128期,署名废名。

门,还坐更自思,不畏道里长,但畏人我欺,万一不合意,永为世笑蚩,……"真使我下泪。

六月三日

终日忙碌的剃头的,举起拳头装着要打他的同伙,一面又破声而笑,我见了很欢喜。又令我记起了一个厨子,他有辫子,见了我总是笑。这样的人有福。

路上又碰见两个背大粪的,彼此点头问好。

六月四日

公园路上,一个姑娘低头看一阵蚂蚁,她的同伴好几个,催她走,说她没有事干,她答,"你们有什么事干?反正不是来玩的?"她的话说得真好听。

同日

睡午觉起来,想写文章,写不成。当了五毛钱的当,逛北海。

六月十日

水果铺门口不上三十岁的女人把奶孩子吃,我真想走慢一点,瞧一瞧那奶。

走进北海,墙上失物登记的牌子,第一行:拾得戒指一枚。我隐隐听得见我心上陡起的念头:"戒指!怎么我总没有碰见?"随又笑了。

白白的花了我五十枚铜子,很少有女人,更说不上好看的,脑子里又七想八想,不像平日悠闲,走不上一圈出来。

到十刹海,过小木桥,想起儿时见了桥是怎样的欢喜。倘若把儿时所欢喜的事物一一追记下来,当是一件有趣的事。

同日逛北海之后记

从昨天起,我不要我那名字,起一个名字,就叫做废名。我在这四年以内,真是蜕了不少的壳,最近一年尤其蜕得古怪,就把昨天当个纪念日子罢。

同日

不好看的相识的女人,今天碰见两次。

同日

晚餐,叫了一个蒲蛋汤,算帐的时候叫菜的伙计到那边去了,掌柜的来算,我想说是木须汤,要少十二个铜子,又怕回头识破了,还是说蒲蛋汤。

六月十一日

我近来本不打算出去,出去也只随便到什么游玩的地方玩玩,昨天读了《语丝》八十七期鲁迅的《马上支日记》,实在觉得他笑得苦。尤其使得我苦而痛的,我日来所写的都是太平天下的故事,而他玩笑似的赤着脚在这荆棘道上踏。又莫明其妙的这样想:倘若他枪毙了,我一定去看护他的尸首而枪毙。于是乎想到他那里去玩玩,又怕他在睡觉,我去耽误他,转念到八道湾。

同日

八十七期《语丝》不在手边,好像记得鲁迅先生这个《马上支日记》是谈"蚩尤赤化"的。

誊写时附记。

我也不知道乱花了多少钱,说买一个打蝇子的拍子总舍不得买,天天用手来打。

六月十二日

偷了Ｓ的一根烟吃。他很舍不得他的烟,——我也实在不情愿他来拿我的。

同日

有些事我还不敢写出来,"不洁净"的事,仿佛觉得写出来不大美,但我自己知道,而且可怜我,这是我做过的。我也原恕我这个不写出来的心情。

同日

从二月起就想买一双漂亮的鞋子,今天买了。我有一个脾气,写文章的时候,要桌上抹得干净,衣服穿得整齐,鞋子,袜,越中意越好,倘若是洗澡之后,那就更高兴爽快。稿子纸,也要自己觉得合式。但今天买这一双鞋,一半还是为得碰了好看的女人可以不躲避,尽量的看。有一天我在大路上走,远远望见一个最好看的女人,我只得肃静回避,实在是憾事。

六月十四日

我从前很幼稚的怕将来没有饭吃,而且很认真的这样想。我现在实在爱惜我那时的心情,虽然我已经不同了,"狐狸有洞,天上的鸟有窠,人子没有枕头的地方,"并不认真的这样想,而自然的点头。

同日

我爱女人,但似乎并不怎样想同那一个女人结识。"情愿不自由,也是自由了。"胡适之这句话倒还有意思。

同日

天下文章皆我之文章,我现在实有此感。但我又觉得可哀,我还年青得很,怎的如此?我见了年青的人彼此相骂或相捧,很以为是好玩的事,可喜。

同日

我的哥哥了解我。我有一回在家里发脾气,他问我:"我看你做的文章非常温和,而性情非常急燥。"这是真的,我一时不能作答。

　　　　　　　　　　　　同日

　这一节日记反面写了这样的字：
　我的哥哥,我爱你爱得要死!
　　　　　十月十一日,武昌解围之后,
　　　　　补这两句,纪念我的哥哥。

《寂寞扎记》附记[①]

废名附记:我在《语丝》编辑室里翻看这一篇稿子,不禁心喜,我读着如见了一个熟朋友,——真的,我已经熟识这位志儁君了。我是怎样的渴慕真情流露的文章呵,无论文字修饰不修饰。

四月二十三日

[①] 载北京《语丝》周刊 1927 年 4 月 30 日第 129 期,附志儁《寂寞扎记》后。题目系本书编者所加。

说　　梦[①]

S笑我的一枝秃笔,我可觉得很哀,我用他写了许多字。

我想,倘若我把我每篇文章之所以产生,写出来,——自然有些是不能够分明的写出来的,当是一件有意义的事,或者可以证明厨川百村氏的许多话。好比我写《河上柳》,是在某一种生活之中,偶然站在某地一颗杨柳之下;《花炮》里的《诗人》,是由某地起感。我的朋友J曾怂恿我这样做,但这又颇是一件寂寞的事呵。

记得什么人有这样意思的话:要多所忘却。真的,我忘却的东西真不少,都随着我过去的生命而逝去了。我当初是怎样的爱读《乡愁》,《金鱼》(俱见周作人先生《现代日本小说集》)这类作品,现在我连翻也不翻他一翻。我的抄本上还留下了不少的暗号,都是写《竹林的故事》时预备写的题材,现在我对着他们,正如对着一位死的朋友,回忆他的生前,哀伤着。《竹林的故事》,《河上柳》,《去乡》,是我过去的生命的结晶,现在我还时常

[①] 载北京《语丝》周刊1927年5月28日第133期,署名废名。

回顾他一下,简直是一个梦,我不知这梦是如何做起,我感到不可思议!这是我的杰作呵,我再不能写这样的杰作。

我当初的天地是很狭隘的,在这狭隘的一角却似乎比现在看得深。那样勤苦的读人家的作品的欢喜,自己勤苦的创作的欢喜,现在觉得是想像不到的事了。但我现在依然有我的欢喜,此时要我进献于人,我还是高兴进献我现在的欢喜。不过我怕敢断定——断定我是进步了。

我曾经为了《呐喊》写了一篇小文,现在我几乎害怕想到这篇小文,因为他是那样的不确实。我曾经以为他是怎样的确实呵,以自己的梦去说人家的梦。

我此刻继续写《无题》,我也还要写《张先生与张太太》这类东西。就艺术的寿命说,前者当然要长过后者,而且不知要长过几百千年哩。但他们同是我此刻的生命,我此刻的生命的产儿,有时我更爱惜这短命的产儿。好罢,我愿我多有这样的产儿,虽然不久被抛弃了,对于将来的史家终是有一点用处的。(附说一句:我对于梅兰芳君很觉歉仄,因为《张先生与张太太》那篇文章里我提起了梅君的名字,梅君那样的操业是只能引起我的同情的。)

我的脾气,诚如我的哥哥所说,非常急燥,最不能当住外来的激刺,有时真要如"石勒的杀人",——我到底还是我罢,《石勒的杀人》不终于流了眼泪吗?

我有时实在一个字也没有,但我觉得要摆出一张白纸。过了几个黑夜,我的面前洋洋数千言。

最高兴我的文章的是我自己。最不高兴我的文章的是我自己。

有许多人说我的文章 obscure,看不出我的意思。但我自己是怎样的用心,要把我的心幕逐渐展出来!我甚至于疑心太 clear 得利害。这样的窘况,好像有许多诗人都说过。

我最近发表的《杨柳》(无题之十),有这样的一段——

> 小林先生没有答话,只是笑。小林先生的眼睛里只有杨柳球,——除了杨柳球眼睛之上虽还有天空,他没有看,也就可以说没有映进来。小林先生的杨柳球浸了露水,但他自己也不觉得,——他也不觉得他笑。
> ············

我的一位朋友竟没有看出我的"眼泪"!这个似乎不能怪我。

佐藤春夫很有趣的说道:

"一个人所说的话,在别人听了,决不能和说话的人的心思一样。但是,人们呵,你们却不可因此便生气呵。"

是的,不要生气。

我有一个时候非常之爱黄昏,黄昏时分常是一个人出去走路,尤其喜欢在深巷子里走。《竹林的故事》最初想以"黄昏"为名,以希腊一位女诗人的话做卷头语——

"黄昏呵,你招回一切,光明的早晨所驱散的一切,你招回绵羊,招回山羊,招回小孩到母亲的旁边。"

不知从什么时候起黄昏渐渐于我疏远了。

艺术家要画出丑恶的原形相,似乎终于把自己浸进去了。这是怎样一个无心的而是有意义的事!

创作的时候应该是"反刍"。这样才能成为一个梦。是梦,所以与当初的实生活隔了模糊的界。艺术的成功也就在这里。亚里士多德说:艺术须得常是保持"a continual slight novelty." 西蒙士(A. Symons)解释这话道:"Art should never astonish." 这样的实例,最好是求之于莎士比亚。莎士比亚的剧〔戏〕剧多包含可怖的事实,然而我们读着只觉得他是诗。这正因为他是一个梦。

不要轻易说,"我懂得了!"或者说,"这不能算是一个东西!"真要赏鉴,须得与被赏鉴者在同一的基调上面,至少赏鉴的时候要如此。这样,你很容易得到安息,无论摆在你面前的是一座宫殿或只是一间茅舍。

有时古人的意思还没有说出罢,然而我看出了,莫逆于心。

这一类的实例举不胜举。记得有一回我把这一首诗指给一个友人看——

忆我少壮时　无乐自欣豫　猛志逸四海
骞翮思远翥　荏苒岁月颓　此心稍已去
值欢无复娱　每每多忧虑　气力渐衰损
转觉日不如　壑舟无须臾　引我不得住
前途当几许　未知止泊处　古人惜寸阴
念此使人惧

我对着我的朋友笑道："你读了陶渊明这个'惧'字作如何感呢？我真是一则以喜，一则以惧！"然而解诗者之所云，了不是那么一回事。难怪他们解不得。

有时古人只是无心的一笔罢，但我触动了，或许真是所谓风声鹤唳。这个有很大的道理存在其间。著作者当他动笔的时候，是不能料想到他将成功一个什么。字与字，句与句，互相生长，有如梦之不可捉摸。然而一个人只能做他自己的梦，所以虽是无心，而是有因。结果，我们面着他，不免是梦梦。但依然是真实。

我读莎士比亚，常有上述的情况。Hamlet 的 "dying voice,"是有心的写还是无心呢？但这一句，Hamlet 的最后一句——

The rest is silence.

在我的耳朵里常是余音袅袅。

那之前,Hamlet 对他的朋友道:

> ...... What a wounded name,
> Things standing thus unknown, shall live behind me.
> If thou didst ever hold me in thy heart,
> Absent thee from felicity awhile,
> And in this harsh world draw thy breath in pain,
> To tell my story.

说到这里,远远听见——倘用中国话,应该是敲战鼓罢,道:

What warlike noise is this?

就全剧的结构说,到此本应有此插入,但我疑心我们的诗人兴酣笔落,落下这"warlike noise"!至少这一个声音在我的耳朵里响得起劲。

如此类,很多。在"King Lear"这出戏里面,Edgar 回答 Gloucester 道:

> Y'are much deceiv'd; in nothing am I chang'd
> But in my garments.

情节本是如此，Edgar换了新装，著者自然要这样叙述。然而触动了我。

《儒林外史》的作者未必能如我们现代人一样罢，然而我此刻时常想起了他。这时我也就想起了《水浒》。不管原著者是怎样，我实是同一心情之下怀念这不同的东西。

世间每有人笑嘻嘻的以"刻画"二字加在这种著者头上，我却很不高兴听。自然，刻画我也不想否认。

有人说，文艺作品总要写得 inter(e)sting。这话我也首先承认。

我从前听得教师们说："莎士比亚，仿佛他经过了各种各样的职业，从国王一直到'小丑'，写什么像什么。"我不免有点不懂，就决心到莎士比亚的宫殿里去试探。现在我试探出来了，古往今来，决不容有那样为我所不解的似是而非的说法！我只知有那一个诗人，无论他是怎样的化装。偶见西蒙士引别人的话评论巴尔扎克，有云：

"简括的说，巴尔扎克著作中的人物，那怕就是一个厨役，都有一种天才。每个心都是一管枪，装满了意志。这正是巴尔扎克自己。外面世界的一切呈现于巴尔扎克的心之眼，是在一种过分的形像之下，俱有一种有力的表现，所以他给了他的人物一种拘挛〔挛〕似的动作；他加深了他们的阴影，增强了他们的光。"

这个我以为可以施之于任何作家。有时看起来恰是相反，其实还是一个真理，——我是想到了契诃夫。此刻我的眼前不是活现一个契诃夫吗？

波特来尔说：所有伟大诗人，都很自然的，而且免不了的，要成为批评家。又说：那是不可能的，为一个诗人而不包含一个批评家。

这本是一个极平常的事实。波特来尔自己就给我们做了一个模样，——他之于亚伦坡。

与上面的话同在一书之中，有弗洛倍尔写给波特来尔的一封信，是他，那白玉无瑕的小说家，读了他的 *Les Fleurs du Mal* 而写的，我很高兴的译之如下：

"我把你的诗卷吞下去了，从头到尾，我读了又读，一首一首的，一字一字的，我所能够说的是，他令我喜悦，令我迷醉。你以你的颜色压服了我。我所最倾倒的是你的著作的完美的艺术。你赞美了肉而没有爱他。"

"不薄今人爱古人"，此是有怀抱者的说话。记得鲁迅先生以此与别种不相称的句子联在一起，当是断章取义。

"国朝盛文章，子昂始高蹈。"我有时又颇有此感。

一九二七，五，十九。

"William Shakespeare"的卷首[①]

(原著者 G. Brandes)

这一年,就是这一年,在罗马见了米伽尔安格罗(Michael Angelo)之死,在阿凡(Avon)河上斯特拉特弗尔得(Stratford)这个村落见了威廉莎士比亚之生。这人,这意大利的文艺复兴的伟大艺术家,他画了西喀斯特斯第四(Sixtus IV.)所建筑的礼拜堂的藻井,仿佛是要被替代了,以这英吉利的文艺复兴的伟大艺术家,这人他写有《利亚王》(*King Lear*)。

"死"在莎士比亚的生地追及了莎士比亚,是这一日,就是这一日斯万提司(Cervantes)死于马得里得(Madrid)。这西班牙与英吉利的文艺复兴的两个伟大的创造的艺术家——致谢于他们我们有了吉河德先生(Don Quixote)与哈姆雷特(Hamlet),山差邦扎(Sancho Panza)与弗尔斯塔弗(Falstaff)——竟是一回夺去了。

米伽尔安格罗描绘了非凡的受难的半神(demigods)成一种孤独的令人对之而肃然的图像。在阴郁的诗意上,以及悲苦之

[①] 载北京《语丝》周刊 1927 年 6 月 4 日第 134 期,署"废名译"。

卓绝上,意大利没有第二人可以与之颉颃。

斯万提司的杰构立于登峰造极的地位,因了他那种上乘的滑稽,——这替世界文学开了一个新纪元。他的造构模型的喜剧的本领,在西班牙也是空前而绝后。

莎士比亚,在热诚(pathor)方面直是与米伽尔安格罗比肩而立,在幽趣(humour)上又赶得上斯万提司。这就给了我们一个标准来度量莎士比亚的能力之所抵了。

自从他的天才达到它的极顶,到现在是三百年,欧洲人对于他却依然忙个不休,仿佛他乃我们同时代者。他的戏,到处演,到处读,只要是文化所在的地方。然而施行着最大的魔力怕还在这样的读者头上——他的生成的嗜尚导引他喜于探求深藏在而且宣示于伟大艺术家作品中的一种心灵。"我不让你走,一直到你在我的面前自白了你,自白了你的秘密,"——这就是奔上莎士比亚的那样的读者唇边的话。一出一出的,在可能的范围以内,按着产生的秩序读,然后统观其毕生之作,你将不觉画出了一个图像,——这就是那心灵经历的影子,著作是其经历之程。

Balzac 的一叶[1]

这个题目的意思是说 Balzac 生活的一叶。这一叶我完全采自 Brander[s]。(《十九世纪文学主流》卷五)

Balzac,大身躯,阔肩膀,不十分高,晚年很胖。肥壮的脖子则有女人一般的白。头发是黑的,而且粗得像马鬃。眼睛闪着像两颗黑金刚石。这样的眼睛是能够养得驯狮子的人的眼睛,眼睛而能从墙外看见房子里面发生什么,钻到人之深处去看,读他们的心好比揭开一本书读。他的整个的样子就表示了一个力作的 Sisyphus[2]。

他以一个少年来到巴黎,穷而孤独。他来到这里乃为要做一个著作家的坚强的念头以及挣得声名的希望所驱使。他的父亲,正同大多数的父亲一样,非常之不愿他的儿子——并没有人相信他的儿子是一个天才,丢了法律不学来学文学,所以完全不管他,听他自己去养他自己。那里他就坐在他的楼上,无人招呼,冷得打颤,布袍子裹着腿,装咖啡的壶放在桌上,在他的一边,那一边放着墨水瓶。他时而望一望这个大城市里面的许多

---

[1] 载北京《语丝》周刊 1927 年 6 月 11 日第 135 期,署名废名。
[2] 希腊神话,Sisyphus 在地狱里推石上山,推上去又滚下来了,又推。——作者原注

屋顶,就是这个城市的精神之王,这个城市的描绘者,运命派定了他去做。随目之所及,并不宽广,也不美丽,长了苔的瓦,晒在太阳下,或者为雨所洗,屋上的沟,烟囱,烟囱里冒出来的烟。他自己住的屋,既不舒服,更不雅致,冷风从门洞里窗孔里尖声的叫。扫一扫地板,刷一刷衣服,买一点再也不能减省的东西用最经济的方法,是这年青的诗人每天清早起来的工作,——这时他在计画着与他的天才不相称的一个悲剧。他的休息是到邻近 Père Lachaise 茔地去走一走,这地方俯视着巴黎。站在这居高临下的位置少年 Balzac 估量这个都城,以他的眼睛,而且同它赌,——他要迫着它认识他的荣誉与他的无人知道的名字。

他所计画的悲剧立刻抛弃了。Balzac 的天才是近代的,充满活力的,不能俯首听命于法国悲剧的规则以及抽象的描写之下。而且这一层又非常之迫切:这个年青的隐士,他是有条件的离开家,必得赶快能够独立生活。

他开始来写小说。他对于人生还没有几大的经验足以给他的作品以持久的价值,但他有的是灵敏的源源而来的想像,而且读得不少,能够写出许多故事来,按着某种可能的体裁,就是当时一般浮浅作物的那种体裁。在一八二二年,他用了各种假名字刊行五种以上这样的小说;接着三年他更写了别的,就是照他自己的意见,这都不能算是什么东西,只是拿来混饭吃而已。一八二二年他写信他的姐姐道:"……这些书的唯一的用处在于他们替我带回了成千的法郎。但这些数目都在票纸上,还得经过好长的时间,——终于能够付我不呢?"

就在这个时候,Balzac 丢了著作家不做要来做一个书贾过活了。

他的脑筋——这种脑筋本来就是包藏着各种各样的计画的,忽然起了这样的计画:要把古典文学刊成一卷本发行。这样的版本以前还没有见过,他相信这一定是一桩好买卖。他是对的;但其结果好处,正同他后此的规画一样,被人家得去了,发起者反为所累。好比一八三七年他在 Genoa 的时候,他的心上浮上一个念头:古罗马人大概还没有掘尽 Sardinia 的银矿。他就把这告诉那里一位朋友,而且决心要去试一试。次年他花了许多可贵的时间,长途奔涉,到那岛上,验察那矿渣。事实恰恰应证了他心里所想的,然而等他去找 Turin 地方的官吏,想得到允许,他才晓得那一位朋友已经先他而去了,得到了开矿的特权,而且快要成一个富人了。所以许多呈现于 Balzac 的纷忙的脑子里的实际上的计画都只是一个空想。然而他的天才也就表现于这上面。

他这头一个主意是中肯的,也恰如其量是大胆。他要做铸字的人,排印者,书订起来了又要卖,而且也兼做了著者,因为他对于他的这个大计画抱了极大的热心,发行的书自己都做了序言。但是,当他已经劝信了他的父母把他们大部分的财产放在这个生意上,已经着手办铸字所与排印机,而且印起了很好的附有插画的 Molière 与 La Fontaine 著作的一卷本,法国的书贾大家联合起来反对这冒充的同业,公然的拒绝销行他的书,静候他的生意破产,然后依照他的计画他们自己来赚钱。三年之末,Balzac 不得不把他的书当废纸卖,亏本变卖他的机器。他自己就担受了 Eve et David 这小说当中那个可怜的异想天开的印书人一切的不幸。结果他不但是穷,而且堆了这么一身债,终其身他得工作,就专为偿还他的债主,使得自己再能够独立,母亲的财产能够复原。他的债务——要消平它他没有别的武器除了一枝笔，并不只是一个固定的敌人，它能够生长，从新的地方来袭击他；许久许久的日子，他的对付这一个契约的方法就是牵起了那一个。在这种情形当中他才认识了所有巴黎有钱借人的人，对于这些人他给了一个深刻的描写见于他著作中的人物如Gobseck之类。这样的话："我的债！我的债主！"时常浸在他的思想里，也时常充分的表现于他所写给朋友的信上。他在他的一部小说当中说，"痛悔并不像欠债一样的坏，因为它不能把我们送到牢里去。"他确有一个短期的欠债坐牢的经验，为免去这个经验的重复起见他时常躲藏，迁换住处，有时故意让他的信件误送到别人屋里去。这个真的诗人，他伴着债而活仿佛伴着一个不绝的情感之源；他的想像，仿佛每天都接受一种敦促，敦促他去力作，当他欠债的念头唤醒他的时候；只要他的眼睛一张开，他宛如见了他的债票从每个角落里出现了，而且满屋子里跳跃像一个蚱蜢。

　　他勤苦着著作说起来真是惊人。他老是一个人坐在书室里，（那时的著作家，如Hugo，写东西的时候总是围满了一大堆崇拜他的少年人与学生。）简直不让自己睡觉。他要到七点与八点之间才上床，半夜里又爬起来，又来工作，穿着白的，Domincan僧侣的衣装，腰上系一个金练子。一直到了天亮，觉得要出去走动一下，他就赶快窜到印刷局去，发他的稿子，校对稿样。他不是普通的校对，每一张他要看八九遍十来遍不等。这一半因为他不晓得他是否已经得到了最后的确切的字句，而一半因为他本是这样的习惯：先把他的故事起一个大纲，然后慢慢的来填补细目。他所得到的报酬的一半，有时还不只一半，照例就要装进印书人的荷包。但是,那怕最是急迫得不得了的时候也不能令他允许他的作品出世,在它恰是他所能够使得它那样完成以前。手民见了他就要叹气,他的校对也是他自己最苦的工作。初校把记号画在天地头与两边,以及一节与一节之间有空白的地方,渐渐这些地方都填满了,到得末了,一张纸,又是点,又是杠,又是星号,简直像炮火。然后这个肥大的家伙,衣服脏极了,带〔戴〕一顶压折了的毡帽,窜回去,沿着到处是人的街道,这里那里也还碰着个把人恭敬的让他路,晓得,或者猜想,他是一个天才。接着又是好几个钟头的工作。午饭以前他也想休息一休息,到那里去拜会一个太太,或者冲到古董店里去搜一点旧家俱旧画。一直到天要黑了这个不知劳顿的工人才想到安睡一下。

　　Gautier 有云:"有时清早他跑到我这来,叹气,疲困得什么似的,见了新鲜的阳光睁不开眼睛,仿佛是一个火神(Vulcan)刚刚离开了他的铁炉,自己倒在沙发上面。他的长夜的工作使得他狼一般的饿,他就把沙定鱼同牛乳油捣成一种浆,这个令他想起他在家里吃惯了的东西,他涂在面包上吃。这是他心爱的食品。一吃完他就睡下去了,闭眼以前,央求我过一点钟把他喊醒。我并不理会他这个请求,留心不要这屋子里有声音搅扰这好容易才得来的睡眠。等到他醒来,看见天色是黄昏,他连忙翻身,狠命的骂我,叫我叫奸贼,叫强盗,凶手。我丢了他的一万法郎,因为他必然赚得了这个数目,以一本小说,这个他是可以安排得出来的,倘若他醒来了。但这还是把再版三版不算的话。我引起了最可怕的结局,许多计算不到的事情;我使得他失掉了许多机会,不然他可以同那个财政家会见,或者是印书人,或者那个伯爵夫人;他将不会履行他的契约;这个害死人的瞌睡费去了他一百万……"

　　Balzac 在他颓丧的时候,我们从他的信札里面看出来,他为一个忠实的秘密的爱所安慰,所鼓励。一个女人,她的名字他从没有告诉他的朋友,他只称为"一个天使","一个道义的太阳",对于他"不只是一个母亲,不只是一个朋友,不只是这一个人对于那一个人所能够做得到的,"帮助他,以她的牺牲自己而不惜的虔诚,以言,以行,当他年青被种种困难围住了的时候。我们知道他认识她在一八二二年。十二年之久,(她死于一八三七年)她总是想法子脱去职务,家庭,社会,以及巴黎生活上所有的束缚,来伴他两个钟头。Balzac 他老是热心于人家称扬他的,在他所爱的地方自然的用了极强的表现。真是值得注意的在于这个人显示出来的精细的情感,(这人常是因了他的讥剌〔刺〕过度遭人评议)他的爱在那里取得了形式的钦崇与感谢。

　　Brandes 还加了一个注脚,这女人的名字是 Madame de Berny。

死者马良材[①]

读了《随感录》四十,岂明先生的《偶感之四》,我又记起马良材君。马良材君我是时常记起的。马君,湖南人,我同他本不相识,只在他的同乡 S 君处会过几面,看出他是一个苦于现代的烦闷的青年,生气勃勃的青年。那时他刚刚卒业中学,到北京来求他的路,求他的生之路。他问过我,青年应该怎样?他要怎样?他说话有点口吃,这只表示他的迫切,迫切得要吊眼泪。后来马君到上海去了,我也没有留心他的消息。去年夏,S 君拿出几封信我看,是马君写给他的,我才知道马君已经实际的参加社会运动了。此时我对 S 君笑了一笑:

"很好,他得了他的路。"

字里行间我依然看得出他的烦闷,他的热力。现在只向 S 君索来马君在上海被杀以前写来的信,照录于此——

"我于四月三十号被逮,现在已决定大半会要去阴间了。几年来的辗轲(?),今日宣告满足我自杀之愿,快慰曷堪言喻!?请替我浮一大白罢,当你接到了此信之后。祝你身心愉快!"

马君正是中国现在的青年!

---

① 载北京《语丝》周刊 1927 年 10 月 1 日第 151 期,题为"五一 死者马良材",署名废名。

关于校对[1]

我的一本小书《桃园》初由古城书社出版,现在开明再版亦已出版了,昨日见到。记得古城付印时,由该社某君校对,我远在乡下赶进城来索校稿一阅,其中《桃园》一篇,书一二一页八行,有"你不会去记问草"一句,他大概以为这个"记"字是我写错了,替我涂了,改为"你不会去询问草",其实我没有写错,实是"记问",而且执笔时这两个字费了我一点心,想出来了觉得称意,所以我又把它改还了我的原样。今日打开开明再版本一看,居然又是"询问"了,能不说是又是一位校对先生有意替我改的吗?当然不好怪人,只是自己窘。

再版本《晌午》,书四七页四行——

"红楼梦。"

其实原稿〔稿〕引号内只有红楼梦三个字,字的右边无有曲线,因为赵先生是念红楼梦三个字。这当然也是有意替我加的。这一加我倒不觉得什么,(类此的加法好像还有几处)只是一笑。但校对人总应该明白他的责任才好!

---

[1] 载上海《语丝》周刊1928年12月17日第4卷第49期,题为"二一○ 关于校对",署名废名。

又,《桃园》这一篇曾经在《小说月报》登载过,书一二六页四行"上是屋顶",刊之于《小说月报》者为"上视屋顶",不知是当时我寄去的原槁〔稿〕把"是"错写成"视"呢,还是本没有错,校对先生以为错而改正了?总之王老大那时他实不会"视",他突然一张眼睛而上面有一个屋顶罢了。

十七年十二月十九日

《骆驼草》发刊词[1]

我们开张这个刊物,倒也没有什么新的旗鼓可以整得起来,反正一晌都是于有闲之暇,多少做点事儿,现在有这一张纸,七天一回,更不容偷懒罢了。

不谈国事。既然立志做"秀才",谈干什么呢?此刻现在,或者这个"不"也不蒙允许的,那也就没有法儿了。

不为无益之事。凡属不是自己"正经"的工作,而是惹出来的,自己白费气力且不惜,(其实岂肯不惜呢?)恐怕于人也实在是多事,很抱歉的,这便认为无益之事,想不做。

专门的学问这里没有,因为我们都不专,但社外的关乎学术的来稿,本刊也愿为登载。

文艺方面,思想方面,或而至于讲闲话,玩古董,都是料不到的,笑骂由你笑骂,好文章我自为之,不好亦知其丑,如斯而已,如斯而已。

"乐莫乐兮新相知",海内外同志,其给我们这个乐乎,盍兴乎来。讲〔谨〕此祝福。

---

[1] 载北平《骆驼草》周刊 1930 年 5 月 12 日第 1 期,未署名。题目系本书编者所加(原刊题为《发刊词》)。

"中国自由运动大同盟宣言"①

新近得见由郁达夫鲁迅领衔的《中国自由运动大同盟宣言》,真是不图诸位之丧心病狂一至于此。兹将该项"宣言"转抄在下面——

自由是人类的第二生命,不自由,毋宁死!
我们处在现在统治之下,竟无丝毫自由之可言!查禁书报,思想不能自由,检查新闻,言论不能自由,封闭学校,教育读书不能自由,一切群众组织,未经委派整理,便遭封禁,集会结社不能自由。至于一切政治运动与劳苦群众争求改进自己生活的罢工抗租的行动,更遭绝对禁止。甚至任意拘捕,偶遇〔语〕弃市,身体生命,全无保障。不自由之痛苦,真达于极点!
我们组织自由运动大同盟,坚决为自由而斗争。感受不自由痛苦的人们团结起来,团结到自由运动大同盟旗帜之下来共同奋斗!

---

① 载北平《骆驼草》周刊1930年5月12日第1期,署名丁武。

往下就是这个"运动"的许许多多的名字。资产阶级之不让无产阶级抬头,我们是可以懂得的,无产阶级要无产阶级专政,我们是可以懂得的,甚而至于做过《拜金主义》的胡适博士,当初宣言"好人政府",现在要"宪法",我们都可以懂得,只有今天这个《中国自由运动大同盟宣言》,我看一看文章,看一看名字,看来看去看不清他们到底躲在那一"阶级"?可同情的是"不自由之痛苦,真达于极点!"而且也到底是"现在统治之下","达于极点",与以前军阀时代未可同日而宣言,"一切群众组织,未经委派整理,便遭封禁"了。

从前胡适公布他的"拜金主义"以后,鲁迅做了一段杂感,大意若云:

美国煤油大王致函于中国拾煤渣的老婆子同志,"无法投递,退还原处。"

我现在也记起了一段故事:

据说武则天女皇帝看了骆宾王讨她的檄文,叹息道:"天下有如此人材不用,宰相之过也。"

只可惜封建时代已经过去了,现在连这一位"明主"也不遇了。

"坚决为自由而斗争"!

然而放心,秀才从来是不造反的,所以秦皇帝下逐客令。然而李斯有谏逐之书,文士立功,也由来久矣。

四月二十日

闲　　话[①]

　　我也想来讲讲闲话,但"人格"担保,将来并不借此出一本书,或者留芳,或者遗臭,甚而书未成而名已传,与世界上的大文豪写在一块儿,那么,"人而无耻,胡不遄死!"这是我的一位老乡当我的面骂人的话,他的身体不好,而又不安寂寞,我劝他"你就把你的心得随便写下一点来也是好的,"他就把这两句话答复了我,他是拿著述当名山事业的,宁可一字没有,不同世上的人一样不要脸,连我也在内。既然也骂了我,然而我并没有生气,我虽不能完全同意,对于这个意思总是尊敬的,而且看得他老人家弄得一身是病,我实有点儿悲哀,别无话说了。

　　然而我恐怕连闲话也讲不好,因为我是爱偷闲的,有个空儿便跑到公园去看看风景,或者十字街头看打架。我又是惜光阴的,——那么你干什么呢?是不是躲在象牙之塔里面呢?你不要同我开玩笑,暂时严守秘密,不便宣传。

　　然而我想替《骆驼草》开一个方便之门,闲话仍要大讲一通,抛砖引玉,自告奋勇。

[①] 载北平《骆驼草》周刊 1930 年 5 月 26 日第 3 期,署名丁武。

不愉快的事，因了郁达夫鲁迅的《中国自由运动大同盟宣言》，我刺了鲁迅先生一下。郁达夫先生呢，那实在是一个陪衬，因为他名列第一，割不断，他本来是一个文人，凡属文人我就觉得我不能同他有话说了。

我时常同朋友们谈，鲁迅的《呐喊》同《彷徨》我们是应该爱惜的，因为我认为这两个短篇小说集是足以代表辛亥革命这个时代的，只可惜著者现在听了我的这句话恐怕不高兴了，倘若如此，我以为错在他，不在我。我以为我的这句评语是衷心的赞美，不胜恭敬，著者也足以受之而无愧了，可慰他多年的寂寞与沉默。与著者同时代的，除了这两本书没有别的书。辛亥革命打的旗帜是民族革命，而民族革命的内容是"排满兴汉"，一般革命家都以为只要这四个字办到了革命便已成功了，《呐喊》《彷徨》的著者，那时正是青年，已经感到了事情不是这样简单罢，孤独罢，感到了中国民族的悲哀的人是孤独的。沉默了好几年，等到"革命成功"之后，给了这两本小说我们看，而我们看见的是那时的一位先觉了。我们生得稍迟，等到年纪稍大了一点，对于那时的一位孤独者，是如何的有一种亲切之感！

"阿Q时代已经过去了"，大家都这样喊，那自然是最好不过的，但这没有关系，只是，"前驱"与"落伍"如果都成了群众给你的一个"楮冠"，一则要戴，一则不乐意，那你的生命跑到那里去了？即是你丢掉了自己！这自然也算不了什么，但我总觉得是很可惋惜似的。《坟》这个杂文集，里面也有很好的文章，我一想起这个书名字我就很惆怅。凉风起天末，君子意如何？

新近我才明明白白的懂得一个道理。其实只是一句老话：

"日光之下无新事。"花样自然是层出不穷,日日翻新,如果我们站得远一点,拿个显微镜照一照,看出它依然是那一套货色。这个岂能自喜？亦不必生悲。事实是这样,无可如何的。

人类有一个多数与少数,过去的历史告诉我们是如此,将来大概也如此罢,正同"凡人皆有死"一样。看历史是容易感着兴味的,就算它讲的是我们的祖先,依然不能不动心,然而总比较的保持镇静,不会港入漩涡。替古人耽忧是有的,同死人去争——世上总没有这么一个愚人罢。这一个"争"字非同小可,是少数渐渐加入多数的一个原因,就是所谓利害的关系,不然,明若观火的事,一是一,二是二,何致于贤者都变成了愚人呢？做人湏〔须〕得要谨慎,有所戒惧。人类以外的传染,好比病菌,那么讲不了卫生,只好听天由命,咱们自家的传染,即是说"群众"两个大字,我们是可以站得起一点。

补　　白[1]

　　从前《语丝》在北京出版的时候,我们有文章常是亲自跑去校对,有时一连去了好几趟,弄得书店人员有点奇怪,大有讨厌之势,要嗤之以鼻,自然,或者是我们这般神经过敏的家伙太是"那个"了也是有的。现在一切都是我们自己来,校对大可以痛快一下子,然而又实在嫌麻烦了,然而总还是觉得痛快,总要校得它一字无错,而我们的一位朋友专门捉错,捉得一个错就当我们的面浮它一大白。第四期《文学运动与政治的相关性》一文,末段第五第六行"传说"均是"传统"之误,则是错得较有意义的。

---

[1] 载北平《骆驼草》周刊1930年6月9日第5期,未署名。

闲　　话[①]

人总应该做点事才对。孔子曰,"君子疾没世而名不称焉,"我想也无非就是做个人总要做点事的意思,圣人之徒则钻到那一个"名"字里头去多事,大不安心,生出他的有意义的讲法,其实这一位"万世师表"未必不比他们平庸多了。我们平常骂人,说你白活,可惜这两个字实在讲不通,怎么叫"白活"呢?你怎么能够呢?

Hamlet,反攻一切,总算是"看穿"了,然而,人之将死,再三叮咛他的朋友把他的"故事"传出去,以一个 wounded name 为遗憾。"太上忘情",恐怕也一样的是一句诗。

我时常想着一种人,不由得起一个敬意。斯人也,路人也,不胜光荣之至,而得见于经传——

"子路从而后,遇丈人,以杖荷蓧。子路问曰:'子见夫子乎?'丈人曰:'四体不勤,五谷不分,孰为夫子?'植其杖而芸。子路拱而立。止子路宿,杀鸡为黍而食之,见其二子焉。……"

人生的意义这里实在是有的,寂寞,辛苦。

有本事就做一个卤莽的鲁智深和尚那也是好的,跑到相国寺

[①] 载北平《骆驼草》周刊1930年6月16日第6期,署名惠敏。

去管菜园,然而这与泼皮们的饭碗攸关,几乎没有拖下粪窖。然而这一群泼皮也未免太是"古风"了,心悦诚服,破钞请起师父来,酒席场上,好说好笑,师父的本领也真太大了,给你们一个玩艺儿看,一拔就把一棵树拔起来了,真是不亦乐乎,鄙人心向往之。

"知道你自己!"这一句老话实在有点儿耐思索。论理,生在达尔文之后的我们,应该多知道一点自己了?然而不然。人为万物之灵,或者就在于他不安分乎。

唉,一提这话,不由得记起一件往事,颇自喜的。然而也何必呢?叫化子拾得一块铁,持以语人!然而说一说也无妨的。记不清正在那里干什么,好像是预备来情书一束的,忽而受了什么刺激,很英雄,要投笔从戎,诚诚恳恳的去请教于老师,老师婉劝道:"希腊有一句名言,'知道你自己。'人大概是有所长,有所短,甲做甲的事情或者有点用处,若去做乙的事,未必于事有济。"我俨然知道我是受了一大打击,冷清清的回去了。不过三天我就自己发笑,你这个东西中什么用,真是癞虾蟆要垫床脚。同天鹅肉一样的不必想吃也。而不久拉我结伴的两位好汉都从塞外逃归了,愤慨于那里的将军专门打屁股,能挨板子者便能升官。我劝他不要多说话,结果要我拉他们上便意居去洗尘。"蒲萄美酒夜光杯",在我终于倒也是一个很好的理想之国了。我的朋友现在不知都到那里去了?

古往今来倒也真有知道自己的。一个人到了"遗嘱"的资格,我们真可以恭敬的一领教了。我且把这个遗嘱钞在下面:

"曾子有疾,召门弟子曰:'启予足,启予手。诗云,战战兢兢,如临深渊,如履薄冰。而今而后,吾知免夫。小子!'"

死之 beauty[①]

英国的批评家有言:"我想《安东尼与可丽阿巴特拉》(Antony and Cleopatra)是莎士比亚的戏剧当中最可惊异的一篇,原因就在于可丽阿巴特拉这脚色是莎士比亚的女人当中最可惊异者。恐怕不限于莎士比亚的女人,是一切女人中之最古怪的一个哩。"这话可中了我的意。我常想,写了《利亚王》(King Lear),人世的患难建筑这巍然的一座宫殿,够人升堂而又入室,而又来了这么一个"gipsy",我们真是不免瞠目而结舌,而且要把那一座宫殿更是回头一看了。你如没有去读它一遍,那我就借莎翁自己的话:

"那么你就错过了一幅神奇的造作而未遇目,这样的东西你如视之而无睹,不赞叹一番,未免枉此一遭了。"

这是安东尼正在踌躇的当儿,"愿我没有得见她呵!"他的从人向他讲的。

我当时读这一篇,正好是在读了《利亚王》之后,掩卷而狂喜,我仿佛透得其中的消息。语云,船大浪大。水之积也不厚,则其负大舟也无力。这里实在是一个诗人的度量。

---

① 载北平《骆驼草》周刊 1930 年 6 月 23 日第 7 期,署名废名。

可丽阿巴特拉,埃及女王,一世之雄如恺撒,庞培,都曾出于其门。"王之妖！她使得恺撒放下他的宝剑,要登她的卧榻呵。他在这里头用功,做了一个耕农,她则收获了。"她自己则这样说：

　　因了"烛龙"(Phoebus)爱抚之毒射,
　　所以我是一个黑奴,
　　而一看我的面额,这里又实在藏了不少的岁月。
　　那个宽头阔面的恺撒,
　　当你站在这里,我是一个专制君王之一啖；
　　庞培则立在我之前,把他的眼睛靠着我的眉宇间生长,
　　就在此地他的容颜抛了锚〔锚〕,旁观他的一生而死。

从此我们可以看出她的年龄已不算小,但最妙的恐怕就是这个！不然未必这样的有声有色。这里殊不是世间一般讲"爱"的故事者所能测其高深了。见了她的人回到罗马去说,"岁月不足以凋谢她,风俗习惯不足以应尽她的千变万化。"有一个人这样喊了一句：

"但是,一切的爱之蛊惑,淫荡的可丽阿巴特拉,润成你苍白之唇！"

大概早已不是那少女的红色了。

安东尼说"样样都适合于她,哭也好,笑也好,骂也好"。我最喜欢的是这一句：

"淫荡之事在她的手上都成了那样的巧妙,神的牧师不由得替她祷告,当她最顽皮的时候。"

玛克安东尼(Mark Antony),我们用可丽阿巴特拉的话,"天下一个最伟大的兵",现在在这个尼罗河上留连忘返了,当他要回到罗马去还要"撒谎":"这里是我的空间。王国只是一块泥巴。我们的粪土之地,载着了人也同样载着了牲畜,生活的高贵在我们这里,任痛苦之惩罚,世间上有这么的无双之匹能够这样,我就要天下人都望着我们高高在上。"可丽阿巴特拉说他是撒谎。接着他向她道:

"我们的生活之中不能有一分一秒的引长而没有欢乐。今天晚上有什么把戏呢?"

他们大概常常喜欢上街玩,问了今天晚上有什么把戏,底下他就说:"今天晚上我们到街上去走一走,看一看各色人等。"后来依诺巴尔伯斯(Enobarbus)回到罗马去说他"有一回看见她在大街上跳它几十步,呼吸不过来了,她就动嘴说话,喘气。唉,真是,在别人是毛病,在她都成佳作了,愈是呼吸不过来,愈是呼出精神了。"

安东尼说他一定要走,依诺巴尔伯斯道:"可丽阿巴特拉,她一捉到这个响声,立刻就要死了。我见她死过一二十回,都还没有到这么个要紧的时候。我简直想,在那个死里头有什么一种情热加一种爱情的勾当于她,所以一说话就来了。"安东尼回答得很有意思,他道:

"她的诡计多端,不是你我的思想所范围得住的。"

安东尼终于得了她的同意回去了,她就完全在那个"idleness"当中过日子,第一幕第五场与第二幕第五场开始就写的是这个。第一幕第五场,她领了宫女加尔密安(Charmian),哀拉斯(Iras)出来,还有宦者玛第安(Mardian)。

  可 加尔密安!
  加 娘娘!
  可 哈,哈!给我一杯醉酒。
  加 为什么呢,娘娘?
  可 我的安东尼不在这儿,这样我可以把这个时间的大罅隙睡过去。
  加 你太把他想得利害了。
  可 哼!你这个奸细。
  加 不是的,娘娘。
  可 你呢,宦者玛第安!
  玛 娘娘要什么取乐呢?
  可 现在不想听你唱;一个阉人之所有,我得不到乐趣。在你们是很好的,你这不伦不类的人呵,你无牵无挂自由自在的思想可以不飞过埃及。你有感情没有呢?

玛第安就同娘娘说了一点笑话。
可丽阿巴特拉接着问加尔密安道:

  加尔密安,你想他现在正走到什么地方呢?
  还是站着,还是坐着呢?
  还是骑在他的马上呢?

你这个快活的马呵,你负着的是安东尼之重!
好好的勇敢一点,
你知道吗,马上加鞭的是谁?
他算得我们这个地上的哀特拉斯(Atlas),……

她的这一群儿女小使,篇中另有两段描写,兹亦抄之:

她坐在她的船里头,
这真是一座辉煌的龙位,照在水上,
紫的帆,金铂的船尾,
散着那样的一种芬芳,风都害了相思病了。
桨是银的,吹着调子一下一下的荡,
后面的水都紧紧的随来,这样的打击它它倒陷入痴情了。
她自己呢,那是说也说不尽了,
卧在帐幕里,金织之物,挂着那一个凡诺斯(Venus),
这里是一幅想像之指点自然了。
她的身边站着那些好看的酒窝的孩儿,
同善笑的可彼得(Cupids)一样,
手拿各色的扇子扇,
看起来好像是把那香腮炙热了一下,
然而实是吹凉了,不是这个扇子的事它也想一齐来了。

往下云:

> 侍女们,好像一群海的女神(Neredes),
> 这么多的神鱼,留心到她的眼睛里去了,
> 她们的低腰下首,不啻身外的装点了。
> 掌舵的也就是一位鱼姑娘,
> 丝之绳索,张起帆来,全靠那花一般的纤手,
> 来得能干极了。……

第二幕第五场——

可　替我来一点音乐。音乐,我们这些玩爱的把戏者心神的供养。

从　喂,叫音乐!

(玛第安上来)

可　算了罢。我们还是来打弹子。来,加尔密安。

加　我的膀子有点疼,顶好就请你同玛第安打罢。

可　来,你同我玩吗,先生?

玛　当然是要奉陪的。

可　而且,圣旨一宣,受宠若惊了。可是今天我不行。给我一个钓钩罢,我们一路到河边去,那里,远远把音乐吹起来,我来同鱼儿游戏,骗一骗那些褐色宽鳍的鱼儿,一下子我的钩就把它们滑溜的嘴刺住了,我就把它一带,一个一个的我都当它是安东尼,"哈哈!你捉

住了。"

加　那一天真是好玩,你们睹钓,你的泗人拿一尾盐鱼挂在他的钩上,他就使劲的把它一带就带起来了。

可　那一回——啊,那些时候!——我把他笑得急了。那天晚上,我又把他笑得默了。第二天清早,还不到九点钟,一杯酒我送他入睡,把我的衣裳替他盖上,我把他的宝剑腓力滂(Philippan)拿来戴一戴。

　　安东尼回到罗马去,娶了他的敌人的姊妹。这是他的一种手段,借以缓和形势。可丽阿巴特拉则天天"墨水与纸"了,"谁在那一天降生,那天我忘记写信安东尼,那他就以一个乞丐而死了。"消息传来,说他娶了阿克达菲亚(Octavia),她就大现其她的泼妇本领,然而叫人"垂怜"了。于是又急于要知道阿克达菲亚的容貌,年纪,性情,要问一个清楚明白,"千万也不要把她的头发的颜色忽略了。"使者就被召进来。

可　你亲眼见过阿克达菲亚吗?
使　是的,令人害怕的王后。
可　在那里?
使　在罗马,娘娘。我朝她的脸上仔细看了一眼,我见她走在她的兄弟与玛克安东尼之间。
可　她长得同我一般高吗?
使　那不是的,娘娘。

可　你听见她讲话吗？是尖喉咙，还是低声呢？

使　我听见的，是一个粗喉咙。

可　那可不成。他不能长久喜欢她。

加　喜欢她！啊，哀西士(Isis)！那是不可能的。

可　我也是这样想，加尔密安。破喉咙，而又是一个矮子！她走路又怎么样呢？是什么一个步阵呢？这是要紧的，记清楚，你如出入王廷。

使　那可以说是匍匐着。其行其止，无分别。她现得是一个身子而不是一个生命，一具雕刻而不是一个呼吸之人。

我们看一看莎翁手下的这一个"wonder piece"，真是觉到生命的呼吸了。

安东尼又回到埃及来了，从此便是倾国倾城的舞台了，国人群起而攻之。一败涂地之际，他疑心可丽阿巴特拉与他的敌人修好，而她带了她的女儿们奔上一座塔，就在那里把自己琐〔锁〕起来了，撒〔撒〕一个谎，打发人告诉他说她已经自杀。安东尼听了这个消息而伏剑，终于带到她的面前而死。可丽阿巴特拉对于安东尼之死，可谓悲歌尽致。真是痴人说梦了——

　　你们听见女人和小孩子说他们自己的梦，你们好笑，——

　　这不是你们的能事吗？

那个听者答道："我不懂。"

> 我梦见曾经有一个君王安东尼,——
> 啊,再来这么一个酣睡罢,
> 我可以看见另外一个这么一个人。

起初她并不打算她的生命就随着这样结束的,但阿克达菲斯恺撒(Octavius Caesar)要把她带到罗马去当作一种战胜品,"那上帝可不许了"。她的死,就是一个 beauty。那个小而有毒长虫,我不晓得是一个什么虫,很想往尼罗河上一看了,名叫 asp,"杀你而不痛苦你",一个小丑以一个装了无花果的篮子替她带来了。

以下便是最后之幕——

> 可　把我的衣袍给我,替我把王冠带上,
> 　　一个永生之念奔上了我的心头,
> 　　埃及的葡萄之浆不能再润这个唇。
> 　　快点,快点,我的好哀拉斯。
> 　　我想安东尼在那里叫我,
> 　　我看见他站起来赞美我的高贵的行为,
> 　　听见他冷笑恺撒的得意,——
> 　　上帝每每给你这点东西宽解你多余的愤怒。
> 　　丈夫,我来了,
> 　　对于这个称呼我的勇敢配得上我的名字!
> 　　我是火,是空,别的元素我一齐扔给此生了。
> 　　办好了吗?

那么,来,拿去我的唇上的最后之热。

别了,善良的加尔密安。

永辞了,哀拉斯。

(吻她们。哀拉斯倒下而死。)

这个小动物放到我的唇上了吗?

怎么的,你躺下去了?

倘若你同自然是这样儒雅的分别,

那死的鞭子不过如情人之刺伤,足以伤人,而是盼切的。

你真个就不起来吗?

这样轻轻一去,那你就告诉世界它是不足以握手一言别了。

加　天上的浓云,你变成雨罢,那我说神一齐哭了。

可　这就见我不行,

倘若她首先遇见那蓬头的安东尼,

他将免不了见面而一吻,——这是我的天国呵。

来,你这个终有一死的小虫,

(向放到胸中的 asp)

以你的利齿解开这个难解的生命之结。

可怜你这有毒的蠢东西呵,

请你动怒罢,有所作为罢。

啊,倘若你能言语,

我将听见你叫一声恺撒何所能为的竖子。

加　啊,东方的星!

可　安静一点!安静一点!

你没有看见我怀中的乳儿,吮得人好睡吗?

加　啊,咬了!啊,咬了!

可　同香一样的甜,同风一样的薰,舒服极了,——

啊,安东尼!——不,我再来一个。

(又放一个 asp 到臂上。)

我为什么还留恋——

(死。)

她的死相就是一个睡貌。阿克达菲斯恺撒听说她的死法,道:

"一定是这样的,她的医生告诉我,说她总是要讨一个方子,易死之术。"

闲　　话[①]

一

限即刻起闲话项下以数目字标之。我本来不配讲闲话,刚毅木讷是我的本色,花言巧语则是学得的一点工夫。然而要这样说者,实在是省得起题目之难,而且我不能话长,一话一标题,未免把《骆驼草》的目录那点地盘弄得太挤了。这样原因说明了,然而似乎不好意思成一段话,夫《骆驼草》算得什么?它是一个孤孽子,寿命能够多长,首先它自己就没有把握,它知道那一个"活该!"挨骂是它的预算,"打倒"也是它的预算,卖不出钱来那它自然就倒了。天下英雄好汉幸勿专门咒诅则个。

二

昨夜鹤兄自大明湖上飞来,说,人无好坏,有高下,也就是说雅俗,听了我很是中意。"吾家"君培亦不觉举杯相庆哩。这里

[①] 载北平《骆驼草》周刊1930年6月30日第8期,署名惠敏。

自然很藏了一个做工夫的意思。话虽如此,我们的鹤兄实是一个天生的大雅君子。

中国的格言说,"事无不可对人言。"这话我可不能附和。从我想,一日之内,不必说的话,多则也许有一半罢。这又岂是我们所谓慎言的君子所能了得？做人实在比做文章还难,小时作文,得到一个"明白了当"的批词,只能算是乙等分数,比及格只高一等,心里不大痛快,今之夜,斗室之内,天气殊热得可以,而扇子还没有上市场去卖〔买〕,想起有一个明白了当的日子,很是心羡了。那时想说不想说的话,什么事都安放得很好了罢。我们为什么总是拖泥带水呢？

说话之间来了一位妙人,他那晓得我此刻的心事呢？说他很佩服我,钉着又问我一句:"你尝日也悔不？"我乃哈哈大笑,很是一个高人模样。做人能够做到"不悔"地步,那这人总算是有福气,为己为人算是到家了,可以恭敬他一杯。然而我并不是说他就没有错处,那倒没有什么可喜欢的,乃是说他有错处而并不怎么悔,即是说他已经不大苦了自己,——我们都太苦了自己了,是不是？

三

天气热得可以,而间壁的大学生在他的斗室之内打破了天气一声唱：

"实是恨了诸葛亮,他的八卦比我强。"

这当然是周公瑾。我可觉得很有意思,简直不胜其喜欢。我喜欢这么热的天气这一位唱戏的把世间上的骂与恨都唱给我了。

人总是不老实，喜欢乱想，一想又想起孟老先生的话：

"逢蒙学射于羿，尽羿之道，思天下唯羿为愈己，于是杀羿。孟子曰，是亦羿有罪焉。"

这个道理我也实在喜欢。是的，是亦羿有罪焉。

四

中国人还应该拿中国人的话来教训他才对，不妨就到那些陈旧的⟨的⟩东西里去抄一点，因为"西方文化"总难得适合这个特别国情，说得他不懂。其实真正的中国话又何曾容易懂？教训又何曾有用？然而毛病总能够容易看得中，子子孙孙总是这一些"可怜悯者"。我这四个字是引了一位科学家的。

昔者顾炎武劝人不要讲大话，只是从这八个字下点工夫："博学于文，行己有耻。"我觉得今之人有闭门造车，大言不惭者，还应该这样教训。上而为天，下而为地，人居其中是一个什么？懂得这一点，那这个人或者还能做点有益之事。可怜，世上都是些螳臂当车，而不知其可笑也。

这位顾先生又有一句："廉易而耻难。"今之人也可以找得出许多例证。

闲 话[①]

前日之夜,在一位友人之家,作长夜之谈,不知东方之既白。这几个之字闹得我不得了,第二天清早便哇的一声吐呕起来了。我这个人,同我的一部小说上的主人公差不多可笑,对于自己的行为总是有点儿悲观,即是说怕寒伧,"作恶"是我少有的毛病,大概总寒伧得可以,好在七粒"仁丹"便已原状恢复了。是日之夜,一位"自甘堕落的有志之士"海上请客,我是不弃之一,指定一位诗人为证,说我吃恐怕不免大吃,因为我今天还没有吃饭,酒则恕要让贤了。结果由早晨因为没有睡觉而吐呕之我,坐了汽车,抱着晚上因为酒醉而吐呕之"他",一直上到他的楼梯,进到他的寝门了,其余的诸位后来打听得都是迷路而归了,不过程度差一点。我生平还没有干过这样得意的差事,他倒在我的兜里,我替他画十字,我的纺绸大衫也已经不是纺绸大衫,任其挥霍,这么一个爱人儿,便是要我代替跳积水潭也一定是不足惜了。事实分明,完全不是我的光荣,而今天脱了大褂用西法去洗,结果却赢〔嬴〕得一个"喝醉了"之名,——"你这是喝醉了吐的罢。"我乃扬长而归了。

---

① 载北平《骆驼草》周刊 1930 年 7 月 7 日第 9 期,署名惠敏。

这一个"他",其实也是一个银样腊〔蜡〕枪头,喝酒固然可佩服,怕狗也未免怕得太可笑,我也非宣布出来不可。一日之晨,我还正在那里"蒙头"哩,他拿了一篇得意文章站在门口无论如何不肯进来,我的主东,一位大嫂,一定要我出去,说,"X先生,那位客人无论如何不肯进来,要你出去。"我摸不着头脑,只好出去,出去"原来是你!"他说他怕我们的狗。他劝我搬家。得意文章袖给我而去。我毫不客气俱向大嫂报告了。她气愤得很。

随 笔①

一

　　昔者张耀翔先生以"!"这个东西为亡国之象而统计起来,鄙人今日于懒惰之中把拙作拿来检查一下,欣欣然色喜,显然的"!"这个东西一天一天的减少了。实在的,我简直不喜欢用它,用的时候则都是一些玩笑之句。盖古人学成德立之年,别无长进,这个确实算得一点。

　　还有,别的标点符号,如支点,半支点,我也都不喜欢用,简直的以为是多事,几几乎要回到老办法里头去了,剩下一个句读。至于拿古书来加新,那更以为是低能儿做的勾当,卤莽灭裂,压根儿什么也不懂。

二

　　做文章用典故,殊是一个有意义的事,可惜道理不大容易

---

① 载北平《骆驼草》周刊1930年8月4日第13期,署名非命。

懂，而文章也就不容易做，有意义的事也就容易变得无意义了。多年以前，正是大家努力做白话文的时候，有人说古文也岂可反对人做，因为世间有英雄，凡人拔一根毫毛不得，鲁智深可以倒拔垂杨，我当时恰好是一个新旧之间的青年，很被这一个有意思的典故打动了。某一篇文章里面，用了唐有壬先生的"从尸从穴"的典故，说这是嘲笑唐先生，我看那实在不必如是说，只是那个作文章的人太是古典派了，没有这个典故那他的措词恐怕有点为难了。

　　古文中的典故，恐怕也不容易得作者的用心，这也殊是一个可以消遣的审查，在我至少可以抵得证几何那样可喜。高明的作者，遣词造句，总喜欢拣现成的用，而意思则多是自己的，新的，这也是典故的存在的理由之一。"我是梦中传彩笔，欲书花叶寄朝云，"李义山咏牡丹诗中的句子，我以为其中有非其人道不出的意境，词句的自然现得他不费力罢了。昨夜与友人谈杜甫"古来存老马，不必取长途"两句，我说这两句话很见他这一个老年人的悲哀，而与原来的出典不相干，解诗者多有可笑的。吾友曰然云。

阿左林的话[①]

在徐霞村先生的《现代南欧文学概观》里一篇讲阿左林的文章见到这一节话：

"这种对话的流畅和正确，不可耐的虚伪，是从西万提斯一直传到了加尔多斯（Galdos）。在日常的生活里一个人并不这样说话，一个人只是用着简短的，不正确的，自然的句子，不联贯的，时断时续地说话。小说绝对不是它的完全的表现。这种非艺术的，干冷的对话的联贯和正确，浸透了全部的结构。而且，老实说，结构根本就不应该存在。人生是没有结构的；它是各色的，多方面的，流动的，矛盾的，完全不像它在小说里那样整齐，那样板然的方正。"

阿左林别的我毫无所知，单就他这一节话而论，我可觉得他老先生未免有点儿老实，他的同乡那位老前辈一定要笑他不是了。"小说绝对不是它的完全的表现"，这话我以为如果从阿先生的意思翻过里子来说才很有意思。西万提斯或者才不能不说是写实派。这里才真是没有结构。本来这个道理平常，可以说如同照像与写生之比。

[①] 载北平《骆驼草》周刊1930年9月29日第21期，署名法。

"祭如在,祭神如神在。"我以为这是一句很妙的话。所以阿左林先生的话我并不佩服。

草　话[1]

　　论到"说草话"是颇不容易的一件事。说得好呢,兜得人家嫣然一笑罢了。说不好,那可在淑女士绅之间立地遭被奚落,从此鬓影衣香间再难插足的了!因为说不好的草话有时就是"粗话"。粗话如何可以瞎说得的。但是天下滔滔呀,请看报章上的通电。

　　《骆驼草》出世已经廿一二岁了。养育栽培也颇费支撑之苦。我们也明知道有人对它的失望,因为这个孩子总算也长得那么大了,而对人家老是没有半句正话。可奈连草话也说不漂亮。这难免天下有心人要为它嗟叹而不满了。但是偌大的一个孩子了,究竟懂得一点儿人事。也许它正在睨笑世人庄重敬谨的把粗话听作正话。什么"衷心如捣",什么"仁言利溥"。喂,伙计!那儿有这么一回事呀!

---

[1] 载北平《骆驼草》周刊1930年9月29日第21期,署名补白子。

过中秋[1]

中秋,那必然是有个诗思罢,然而我没有。我向来就没有诗思,而且以此著名,曾蒙见笑于姐姐妹妹之林,说我不喜欢花,不喜欢听鸟叫,"奇怪,你这个人不喜欢看花!"我这个人大概有什么标记应该是喜欢着花的了。小姐们不小心的地方我倒喜欢留意,岂是留意,常常不幸而注意到了罢了,有一回雨打梨花之夜五龙亭上我看见一个人儿喝柠檬水喝得太不好看。

今年的中秋又特别没有诗思,简直杀风景得很,不说别的,此刻拿起笔来忽而写下这么一个题目,不禁有一点儿慌张,怕人家要打倒我了,说我有什么趣味了。如今国历之下,这个废历之节,连邮政局里拿了汇票都可以去取钱。于是又很有点儿怏怏然,我也有一张汇票前一个礼拜已经取回来了。这又为什么怏怏然?我说话总是喜欢这样胡里胡涂的。

我总是打算盘,打算怎样的过一天,过一月。然而中秋的前一日,黎明即起,揩一揩眼矢,知道明天就是佳节,盥漱甫毕,人不知鬼不觉,出城下乡去玩了。倘若不是跑得快,也许没有去成。然而终于是在乡下走路了。实在自己也不知道为什么。坐

---

[1] 载北平《华北日报副刊》1930年10月10日第283号,署名废名。

在车上很快乐的。记得有一回有一人问我,那时我也是为什么下了一趟乡回来,他不知为什么以为我一定是骑驴的,说,"你是骑驴子罢。"其实我是坐人力车。路上也总是想大大小小的事,关于自己,关于自己以外。碰见拉车的,或是他的年纪大,或是他的气力小,拉得费气力的令人难过,也是不能安然的。今天格外的不能安然,想,我如果到了这地步,那我一定要败于自然罢,决不败于人。这就是说我可以跳到大海里去,或者禁食而死。这就是说我知道我敌不过自然之律,水可以把我湮没,不营养生命就要灭亡。我决没有一个为人所屈服的意思。这都是见笑的话。这都是实话。我如果为得做文章,那一定说得大方多了,可以找不出毛病来。那也不就是假话。这几日恐怕是因为受了一些刺激,所以心绪颇不宁,乱思想。好比前日在一位友人处听到一位青年的谈话,他刚从警备司令部释放了回来,备谈那里面的情形,恐怕都是中国所特有。别的不必说了,有一件令我注意。他说那施刑的是一个老头子,他的老婆,他的儿子,他的儿媳妇,都在里面做同样的事。我想,他的父亲,他的父亲的父亲,恐怕也是子孙相传的。这是很可怕的一件事。

可耻的是中国的文人。他们自己不意识,其实他们都是自居于俳优之列,总仿佛有一个什么应该养活他们。我走在路上我颇凛凛然,我找不出一个合理的生活。在这个不合理的社会里,什么是我的合理的生活呢?我想那应该是自己耕种。说实话,我是赞美和尚生活的,但那也应该在合理的社会里才为合理,物质文明发达,大家的工作都是大家的快乐,不是牛马,那可以让他在那里修行了,否则八股的鼻祖韩昌黎公所骂他们的也不无是处。在这个不合理的社会里我想我还是应该做一点什么工才对，求以自给。至于艺术，那只能算是你自己还能够游戏。你自己明白道理，能够心安，然后不妨自足，人家责备你，笑骂你，你自然能够原谅他，如果他实在是粗暴，卑鄙，你也可以耻笑他。可恨我从小就没有养成一个操作的习惯。

我在这些思想之下到了香山，这个地方我很熟，所以一点也不觉得新鲜，到处都感到干燥极了。我本不是有意来玩的，干燥也就干燥而已。太阳落山时，我走到卧佛寺去看我的一位朋友，我打听得他昨天或是前天也下乡来了。不巧他到外面游逛去了。我怅惘。去年也是这时节，我也在西山小住，他也在卧佛寺，我去访他，他则已进城矣，我曾写了几行字寄他，有云："抚诸松而徘徊，忆君君不知。"回头一个人沿马路走，望见山上红叶，也因为看熟了，不见怎样了不得，确也还好看。回头打个电话进城，受话者责备我为什么跑了，催我还是回来过中秋，并说他们已经关了一月饷，有酒有肴哩。盛意不可却，中秋之日，正午，我又进城来了。真是何所闻而来，何所见而去。

归途，过海甸，车夫走的是小道，天气热燥，我又是一阵一阵的乱想。道旁看见一座坟，碑刻"大清庚子之变殉难烈女陈四姑之墓"，我烦燥得难堪，恨不得一脚踢翻了它。我在我的故乡，"节孝牌坊"是看得很多的，还没有看见"烈女"！这个该咒诅的什么！一路上一阵一阵的土，干燥已极，把我闷死了。进西直门，又看见两个不是人的女人，小脚，满脸胭脂粉，真是白日见鬼。我一看她们的服装我知道这都是住在万牲园往南有名叫黄土坑地方卖淫的！

立斋谈话[①]

一

首先应得解题,立斋这名字怎么来的?言其谈话人将要到了那个"立"起来了之年,而且表示他将来一定还有大大的进步也。有时他觉得他已经是了不得,喜欢夸示他的过往,这个当然是胡闹。去年有一位更是年青的青年,写信给他,他回信有云:"人生虽短而艺术则长。然而,短的人生也应该有五十岁月,而我同你刚刚到了一半,这一半里头又做了一半的小孩,紧要的日子在今日以后耳。若今日以前问我们大要成熟,岂不滑稽哉,非愚则妄也。孔子曰,后生可畏也,这一个畏字下得不虚。"当下是安慰朋友,事后平心静气的一想,这几句话实在是偶尔而说中了,拿来做了一段日记。

[①] 载北平《华北日报副刊》1930年10月12日、13日、16日第284号、第285号、第287号,署名废名。

二

有一位好友跑来问我,"你也应该发一点议论才对。"他的意思是当这个议论滔滔的时候。将来我不晓得怎么样,自我执笔以来以至今日,我所最以为苦的就是要自己发议论,人家的议论倒是喜欢看,无论他说得对不对。我觉得讲话是与人无益的,而且古往今来的话又很少说得自己能懂的。我也并不就是说凡话都要与人有用处,知其无用而要讲一讲倒是我格外敬重的,只是我从这里得不着我的"大欢喜",我就不愿多费工夫了。其实人都是表现自己的,你自然喜欢讲话,我也就是最爱见人就谈天的一个,有时得着的是哑的苦,而多半总是悦乐,一说照例说个半夜不休,所以我们实在不是时间的悭吝者,只是形之于笔墨,总应该是另外的一个东西了,这之间有一个距离,是我们生而为人的一个最大的方便。可惜天下滔滔,就是捏了笔他也还是鹦鹉学舌。我们实在是不欲责备人。

三

我近来仿佛才能望见"客观"二字。至于要真正到了那地步,尚要假我以岁月。我想,艺术之极致就是客观。而这所谓客观其实就是主观之极致,所谓入乎内出乎外者或足以尽之。此事殊不容易,因为这个对像是"人生",也就是你自己也。不同科学是外界的现像。而其能够冷静的把对像捧在手上而观照之,则在两方面都需要老手。有一回听得一位长者说陶渊明的挽歌做得好,当下我肃然起敬,称赞陶诗,那自然是意中事,只是这位长者的意思完全不是我所原来有的了,他很雅致的说给我听,"你看,这个挽歌做得好,他冷冷静静的同想睡觉以后的事情一样,他的儿子将怎么啼,亲戚朋友将怎样送他,平凡得很,一点也没有什么大惊小怪的。"我看一看这位有须翁,他同陶先生差不多上下了。我悟得一个大道理,回头得意得很。

四

"Omit"这个字很有意思。记得有一位艺术家说过这样的话,艺术家的本领就在于 Omit 这一个字。我的意思还不在于技巧方面,而在于境界,而在于思想,总之一切。你为什么别的不说而说你要说的这一个呢?这一个你把你的什么都告诉我们了。你说的是一块石头罢,然而你是一个三家村的学究,你是一个经历名山大川而回头的,都看你这块石头怎么样。同是说一朵花,你是一个闺房小姐,你是一个正在恋爱的青年,或者是一个有道法的和尚,或者是一个生物学家,也自臭得出。

五

上回忽而讲到我所谓客观,一个好意思,说得太是将就了,只是我总是觉得向来大家所谓的客观没有那么一回事。我总以为我们缺少一种小说。我们所有的小说,我以为都是小说家他们做的诗,这些小说家都是诗人。他们所表现的人物,都是主观的。有一位批评家谈弗洛倍尔,可以引到这里作参考。他是讲

Madame Bovary 这部小说，他说这本书他好久不读忘记了，但有一句总不能忘记，写一个人月夜在坟地里，这位小说家有着他所没有的诗情的描写，但忽然来它一下，说这人看见一个人来了，他想起他的马铃薯近来被人偷了，一定是这人了。（大意如此，原文记不清。）他说这才真是弗洛倍尔的句子，这才真是弗洛倍尔的人物。这就是小说家弗洛倍尔把他的诗做给我们看。小说家都是拿他们自己的颜色描画人物。颜色生动，人物也才生动。

国庆日之朝[1]

　　一年一度,双十节终又来到。不管是意识的或是不意识的,这天的街头总有一种特殊的热闹。回想过去若干年以来我一直在北京,每逢国庆日大概要到街上去走走的。每到这一天总觉得比别的日子不同,比之"新年"在我还有更生的气概。这是说自己在那天有种反省的机会罢了。至说对国庆本身决没有什么多大的没我的欢欣。今年国庆日从早醒时起就听见冷风刮着落叶在院子的砖瓦上起出一种干枯之声。"桂花香里",在北方真是迅速的三二天罢了,这早已是过去完了。"丛菊纷披",这尚属未来。走到枯败的院子里益深萧索之感了。我在这种时候就大不满意于北方生活。要在南方正是黄金的成熟时期,离严冬的寒威尚远不可来的样子。特别的今年今日有这种感想。上午在家。也不能静心。十时有来客。因为中午有人设宴称庆,就带早出门与来客到外面顺便走走。街头照例点缀了些旗彩之类。殊属单调之至。车过天安门,往年常开国民大会的天安门,也是一样。听说本年奉有命令要隆重庆祝的,但实际可说不如从前。可见强颜作笑是不可能的。见到"普天同庆","薄海腾观"的彩

---

[1]　载北平《骆驼草》周刊1930年10月13日第23期,署名补白子。

牌楼,心弦上起出异样的难受。这难受只是异样罢了,并无多大的厉害。所以只说"难受"而已。这两字实在已足够表明那种比较复杂的情绪了罢。在那种难受之中,同行的来客忽又握别了。于是只好再坐车去赴C家之晏。其实也只同瞻仰彩牌楼一样而已。不过以为D老可到,一领他的謦颏〔欬〕大足解颐。谁知在C家满堂宾客中未见此公。竟其连启翁也不见来到,不然在陌生居多的人中有一熟人随便谈谈省得去尊姓大名了。他们二人竟终席未见。所以回家来极早。而启翁来信早在我的案头等候了。国庆日尚只过一半,下午晚上本亦有可记处。但是题目标明只限朝晨的感想所以本刊补白栏只有照抄一段启翁来书或能填满一栏余乎。书中有曰C公赐晏想必有盛大举动,唯不佞〔佞〕懒于出门一半由于刮大风恐未必能去领赐耳。日前往北海访友,顺便在小骨董店中买一石印,文曰"以酒为衣",边款五行云"有酒曾歌雅无衣漫咏豳一樽凭泛蚁百结抵悬鹑但学刘伶醉浑忘范叔贫瓮头谋卒岁缸面暖回春戊戌〔戌〕秋七月朔日冯敏昌"虽系赋得上文四字,亦颇可玩耳。匆匆。云云。重该〔读〕启翁书罢感到我之赋得国庆亦大可休矣云尔。

往日记[1]

  在这个题目之下,我想将我儿时的事情就其所记得的记下来。为什么呢?这样或者可以不假思索而有稿子,捏起笔来记得一点写一点,没有别的。大凡回忆类的小说,虽是写过去的事,而实是当时的心情,我这个不然,因为它不是小说,是一种记录,着重于事实,绝不加以渲染,或者可以供研究儿童心理者去参考。另外却还有一点意思,就是,我向来以为一个人的儿童生活状态影响于他的将来非常大,我们这一批将近三十岁的人原来是在旧时代当中做孩子过来的,这是一件有意义的事。今日的孩童,生在同样的地域,等他有朝一日来看我的这些过去的日记,真不知道话的是那朝事也,他们当然也就不要看这些东西。

十九年十月十七日。

---

[1]　载北平《华北日报副刊》1930年10月19日、22日、29日第289号、第291号、第295号,署名废名。

一

我记得我第一次我一个人出城过桥的样子。大概是六岁的光景,想来总不能再小,确是不致于更大,因为我六岁上大病一次,不像这次病后的事情了。我的外祖母家距我家不过三里,我家住在城里,出城去一共要过三次桥。从小我惯在外祖母家,第一次没有大人带我,我独自走去,一个很好的三四月天气,那天上午,我的姐姐做了什么活计,好像是一双鞋,对我笑道:"你能把这个东西送到外祖母家去吗?"我喜欢得了不得,连忙说能,而且一定要姐姐让我送去,姐姐就让我去了。我记得我一个人出城走路很得意,真是仿佛顶天立地的样子,一共要过三座桥,第一第三不记得,第二桥名叫"清石板桥",在这三道河中,水最深,桥是石建的,没有可扶手处,(第一桥有铁丝可扶)我走在当中那个害怕的样子,我记得,及至一脚跨过去了,其欢喜真是无比。然而到了外祖母家,记得外祖母不在家,大家并不怎样稀奇,我自以为是一件奇事,我一个人走到这里来了,所以当下那个冷落的样儿我也记得。比这一回更以前的我的姐姐的样子我也不记得。

二

由我家往外祖母家第三座桥名叫"马头桥",马头桥也就是一个小市,我的姨母家就在这里。我从小也总在我的姨母家玩。马头桥的一头,河坝上,有一棵树我至今不晓得是什么树,有一天我一个人在桥头玩,忽然看见树顶上有两个果子,颜色甚红,我觉得橘子没有那样红,枇杷也没有那样红,大小倒是那样大小,我站在树脚下仰望不已,我没有法子把它弄下来,我真是想得很。我至今总仿佛有两颗红果在一棵树上。我无论在那里看见什么树结着红色的果实,我就想起那两颗红果来了,但总比不上它的颜色红,那真是红极了。

三

故乡很少有荷花,其实什么花都不多见,只是我喜欢看池塘里长出来的荷花与叶,所以我格外觉得这个好东西少有了。外祖母家门口便是一口塘,但并不年年长荷花,有的年头也长,那这一年我真是异景天开,喜欢的了不得,此刻我便浮现了我的那个小小的影儿站在那个荷塘岸上。我真想下水去摘一朵花起来,连茎带叶捏在手上玩,我也把那个长着刺的绿茎爱得出奇。我记得我在我的故乡还没有捏过荷花,我也没有告诉别人过说我爱荷花,只是自己暗地里那么的想得出神。

四

我小时是喜欢说话的,所以我的姨母曾经叫我叫"满嘴"。我又爱撒谎,总之我是一个最调皮的孩子,这个调皮又并不怎么见得天真,简直是一个坏孩子,对于什么都有主意,能干。然而在许多事情上面我真好像一个哑巴,那么深深的自己感着欢喜。我最喜欢放牛,可是我没有一次要求过让我牵牛去放,我总在坝上看他们放牛。有一回,记得是长工放牛回来的时候,我要他让我骑牛玩,我以为这一定是很容易的事,立刻我就骑上去,走不上几步我却从牛背上摔下来了,那个欢喜后的失意情境,还记得。上面说过,外祖母家门口有一口塘,黄昏时牵牛喝水,也是我最喜欢的事,我记得有时也由我牵到塘沿去喝,此刻那牛仿佛还记得,黄昏底下自己牵绳默默站在水上那个样也隐约记得。

五

有一样花,我至今不晓得叫什么花,我也没有法子形容,但在我的记忆里真是新鲜极了,太好看。我只能说它是深红颜色,花须甚多,蓬起来好像一把伞,柄也很长,也真像一个伞柄,是野花,我记得是我一个人走在坂里,满坂的庄稼,我一个小孩子在当中走,迎面来了一个人,什么人我不记得了,他捏了好几柄这个花,一一给我,我一一接在手上,举起来,又从地中走回,那个欢喜真是利害。后来我常常想到这个欢喜,想到这个花,想回到故乡去一看。有一回回家,忽然问我的妻,"在你们家里那个花叫做什么花呢?"不知不觉的做了一个手势,说不出所以然来,真是窘哩。妻也窘。

六

我最喜欢看棕榈树,爱它那个伞样儿,爱它那个绿。这样的绿色我都喜欢看,好比喜欢看橘树叶子,喜欢看枇杷的叶子。我的外祖母家有一棵橘树,长在颇高的一个台阶之下,结了橘子我们站在阶上伸手攀折得够,但这棵橘树并不爱结橘子,结的橘子也不大,所以我们常常拿了棍子站在树脚下轻轻的打它,口里说着"你结橘子吗?你结橘子吗?"大人告诉我们这样打它它明年就结橘子。这棵橘树二十年来是早没有了,那个我喜欢上上下下的十几步石阶也没有了,房子是完全改变了样子,但原来的那个样儿我新鲜的记得。

七

故乡没有老玉米这个东西,有之也甚小,大家都当它玩意儿,在我那简直是一个宝贝了,一定要把它给我。在外祖母家有时我便得着它,我真爱它,我觉得再没有比它可爱的了。所以我到北京来,看见老玉米,虽然明知道同那就是一个东西,然而我总觉得这那里是我所爱的那个。那简直不能拿别的什么同它比,叫我选择,只好说它是整个的一个生命。儿时的欢喜直是令人想不通。在故乡不叫玉米,叫的那两个字我写不上来。我记得都是紫红色,我总觉得它是一个小宝塔。小米我们也轻易吃不着,记不得有一回在什么地方看见人家吃小米白薯粥,总之是在乡下过路,一个人家门前路过,我真是喜欢得什么似的。我们住在上乡,可以说是山乡,下乡则是水乡,在那里小米却是很普遍的一种杂粮,我们小孩子当然不知道,每年冬天,下乡人有挑了"粟米糖"上县城来卖的,我一看见那个卖糖的坐在城脚下像专门来晒日黄似的坐在那里卖粟米糖,我真觉得日子从今天又过一个新日子了,心想这是从那里来的,喜欢得什么似的。然而我很少吃得这个粟米糖,真是寂寞得很,我也没有同人家讲,我在我自己家里很不被优待,仿佛是多余的一个小孩子似的,因为系一个大家庭,我的祖父在我是一个小孩子时格外的讨厌我,到了我长大了他老人家却是器重我得很。那个卖粟米糖的不知怎的年年总在城门外那块石头上面坐着卖。或者真是因为晒日黄的原故。我看见的时候总在清早,这个城门名叫"小南门",而是正向东。那时我们就靠着小南门住家。年年是不是就是那一个人来卖,我记得我没有留心,总之我只觉得卖粟米糖的来了,那个粟米糖真是令我喜欢,有时冷冷的对我的母亲说一句,"卖粟米糖的来了。"我的母亲那时在一个大家庭里很是一个不幸的母亲,身体又不好,简直顾不得我们,总是叫我们上外祖母家去。我也吃过粟米糖,记不得是谁买给我的,或者是我自己偷了父亲的钱来买的也未可知。我小时在自己家里大人不给我钱,常是自己偷父亲的钱。我记得大人家的意见似乎是说"芝麻糖"好吃,粟米糖不好吃,我则总是觉得粟米糖好,怀着这个欢喜没有同人说。

随　　笔①

一

有一个好意思,愿公之于天下同好。古人盖不可及矣。来者我实在没有那个意思,因为我同他无情。这个意思我也就很喜欢,觉得真正是有得之言。然而劈口说我有一个好意思,尚没有想到来了这么几句。那个意思其实只是一句话:我们总要文章做得好。列位听了恐怕不免有点失望,这么一句普通的话。然而在我实是半生幸〔辛〕苦才能写这一句有意思的话。做文章有一个普通的要诀,就是要能够割爱。你的文思如涌,材料一齐都来了,你舍不得罢,但结果你的这一篇文章却未见得做到好处,或者简直是一个大大的损失。所以你最好是让它忘却,或者另外拿一张稿纸把它做一个记号留下来,等应该用它的时候再来用它,那你就一举而两得,一,你没有损伤材料,二,你的这篇文章做得好也。中国是一个文字之国,历来的人都能够讲究做文章,所谓桐城谬种之流,随便拿出他们一篇文章来,你也增减

---

① 载北平《骆驼草》周刊1930年10月27日第25期,署名法。

它一字不得，然而材料上则是一个大大的问题，他们不是序寿，就是传烈，总之他们未曾有材料也。这不是我所说的文章。我所说的文章，我们凡夫俗子都有点做不上来，我们得意了就叫，失意也是一种叫，那里还捏得起一枝笔。普通人家死了人，搭起台来请和尚念经，和尚也要披上他的法衣，也总要唱得好听一点，只可惜这都是一些职业僧，在北京社会里借这个机会还可以吃得阔人家的厨子做的几碗荤菜，至于说到迷信二字，当初浪漫时期，我倒也有写实打倒之概，如今且不管它了。又好比唱戏，男扮女也好，女扮男也好，我也没有什么成见，讨厌的在于这都是一些"倡优"，有朝一日等我们自己上台去演，大家多少都赏过一点悲欢离合，生老病死，那这个戏应该格外的可以叫好罢，但那时又恐怕很难得约上几个朋友共来唱它一出。我有时也常钻到戏园子里去逛一逛的，锣鼓乱叫之下，每每不期然而然的定睛细看那一个个老弱残兵，我们乡下叫"呵道的"，朝夕守在图书馆的朋友，一定见不到这真正北京人的本来面目了，然而我不禁很是诗人似的起一种遐想，我觉得这在人生舞台上也是很有意义的一份脚色，比起大街上以他的残废来求老爷太太可怜的叫化子总有人与非人之分，人为什么一定要那样的难看？然而天下事真是难以说话，这些第几阶级的朋友一样的都不是在那里扮戏，而是乞儿。而这是当然的。我为得说做文章，结果这笔稍稍一放，落到这儿这段小文章难以收题，又怪没有意思，总之我们生而为人，人为万物之灵，而一切有生之伦又实在不能不说这个圆颅方趾的东西是最不忍看的，因为他不好看，衣冠文物一时总谈不上，而且沐猴而冠也是令人难过的事，我们可有把握的是自己可以出门去买一枝笔回来，学画羽毛，其实这也未始不是一种保护色。

二

　　日本森鸥外说过这样的话,他说他喜欢浏览报章上的文章,尤其是小说,好歹不论,很有趣的可以看得出作者为什么这样的写。不过他似乎是专指了关于性生活方面的文章而说。这个我也很有同感。我们固然以得一篇佳作而浮一大白,不佳也大可撚须而一笑,或者还格外感到一种亲切也未可知,只要它是老实的玩艺儿,这就是说不自觉的表现也。记得多年前见到一本孔德学生刊行的刊物,在追悼他们的同学名叫齐可的许多诗文中有一首诗,劈头一句是"齐可是一个大学生,"我觉得很好玩,这一定是一位小朋友的手笔了,回想自己儿时在私塾里上学,把几个比我们大的窗友羡慕得不已,简直就高不可攀。当初宣统皇帝趱走了,他的一些日记似的东西披露出来,我也觉得有趣,表现得出一种心理。有许多男作家,女作家,都给了我不少的很好的测验,几乎作品愈不成熟得的分数也愈高,此刻还没有得到一个公布的结果。今年暑假《新晨报副刊》发表的一些骂人的文章,很少能够言之成理的,却大都不免于露了马脚出来,作者自己当然是看不出的了。

　　目下的中国文坛,有日就荒芜之势,自然你也可以说它本来就没有茂盛过。对于新兴者我不想说话,因为那就要说到许多必然的事实上面去,非这篇小文所许,而且我是爱省事的。我的意思只是觉得我们首先关于文字上还太欠用功,因此只要文辞好的作品我就很欣喜的往下看了,但也格外容易起一个不舒服之感。其实我所看的新出版物就很少,暑假中在一位友人处见到今年的《小说月报》一号上面载的沈从文先生的一篇小说《萧萧》,文章是写得很好的了,我一口气读下去,读到篇末叙述萧萧姑娘渐渐到生产之期,人家容易看出她的腹部变化,虽是几句话,(原书不在手头,无从引征)我却替这篇文章可惜了,而作者的主观似乎也揭示给我们了,我以为那不免有点轻薄气息,也就是下流。作者的思想到底怎么样?他对于他的主人公到底取怎么一个态度?是不是下笔时偶尔的忘形?我不禁要推想。又如施蛰存先生的《上元镫》,也是文章写得很好的一本书,我也是在一位朋友处见及,读了第一篇《扇》,很欣喜的要往下看去,结果也是掩卷而想,——说实话,很令我不愉快了。我觉得施先生的文章很不免有中国式的才子佳人气,或者也就是道学气,或者也就是上海气罢。我特别留意了《闵行秋日纪事》与《梅雨之夕》两篇,题材都是写一个人路上遇着女人,《梅雨之夕》里面引了日本铃木春信的画题,可惜文章做得并不能令我们感得那一种"洒脱的感觉",而文章是写得很好的。《闵行秋日纪事》有云:"我并非是想占有一个女子,我绝没有那个思想,我到如今也还是一个处男,……"从艺术上看何以要这样声明?是必须吗?又如云:"但我何以要对这个邂逅着的美少女说出这种使人远而避之的职业来,那是连我也不明白当时是被动于那一种概念了。"我从文章看来,觉得作者实在是被动于许多概念,没有达到造成艺术品的超脱心境。又好比叙述汽车上的乘客,有云:"比我先上车的这个少年商人与和尚,嘻,真是滑稽似的,和尚底贴身,何以却可坐着一个女尼,两个之间,可有什么关系吗,虽则神色之间是装着不相识似的。"何以必得要有这个"观察"?

再往高处说,下笔总能保持得一个距离,即是说一个"自觉"（consciousness）,无论是以自己或自己以外为材料,弄在手上若抛丸,是谈何容易的事。所谓冷静的理智在这里恐不可恃,须是一个智慧。人是一个有感情的动物,这一个情字非同小可,一定要牵着我们跟着它走,这个自然也怪有意思,然而世间也难保没有有本领的猴子,跳得过如来手心。"惠子曰,既谓之人,恶得无情？庄子曰,是非吾所谓情也。吾所谓无情者,言人之不以好恶内伤其身,常因自然而不益生也。"这真是字字有力量,阐发起来恐怕话长,总之这是我所理想的一个有情人,筋斗翻到这个地步那才好玩。我羡慕一种小说,"常因自然而不益生",我所谓的"自觉"或者就可以这样解法。古今来不少伟大天才,似乎还很少有这样一个,他们都是"诗人",一生都在那里做梦给我们看,却不是"昼梦",昼梦则明知而故犯也。因为是天才,当不能拿我们常人的本事去推测,然而我平常也敢于胡乱替人家说梦,结果所得亦不下于普通的测验。道斯托以夫斯基,巴尔扎克这一类庞大的著作家,我们如果钻到他们的人物里去看,恐怕成绩最大,莎士比亚亦不能例外,因为嗜好的关系,关于他特别成就了我的创作心理学说。我承认莎士比亚始终不免是个厌世诗人,而厌世诗人照例比别人格外尝到人生的欢跃,因为他格外绘得出"美"。莎士比亚的女脚色一开口说话我们就最好是留心听,在他的文章里好看的女子扮作男子装束的不止一个,结果那个女子分外的好看。有声有色莫过于 Imogen,这位少女处处现得一种高贵的女性,当她带上她的宝剑扮一个男孩子出场的时候,开口说道：

I see a man's life is a tedious one;
I have tir'd myself,and for tow〔two〕nights together
Have made the ground my bed;……
（我觉得一个男子的生活是讨厌的；我把我自己累了,整整两夜我就躺在地下睡了；……）

她是不能不扮作男装私自奔走出来。这几句话出在她的口里只是描写了她的美,而这位作者动不动就是这一套笔墨。Cleopatra 登死之场这样说过：

倘若你同自然是这样儒雅的分别,
那死的鞭子不过如情人之刺伤,足以伤人,而是盼切的。
你真个就不起来吗？
这样轻轻一去,那你就告诉世界它是不足以握手一言别了。
（请参看本草第七期《死之 beauty》一文。）

在"The Tempest"里,作者最后之作,少女 Miranda 居在一个岛上除了她的父亲没有看见第二个人,后来一个风暴打来一个爱人,最后来了许多人,小姑娘欢喜得叫道：

O,wonder!
How many goodly creatures are there here!
How beauteous mankind is!

这自然是相反的一个说法了，然而我以为恰恰足以证明它是一枝笔。作者善于描写女人心理，所以她的女人格外好看，因之他的诗也格外做得好。

在一篇文章结构之前，作者自然有一个整个的思想流贯其间，及其弄笔生花，则每每又节外生枝，虽然都是好看的。Hamlet 应该是如何的一个性格，然而到了临死的时候，深以一个 wounded name 为遗憾，不甘心人间埋没了他，最后一句话就很有余哀，我们读着就真真的被他感动了，"The rest is silence."有人或者要说一个人的性格本来是矛盾的，多方面的，何况高深莫测的 Hamlet，所以这是当然的。但我以为不必如此，莎士比亚写到这个地方或者把他所要表现的一个主人公忘记了，忽然碰到"死"这个题目来做文章了。我们从此倒很有趣的看得出作者当时不自觉的流露出来的他对于这个题目的心情。自然，主人公是他的主人公，你说这是 Hamlet 性格的矛盾，又怎么好细细的分辨，事实则恐怕不是这么一个整个的安排耳。我们不妨再从 Romeo 身上考察一下子。Romeo 之将死，在坟地之前同 Paris 斗，说道："我请求你，少年人，不要更加我一层罪恶，激我于愤怒；呵，你走开罢，凭了上天，我爱你甚于爱我自己，我来到这里就是为得同我自己宣战：你走开，不要站在这里；你去好好的生活，而且告诉人一个疯人的慈悲吩咐你逃脱了。"我以为这又是莎士比亚遇着"死"而做的文章，与其说是表现他的主人公，不如说是且暂时忘却了，这种描写似乎与 Romeo 没有必要，这个 Romeo 倒真有点像 Hamlet。在我这很是一个有意义的事。

因此，一字一句完全拿匠心来雕刻的文章，如弗洛倍尔的小说,当然是好的,有时却又感到美中不足。古老的庞大的巨像,不免沾上了一些沙子,沙子里头却又掏出金子来,另外得到一个意外的欢喜,这个欢喜真不算小,不啻翻得了他的一页日记也。总之开卷有得,或者这也最是一个冒险的事亦未可知。

斗方夜谭①

一

　　昨天看见鹤西的一篇小文章,大意是说他无意作文罢。他大概也不会有人去请他登台演说,既然这个也"无意",那大概就是沉默。其实我们没有赶上军事训练的人,当然拿不起枪杆,那还是练习捏笔杆为得计,等到自己真有那么的好运气,有一枝五色笔装在怀里,那就有朝一夜给人家要去了,那倒又是一个好运气。然而我真有点"悲哀",已成老翁但未白头耳,实在的以不要我做什么事为了事,静坐当然办不到,我就宁愿昼寝,——可见也并不是怎样懈怠,睡了一天两天之后,甚至于一月半月,忽然又一跃而起,不甘沉默,简直就欲罢不能,这就是说又捏起了笔了也,这大概真正可以算得游戏之作,把这个意思再找一个名词来翻译一下,大概就是所谓"杰作"。然而天下生活之法无论怎样的多,而没有一样是完全由得你的,认清了这个,苦恼或者更

---

① 载北平《华北日报副刊》1930年12月22日、24日、25日、26日、27日第343号、第345号、第346号、第347号、第348号和1931年1月7日第354号,署名废名。

少一点，至于"欢喜"是不是因此也减少一点则我尚未曾统计。说了一半天尚没有说到题目，而我的题目到底是什么意思，等待要说明它又仿佛不大明白，我只是打算从即日起赶一点夜工也。这样的工作就替它取一个名字叫做"义务"罢。这两个字我加了一个引号，就是表明"不大明白，有点糊涂。"人生四日八餐何莫而非义务乎？然而口之于味也有同嗜焉，东西要好吃至少算得我们一生的一半的快乐。作斗方夜谭。

二

好久好久以前从荒货摊上买得一部《昌谷集》，有着莫名其妙的注解的。我没有读过书，那是不待说的，拿去问了一位读过书的朋友，他也说这罕见，就算它是海内孤本罢，花一元二买了来。这几个注诗的人，（好几个人合注的）我想都不过是斗方名士罢，（糟糕，我的"斗方夜谭"这名字取得不小心了，自己挖苦了一下！完全老实的说，我有一个最不好的脾气，最不喜欢人家叫我什么"名士"之类，岂但不喜欢，简直就讨厌之至，大小反正是一样。从我的迂腐的眼光看来，时下所谓"普罗"作家，也都是努力想列于名士之阶级。我的斗方云者，只是说我不喜欢住大房子，精神照顾不了，喜欢住一间小屋子。）实在难登大雅之堂，在原诗《感讽》第三首后面引了两句诗，我却以为是佳句，的是可喜，要介绍一下，原诗当然是好，如下：

  南山何其悲　　鬼雨洒空草

  长安夜半秋　　风前几人老

> 低迷黄昏迳　袅袅青栎道
> 月午树无影　一山唯白晓
> 漆炬迎新人　幽圹萤扰扰

这真算得"鬼诗"。所引的一位姓范的先生的两句为：

> 雨止修竹间　流萤夜深至

这位范先生自己也以为"语太幽，殆类鬼作。"

三

冬夜，在西城根臭胡同Y兄之寓里，几个友人围炉谈闲天，喝清茶，几乎是再也难得的快乐的时光。本来不算少的四五个人到了今年就零落了，各人都去干什么，为什么，走了。聚谈本来要少长咸集才最有意思，若只剩了我们这一两个不大不小的家伙，朝夕见面，真是枯坐得很，谈什么呢？首先就没有那个恋爱的佳话可以插得嘴进去。然而人总是有杀风景的地方，至少我总是觉得我不好，又可气又可笑，但也好玩，反正事过境迁，别人早已忘记了，人都不会记得他所听见的人家讲给他听的道理，只各人自己生活上的"故事"才牢牢的锁住不放。记得有一夜正是故事谈得高兴的时候，我忽而从Y的桌上翻开一本《庄子》看，一翻翻到这一节文章，"舜以天下让其友北人无择。北人无择曰，异哉后之为人也，居于畎亩之中而游尧之门，不若是而已，又欲以其辱行漫我，吾羞见之。因自投清冷之渊。"我顿时很喜欢,仿佛是今天才寓目的一本新书似的,觉得这样的人真迂腐得有趣,可以不要天下,而也就因为这一点乱子而"自投清冷之渊"。又翻到这一节,"舜以天下让善卷。善卷曰,余立于宇宙之中,冬日衣皮毛,夏日衣葛绨,春耕种形足以劳动,秋收敛身足以休息〔食〕,日出而作,日入而息,逍遥于天地之间,而心意自得,吾何以天下为哉?悲夫,子之不知余也。遂不受,于是去而入深山,莫知其处。"我乃更是忍不住,也听不见大家在那里笑闹一些什么,指着要F君看,简直是要捏住他的耳朵把他拉拢来的样子,而言曰,"你看,这一节文章,这一个'悲夫',实在不能当作你们平常用的惊叹号随便看去,这两个字,加一个惊叹符号,足足有一千斤!这个人总算是旷达极了,然而不能忘情于人之不相知,'悲夫,子之不知余也。'这真是很有意思的事。"F君他当然要敷衍我一下,给我逼得无法,只好唯唯说是了,实在他此时心不在焉。一会儿我就很是自窘,茶余酒后讲这一套话干什么呢?于是转过身去故意同F君讲别的笑话了。今日之夜,思念朋友,惘然于那个良辰美景,因之还觉得"昨日之我"大可爱。

四

吾友平伯兄与余相识算晚,风流儒雅,海内知名,天下的人物真是"那样的旧而又这样的新"也。与古为徒,大概也算得人生一乐,至少接触时髦是怪容易令人有一个"不好玩"。这一些佳趣,我只好同喝茶一样,香在口,无须你喝采。然而座中平伯无头无尾的说辛稼轩这两句不错:"不恨古人吾不见,恨古人不见吾狂耳。"平伯曾指其庭院一棵大树顾我而言曰,"这棵树比这个房子年纪大。"我一看是殷仲文之槐,生意不尽。他不晓得我是真爱看树的。

五

"因材而教",实在不是一个不费工夫而得到的资格。我们都太爱说话,爱表现自家。孔圣人实在是圣人,我们无论如何只好承认。平伯说的很有趣,子贡问伯夷叔齐何人也,老师只随随便便的答应一句就算了,"古之贤人也。"再问才照答,说了那一句要紧的话。我们终日饶舌,果有所知乎哉?有所知亦迫不及待,生怕人家说我不懂,其实所表现的恐怕都是你自己也。虽然,"赐也徒能辩,乃不见吾心,"亦云悲矣。百世以下,殊堪嘉奖。

我们都喜欢做诸葛亮陶潜合论,论旨大概也差不多,中国的圣人之徒车载斗量,真是"汗牛之充栋"焉,这两位倒不见得言必道孔孟,倒羽扇纶巾好一个"儒者气像"!平伯又说得有趣,诸葛先生,不出来大概就不出来罢,一出来就真个鞠躬尽瘁。我看这位山人殊精明得可以,别的且不谈,你看他那《出师表》,说来说去可不都是一个意思,知道孺子之不可教吗?早就耽心那个"宫中府中"的把戏。这真是一篇不是文章的文章,气像万千,令人可爱。糟糕,我这大有《古文观止》的模样。

六

很早的时候平伯看了我的《桥》,曾对我说过,"看你书中的主人公，大有不食人间烟火之感。"当下我很吃一惊，因为完全出乎我的意外，自己当然总是给自己蒙住了，我万万想不到我这个"恶劣"家伙的出产原来可以得到那一个当头棒，后来我仔细一想，平伯的话是对的，或者旁观者清亦未可知，因之我写给平伯的信有云："我是一个站在前门大街灰尘当中的人，然而我的写生是愁眉敛翠春烟薄。"

七

在开章第二回就说了我不喜欢住大房子，那是的确的，——我几时撒过谎？然而有一回同"吾家"君培在午门外走路，我忽而得意极了，赶紧掉身向他道："别的事情我真不想做，到了今日之我，如果罚我做皇帝，把我一个人关在这个城墙里头，我真有点喜欢。"把他那一个笑罗汉说得个嘻哈笑，我则立地已经返老还童，简直的是安徒生手下的孩子，"你不要打我！"他拍我一肩也。当下我觉得我丰富得很，在天下没有皇帝之日，且将团扇共徘徊，我真什么也不要了。从前我还想遇见狐仙，现在这个也不想。然而暗暗的又好像在那里爱玩两件东西，大概又想——"偷！"（齐天大圣到此一游，法官注意！）从前逛历史博物馆，看见有宝剑一口，逛故宫东路看见骰子一副，那真是古而不老之物，小子不禁如临深渊焉。到今年，这两个地方先后我又各去了一趟，行到水穷处，坐看云起时，然而看来看去，"我的东西"好像真个没有了，这倒"奇矣！"因此街谈巷议关于"古物"的消息，我也落了耳朵听，看是不是真有什么丢了，那我也可以有诗为证也。

八

昔者朱彝尊不能不填几首词儿,而曰,"我不想吃圣庙的那一块冷猪肉。"当初我以为不过是文人的聪明话,自然也有他的风趣,慨自取消布尔的个人主义之空气大浓以后,我乃对于前朝这一位词人的话,颇有所得。

九

在北京住了几年,常觉得看不见江南的云,于是我就怅望于那一位盲诗人的《桃色的云》。去年夏天住在西山,上到山上一个亭子坐着玩,细看壁上十方游客各人留下各人的名字,某年某月某日游此,有的大概是受了钱玄同先生的影响,某年是一千九百几十几,有的则是干支,省事的则权用了亚拉伯号码,新式标点,有的是芳名,有的则就是丘八焉,因为下注有某团某营,于是我才悟到中国是一个"不朽"之国,朝野上下,此心同,此理同,同时又联想到的是咱们大学堂的那个臭茅厕,——我很奇怪,身上居然都顺便带了那一枝笔?于是我乃下了一个奋勉之心以后无论如何不要偷懒要写日记!然而,言归正传,我是要说天上飞的那一朵白云也,我坐在那个亭子上看见有一位"他或她"题了一副对子,下联早不记得,上联便是陶渊明先生的"云无心以出岫"。

以上算是一个楔子。

"云无心以出岫,鸟倦飞而知还,"自从上了一趟山以后,我才羡慕这个境界好,是亦古人之糟粕已夫!见卵而求时夜,汝亦大早计矣!然而再要老老实实的说正经话,否则就要不得了。那个境界,不但我,可望而不可及,陶先生他也再三的经了一番苦纠缠,或者始终是一个梦之境也未可知。他是中国历史上最认真生活的一个人。常言道,"神仙都是凡人做",而世间有的只是求仙的术士耳。《拟古》之六云:

> 苍苍谷中树,冬夏常如兹,
> 年年见霜雪,谁谓不知时?
> 厌闻世上语,结友到临淄,
> 稷下多谈士,指彼决吾疑。
> 装束既有日,已与家人辞,
> 行行停出门,还坐更自思,
> 不怨道里长,但畏人我欺,
> 万一不合意,永为世笑之。
> 伊怀难具道,为君作此诗。

对于一个门槛那样的一脚跨不出来。在一部陶集里,材料无不取之于生活,试问有第二个人相同没有?就截至今日这个文明世界,也很少有这么一个老实而大雅的"爸爸","厉夜生子,遽而求火,凡百有心,奚特于我,既见其生,实欲其可,人亦有言,斯情无假。日居月诸,渐免于孩,福不虚至,祸亦易来,夙兴夜寐;愿尔斯才,尔之不才,亦已焉哉。"这实在比胡适之先生的白话诗还应该模仿。世间上的事难在这个"未能免俗"耳。

十

我有两位相好,均是六年之同窗,大概谁都可以唱它一出独脚戏,谁也不光顾谁,好比我同他们的一位写好契约借一笔款竟料到居然是大碰一个钉子,其人现在海上,好像是(姓)沈名海,说起来真是怪相思的,两个黄蝴蝶,双双飞上天,三千弟子谁个不知,谁个不晓,如今是这一个冰天雪地孤孤单单的刚刚游了一趟北海回来。还有一位,若问他的名姓,是一个愁字了得。话说这一字君,很受了我的奚落,就因为这一个字,但目下已经是四海名扬,大有改不过来之势了。天下事每每悲哀得很,我与一字君几几乎一失千古,当年一年三百六十日,一日六小时,我缺课他迟到不算,然而咱们俩彼此都不道名问姓,简直就没有交一句言,而他最是爱说话的,就在马神庙街上夹一本书也总是咭咭咕咕,只不同我同沈海,我时常嘱耳而语沈海曰:"这个小孩太闹!"而在最近三日我同一字君打了两夜牌,沈海君远不与焉。沈海君最近丢了诗人不做要"努力做一个庸人",(来信照录)这才引动了今夜我谭话的雅兴。我同一字君捧了他的来信读,我实在忍不住要赞美这一篇庸人论实在是高人的题目,而且有点不敢相信沈海,因为他到底是诗人出身,于是我端端正正的把一字君相了一相,觉得我要佩服他,他的"庸人"大致可以做到一个英雄的境界,多福多寿且莫多男子焉。他已经是一位年青的爸爸。沈海君最近才请了医生检察身体,明春再出请帖行结婚礼。说来说去原来言下都是对我下一个针锋,说我则不是一个庸人。于是我们三个中间发生庸人与不庸人难易论战。结果都仿佛有点说我难,虽然都有点不甘俯首。我实在不能不平心静气的说一句,我很有点私自惭愧,我还是赞美你们,庸人不易做,不知怎的我真个仿佛有点做不上,我还不知道我怎么好。从前有人说夷齐不食周粟,未必不是没有得吃的,乐得做一件大事,也许多少是甘苦之言也。言有尽而意无穷,再谭。

十一

发大愿我也颇有志,但早已过了孩子之年,(但据说我佛如来本是一个童子)总怕螳臂当车,就算别人佩服你是一条英雄而自己总知道自己是一个凡夫,做事何必自己取笑?所以大事我总是自己小心,不敢求一时之快意。倘若人生并不长,蜉蝣即夕而死,那倒何妨试验一下,跑到苦行林中,菩提树下,一麻一米,好一个光明相。真是不胜神往之至,反正一日的光阴一首诗便已成功。我不想求上帝保佑我,我总怕孙悟空一棒打下来把个什么怪的原形相摆出来了。中国的圣人说食色性也,我现在所想反叛的只在这一下,原因大概也很简单,大碗吃肉,一股热气腾腾,果真没有第二个简单的办法乎,这个我也知道我要预备一个很大的势力,人一落到静坐而在那里"馋",我以为是最不大雅的事。至于我到底要坐在什么地方,便是目下最大的一个踌躇。

十二

我总觉得我不好,简直没有法子,关乎人的脾气,我们入世为什么不能同看书一样什么书都可以一看呢,而且道听途说德之弃也，自己也能懂得这个道理。实在是修养不到，未能免俗，亦只有听之而已。从前有一个人走路，在路上给贼人打了一顿，回去哑口无言，人家问你给人家打了怎么说也不说呢？他说一说便俗了，这个神气我虽不怎样的佩服，但觉得很有意思。

看 树[①]

　　我生平喜欢看树,年既老而不衰。我说树,自然而然的指定它是一棵大树,而且并不想到它是可以成为森林的,喜欢看它一棵,其所谓连林人不觉,独树众乃奇乎,我本来就很少在众树之下走过路,特别是从小的时候,所以简直就没有一个森林的印像。只是花之树,则常是独自稀奇,我在一个地方一个杏林里看见好几百棵红杏枝头了,但这还只能算是看花,不算看树,我看花最是喜欢一眼看不尽的,所谓走马观花是也。

　　七八岁的时候,同着族人一路下乡做重阳,"做重阳"就是重阳祭祖也,在离家十五里的一个村镇看见一棵大树,是我生平看见的最大的一棵树,至今也不晓得叫什么树,后来当然看见过更大的树,因为我们乡里是不会生长了不起的大树的,但在我的记忆里确是以它为最大了,至今想起来还是喜欢得出奇。在外祖母的"圩"里,有一棵桑树,四围尽是稻田,它是长在一块种了菜的旱地之上,从坝上望下去只有它是一棵树了,我很爱,但我没有爬上去摘过它的叶子,却从树脚下拾了桑葚吃,我看了别的孩子朋友一爬就爬上去了,心里甚是羡慕,简直就寂寞得很。

[①] 载北平《华北日报副刊》1931年1月1日第353号,署名废名。

三年以前,暑假回家,坐篷船,渡"白湖",除了荡船的就只有我一人,我背着他坐在蓬〔篷〕里,只看见水,水又似乎没有岸,我就仿佛坐在监牢里似的,度日如年,只要让我上岸就好,不管是什么地方,忽然水外看见山,很小的山,而又看见山上一棵树,渐渐我的天地就只有这一棵树,觉得很好玩,船一桨一桨的移动,那个弓形的篷口慢慢只能让我看见那一棵树了。

无花之古树与看花不同,而古树开花也与看花不同,别有意思,我也最喜欢看,我所看见的只是西山卧佛寺两棵楸树,后来又在平则门外钓鱼台看见过,远不如卧佛寺的大罢了。去年夏间上八大处,道旁看见一棵古松牵挂着许多凌霄花,很是好看,凌霄花的颜色真是应该挂在松树上。我本不晓得这个花的名字,同游者告诉我的。小时看见的金银花,也都是挂在大树之上,常是一个人跑到坝上寻金银花,望见它挂在树上自己也只是站在树下不动,因为我一点也不会上树。

《春在堂所藏苦雨斋尺牍》题跋[①]

今日大风,来苦雨斋,遇见平伯,我常想到这里来遇着他,仿佛有意去拾得一个意外的快乐似的,今日平伯携了他所裱的苦雨翁书札来看,一共三册,这倒又是一个意外的快乐,苦雨翁我们常见,苦雨翁的信札我亦常有之,但这样摆在一起观之,我真个的仿佛另外有所发现,发现的什么又说不出也。

废名敬记　二十一年三月十四日

[①] 手稿,附于俞平伯装裱成册之《春在堂所藏苦雨斋尺牍》内,署名废名。题目系本书编者所加。

悼秋心（梁遇春君）[①]

秋心君于六月二十五日以猩红热病故，在我真是感到一个损失。我们只好想到大块的寂寞与豪奢。大约两月前，秋心往清华园访叶公超先生，回来他向我说，途中在一条小巷子里看见一副对子，下联为"孤坟多是少年人"，于是就鼓其如莲之舌，说得天花乱坠，在这一点秋心君是一位少年诗人。他常是这样的，于普通文句之中，逗起他自己的神奇的思想，就总是向我谈，滔滔不绝，我一面佩服他，一面又常有叹息之情，仿佛觉得他太是生气蓬勃。日前我上清华园访公超先生，出西直门转进一条小巷，果然瞥见那副对子，想不到这就成了此君的谶语了。

我说秋心君是诗人，然而他又实在是写散文的，在最近两三年来，他的思想的进展，每每令我惊异，我觉得在我辈年纪不甚大的人当中，实在难得这样一个明白人，他对于东方西方一班哲人的言论与生活，都有他的亲切的了解。他自己的短短的人间世，也就做了一个五伦的豪杰，儿女英雄了。他的师友们都留了

[①] 载天津《大公报·文学副刊》1932年7月11日第236期，署名废名。文前有编者按语："按梁遇君（笔名秋心）在北平逝世消息及追悼会预志，已见七月七日本报第五版新闻。梁君生平事迹及著作，亦已于该篇约略评述。兹特约梁君之知友废名（冯文炳）君撰文一篇，以志哀悼。本刊编者识。"

他的一个温良的印像，同时又是翩翩王孙。我同公超先生说起"五伦豪杰"四字，公超先生也为之点头。这四个字是很不容易的，现代人做不上，古代人做来又不稀奇，而且也自然的做得不好。

秋心君今年才二十七岁。以前他虽有《春醪集》行世，那不过是他学生时期的一种试作。前年我们刊行《骆驼草》，他是撰稿者之一，读他的文章的人，都感到他的进步。最近有两篇散文，一为《又是一年芳草绿》，一为《春雨》，将在《新月》月刊披露。关于这一方面，我很想说话。我常想，中国的新文学，奇怪得很，很少见外来的影响，同时也不见中国固有的文化在那里起什么作用。秋心君却是两面都看得出。我手下存着他去年写给我的一封信，里面有这一段话：

> 安诺德批评英国浪漫派诗人，以为对于人生缺乏明澈的体验，不像歌德那样抓到整个人生。这话虽然说得学究，也不无是处。所以太迷醉于人生里面的人们看不清自然，因此也不懂得人生了。自然好比是人生的镜，中国诗人常把人生的意思寄之于风景，随便看过去好像无非几句恬适的描写，其实包括了半生的领悟。不过像宋朝理学家那样以诗说道，倒走入魔了。中国画家仿佛重山水，不像欧洲人那样注意画像，这点大概也可以点出中国人是间接的。可是更不隔膜的，去了解人生。外国人天天谈人生，却常讲到题外了。

我觉得这话说得很好，正因为秋心君是从西方文学的出发点来说这话。至于中国诗人与画家是不是都能如秋心君所说，那是另外一回事。即此数十言语，已可看出秋心君的心得。再从我们新文学的文体上讲，秋心君之短命，更令人不能不感到一个损失。我常想，中国的白话文学，应该备过去文学的一切之长，在这里头徐志摩与秋心两位恰好见白话文学的骈体文的好处，不过徐君善于运用方言，国语的欧化，秋心君则似乎可以说是古典的白话文学之六朝文了。此二君今年相继而死，真是令人可惜的事。秋心君的才华正是雨后春笋，加之他为人平凡与切实的美德，而我又相知最深，哀矣吾友。

最后我引一段我们之间的事情。今年他做了一篇短文，所以悼徐志摩先生者，后来在《大公报文学副刊》（第二百二十三期）发表，当他把这短短的文章写起时，给我看，喜形于色，"你看怎么样？"我说"Perfect! Perfect!"他又哈哈大笑，"没有毛病罢？我费了五个钟头写这么一点文章。以后我晓得要字斟句酌。"因为我平常总是说他太不在字句上用工夫。他前两年真是一个酒徒，每每是喝了酒午夜文思如涌。因了这篇短文章他要我送点礼物作纪念，我乃以一枚稿笔送他，上面刻了两行字，"从此灯前有得失，不比酒后是文章"，他接着很喜欢，并且笑道，"这两句话的意思很好，因为这个今是昨非很难说了。"

（二十一年七月五日）

《周作人散文钞》序①

开明书店将出版一册《周作人散文钞》,从最初的《自己的园地》到最近的《看云集》七个散文集里面选出三十篇文章,我乐于来写一篇序,是想借这个机会以一个读者的资格说一说一晌读了岂明先生的文章所怀的一点意见与感想。

大家知道中国有一个《新青年》时期,即所谓新文化运动,其实就是新文学运动,而这个新文学运动又即是白话文学运动,因为其主要的目的是以白话打倒文言,胡适之先生是揭竿而起的第一功臣,于是有一些人响应,岂明先生是其一,而对于新文学内容上岂明先生却又多有所填实,这是当然的,因为岂明先生于一九零九年已在日本刊行《域外小说集》,与近代的欧洲文学已有所接触,一到中国的新文学成了运动,这一个潜伏着的力量自然有了效用,因此我尝想,《域外小说集》是一部很有历史价值的书。

在《雨天的书》《自序二》里面,岂明先生说他编校这本小书毕,仔细思量一回,不禁有点惊诧,"我原来乃是道德家,……我平素最讨厌的是道学家,(或照新式称为法利赛人,)岂知这正因

---

① 载开明书店1932年8月初版《周作人散文钞》,题为"废名序",署名废名。

为自己是一个道德家的缘故；我想破坏他们的伪道德不道德的道德，其实同时非意识的想建设起自己所信的新的道德来。"这是实在的，而且也是当然的，既然有了新文化运动，就必然对于礼教兴起攻击之师，这就好比一个冒险的快乐，因为礼教正是艺术与科学所不相容的东西，而它又正是旧社会的全体，攻击者什么也无所有，而在这个无所有之中却正是浴着科学之光，呼吸艺术的空气，同时也就成为名教的罪人，是整个社会之敌。意大利文艺复兴时代的波加屈，法兰西的拉勃来，便是这一派的大师。在中国，礼教的历史最久，反抗礼教的人却最少，当时除岂明先生而外，只有鲁迅先生也常常表示他的一种反抗的呼声。岂明先生在《抱犊谷通信》一文里最见他的特色，于明澈的思想之中流通着一个慈祥的空气。

岂明先生一晌对于历史的态度，我在最近的三数年来每一想起不觉恻然有动乎中。他曾经有过这样的话，"昔巴枯宁有言，'历史唯一的用处是警戒人不要再那么样，'我则反其言曰，'历史的唯一的用处是告诉人又要这么样了！'"他仿佛总是就过去的情形推测将来的趋向，历史上有过的事情将来也还会有，人的老脾气总是没有法子改过来。这个对于中国的年青人好像是一个打击。在"五四"以后中国的社会运动发轫的时候，我正是一个青年，时常有许多近乎激烈的思想，仿佛新时代就在我们的眼前，那时同岂明先生见面谈话的材料差不多总是关乎实际问题的居多，我的有些意见他是赞同的，有些意见他则每每唯唯，似乎他不能与我同意，但也不打破我的理想。事实终于是事实，我随着中国的革命而长了若干年岁，这里头给了我不少的观察与参照，有一天我忽然省悟岂明先生信任历史的态度，从此我自己关乎中国的事情好像能彀有所知道。有人或者要问,"那么你们岂不抱的是个悲观态度?"这句话却不是这么说。这个态度或者也就是中国圣人所谓"知命"罢,不能说悲观,亦不能说乐观。然而我个人不想在这里发表意见,我只是想指出岂明先生一响所取的一个历史态度是科学态度,一切都是事实。

  我回到"新文化"这三个字来说。说实话,我总觉得新文化在中国未曾成立过。新文化应该是什么?我想那应该就是一个科学态度,也就是一个反八股态度。统观中国,无论那一家派,骨子里头还正是一套八股。当初大家做新诗,原是要打倒旧诗的束缚,而现在却投到西洋的束缚里去,美其名曰新诗的规律。张竞生提倡爱情定则,而不久张竞生乃是道学家的变本加厉。我不以为他昨是而今非,昨日也未必是,今日也未必非,本来只是一副八股的精神,所以经不住事实的试验,终于要现出原形相。不说别的,至今中国何曾有一个研究学问的空气?仍然脱不了一个"士"的传统,"学优"就"则仕"了,至少是要谈政治。整理国故算是一个可以夸口的成绩了,然而在我看依然同昔日书院门生是一鼻孔出气,所以他们可以不攻外国文,可以不同异方的材料比较,其成绩之佳者只不过为清代学者做尾声而已。我们何曾有新的历史学问?我们的文字学何曾能彀解决汉文的一个最重要的问题?我尝想,汉字既然有它的历史,它形成中国几千年的文学,(尤其是诗的文学,)能彀没有一个必然性在这里头?它的独特的性质到底在那里?如果有人从文字音韵上给我们归纳出一个定则来,则至少可以解决今日的新诗的问题。然而中国研究文字学的人,不去认过去的事实,却远远的望到将来去,把气力用于一个汉字拼音问题,我恐怕这也免不掉瞎子挂扁之讥,不能不说也是一种八股,因为它也是一种"主义,"八股便是主义的行家。所以我以为无论从那一方面讲新文化在中国未曾成立。岂明先生我想他是深有感于此,他再三说"我不是学者,"他说他是"打杂,"在这里便令我佩服他的"知"的态度,也就是科学态度;我又不禁想起达巷党人批评孔丘的话来,"博学而无所成名,"我觉得这句话很有意义。岂明先生是新文学运动者之一,但那时的新文学运动是一个浪漫的运动,这是当然的,大凡一个运动的开始恐怕都逃不了一个浪漫性,我们不可抹杀首倡者的功劳,然而运动开始以后,就得有人渐渐的认识事实,那这个运动才可以真正的得到一个"意识,"从而奠定它的基础,不致无源之水其涸可待,岂明先生到了今日认定民国的文学革命是一个文艺复兴,即是四百年前公安派新文学运动的复兴,我以为这是事实,本来在文学发达的途程上复兴就是一种革命。有人或者要问,新文学运动明明是受了欧洲文学的鼓动,何以说是明朝新文学运动的复兴呢?我可以拿一个比喻来回答,在某一地势之下才有某一条河流,而这河流可以在某种障碍之下成为伏流,而又可以因开濬而兴再流之势,中国文学发达的历史好比一条河,它必然的随时流成一种样子,随时可以受到障碍,八股算得它的障碍,虽然这个障碍也正与汉文有其因果,西方思想给了我们拨去障碍之功,我们只受了他的一个"烟士披里纯,"若我们要找来源还得从这一条河流本身上去找,我们的新文学运动正好上承公安派的新文学运动,由他们的文体再一变化自然的要走到我们今日的"国语的文学,"这是一个必然的趋势,我们自己就不意识着,它也必然的渐渐在那里形成,至于公安派人物当时鼓吹文学运动的思想与言论是怎样的与我们今日的新文学运动者完全一致，在这里我还可以不提，我只是就文学变化上一个必然性来说。我还补说一句，中国的近代文学必然的是在散文方面发达，诗则因发达之极致而走入穷途，因了散文的发达，必然的扩充到口语。胡适之先生也曾说中国文学史上一个时代有一个时代的文学，但适之先生的含义与我们今日所说的不同，适之先生似乎是把一个一个的时代截断了看，我们则认为是一整个的发达路程，各时代文学的不同有一个必然的变化在里头，古与今相生长而不相及，所以适之先生说文言文学是死文学，白话文学是活文学，而我们以为如是死文学则当生之日它已经是死的，白话文学只是文言文学的一个"穷则变，"而它自然的要与文言文学相承。有了这一个认识，我们今日的新文学运动才得了客观的意义，而它也自然的是"有诗为证，"从而承上起下，成为我们这一个时代的文学了。我再就新诗来说，岂明先生当初是做过新诗的，后来他乃说"诗的事情我不知道，"这个不知道正是他知道，他知道原来的新诗运动的意义之不合事实。胡适之先生最初白话诗的提倡，实在是一个白话的提倡，与"诗"之一字可以说无关，所以适之先生白话诗的尝试做了他的白话文学运动的先声。适之先生说中国的诗向来就是朝着白话方面走的，仿佛今日的这个白话诗是中国的诗的文学一个理想的标准。直到现在，一般做新诗的人都还是陷于一个混乱的意识之中，以为一定要做新诗，而新诗到底不知道应该是一个什么样子，大家纳闷而已。我个人承认中国的诗的文学（除了新诗）是中国文学发达上一个最光明的产物，充分的发展了中国文字之长，各时代各有其特色，我们今日的新诗如果可以成立，它也只是中国诗的一种，是一种体裁，而我们做新诗的人最好是能毂懂得旧诗的变迁，以及汉字对于中国诗的一个必然性，庶几我们也可有我们的成就，不致于牛头不对马嘴。此话说来不简单，今日我只是想指出我们对于新文学运动应该到了一个客观的认识时期而已。再想就二三年来所谓普罗文学运动说几句，不过这当然不能与以前的新文学运动并在一条线上去理会，我只是顺便提起罢了。这与文体问题毫未发生关系。方中国的普罗文学运动闹得像煞有价〔介〕事的时候，一般人都仿佛一个新的东西来了，仓皇失措，岂明先生却承认它是载道派，中国的载道派却向来是表现着十足的八股精神。说到这里我不禁想起鲁迅先生，鲁迅先生与岂明先生重要的不同之点，我以为也正就在一个历史的态度。鲁迅先生有他的明智，但还是感情的成分多，有时还流于意气，好比他曾极端的痛恨"东方文明"，甚致于叫人不要读中国书，即此一点已不免是中国人的脾气，他未曾整个的去观察文明，他对于西方的希腊似鲜有所得，同时对于中国古代思想家也缺少理解，其与提倡东方文化者固同为理想派。岂明先生讲欧洲文明必溯到希腊去，对于希伯来，日本，印度，中国的儒家与老庄，都能以艺术的态度去理解它，其融汇贯通之处见于文章，明智的读者谅必多所会心。鲁迅先生因为感情的成分多，所以在攻击礼教方面写了《狂人日记》，近于诗人的抒情；岂明先生的提倡净观，结果自然的归入于社会人类学的探讨而沉默。鲁迅先生的小说差不多都是目及辛亥革命因而对于民族深有所感，干脆的说他是不相信群众的，结果却好像与群众为一伙，我有一位朋友曾经说道，"鲁迅他本来是一个 cynic，结果何以归入多数党呢?"这句戏言，却很耐人寻思。这个原因我以为就是感情最能障蔽真理。而诚实又唯有知识。

我想我上面的话说得很是平常,倒是一晌所想说的几句平常话,尚希岂明先生同大家的指教。

二十一年四月六日,废名。

今年的暑假①

我于民国十六年之冬日卜居于北平西山一个破落户之家，荏苒将是五年。这其间又来去无常。西山是一班士女消夏的地方，不凑巧我常是冬天在这里，到了夏天每每因事进城去。前年冬去青岛，在那里住了三个月，慨然有归与之情，而且决定命余西山之居为"常出屋斋"焉。亡友秋心君曾爱好我的斋名，与"十字街头的塔"有同样的妙处。我细思，确是不错的。其实起名字的时候我没并〔并没〕有想到许多，只是听说古有田生，十年不出屋，我则常喜欢到马路上走走，也比得上人家的开卷有得而已。今年春又在北平城内，北平有某一种刊物，仿佛说我故意住在"一个偏僻的巷子里"，那其实不然，我的街坊就是北平公安局长，马路是新建的，汽车不断的来往。今年我立了一个志，要写一个一百回的小说，名曰"芭蕉梦"，但只写好了一个"楔子"。我的《桥》于四月间出版，这是一部小说的一半，出版后倒想把它续写，不愿意有这么一个半部的东西，于是《芭蕉梦》暂且不表，我决定又来写《桥》。所以今年的夏天，我倒是有志来西山避暑，住在"一个偏僻的巷子里"。换句话说，走进象牙之塔。

---

① 载上海《现代》月刊1932年9月1日第1卷第5期，署名废名。

山中方七日矣，什么也没有做。今天接到一个"讣"，音乐家刘天华君于月前死去。我不知道刘君，但颇有兴致来吊一吊琴师，自古看竹不问主人，"君善笛请为我一奏"，千载下不禁神往也。然而我辈俗物却想借此来发一段议论。我曾同我的朋友程鹤西君说，文人求不朽，恐怕与科举制度不无关系，就是到了如今的崭新人物，依然难脱从来"士"的习气，在汉以前恐怕好得多，一艺之长，思有用于世，假神农黄帝之名。伯牙子期的故事，实在是艺术的一个很好的理想，澈底的唯物观，人琴俱亡，此调遂不弹矣。我乃作联挽刘天华君曰：

高山流水不朽
物是人非可悲

二十一年七月二十日

秋心遗著序[1]

秋心之死,第一回给我丧友的经验。以前听得长者说,写得出的文章大抵都是可有可无的,我们所可以文字表现者只是某一种情意,固然不很粗浅但也不很深切的部分,今日我始有感于此言。在恋爱上头我不觉如此,一晌自己作文也是兴会多佳,那大概都是做诗,现在我要来在亡友的遗著前面写一点文章,屡次提起笔来又搁起,自审有所道不出。人世最平常的大概是友情,最有意思我想也是友情,友情也最难言罢,这里是一篇散文,技巧俱已疏忽,人生至此,没有少年的意气,没有情人的欢乐,剩下的倒是几句真情实话,说又如何说得真切。不说也没有什么不可,那么说得自己觉得空虚,可有可无的几句话,又何所惆怅呢,惟吾友在天之灵最共叹息。古人词多有伤春的佳句,致慨于春去之无可奈何,我们读了为之爱好,但那到底是诗人的善感,过了春天就有秋天,花开便要花落,原是一定的事,在日常过日子上,若说有美趣都是美趣,我们可以"随时爱景光",这就是说我是不大有伤感的人。秋心这位朋友,正好比一个春光,绿暗红

---

[1] 载上海《现代》月刊1933年3月1日第2卷第5期,署名废名。收入开明书店1934年6月初版《泪与笑》(梁遇春),题为"序一"。

嫣，什么都在那里拼命，我们见面的时候，他总是燕语呢喃，翩翩风度，而却又一口气要把世上的话说尽的样子，我就不免于想到辛稼轩的一句词，"催〔倩〕谁唤流莺声住"，我说不出所以然来暗地叹息。我爱惜如此人才。世上的春天无可悼惜，只有人才之间，这样的一个春天，那才是一去不复返，能不感到摧残。最可怜，这一个春的怀抱，洪水要来淹没他，他一定还把着生命的桨，更作一个春的挣扎，因为他知道他的美丽，他确确切切有他的怀抱，到了最后一刻，他自然也最是慷慨，这叫做"无可奈何花落去"。孔子曰，"朝闻道，夕死可矣。"我们对于一个闻道之友，只有表示一个敬意，同时大概还喜欢把他的生平当作谈天的资料，会怎么讲就怎么讲，能够说到他是怎样完成了他，便好像自己做了一件得意的工作。秋心今年才二十七岁，他是"赍志以殁"，若何可言，哀矣。

若从秋心在散文方面的发展来讲，我好像很有话可说。等到话要说时，实在又没有几句。他并没有多大的成绩，他的成绩不大看得见，只有几个相知者知道他酝酿了一个好气势而已。但是，即此一册小书，读者多少也可以接触此君的才华罢。近三年来，我同秋心常常见面，差不多总是我催他作文，我知道他的文思如星珠串天，处处闪眼，然而没有一个线索，稍纵即逝，他不能同一面镜子一样，把什么都收藏得起来。他有所作，也必让我先睹为快，我捧着他的文章，不由得起一种欢欣，我想我们新的散文在我的这位朋友手下将有一树好花开。据我的私见，我们的新文学，散文方面的发达，有应有尽有的可能，过去文学许多长处，都可在这里收纳，同时又是别开生面的，当前问题完全在人才二字，这个好时代倒是给了我们充分的自由，虽然也最得耐勤劳,安寂寞。我说秋心的散文是我们新文学当中的六朝文,这是一个自然的生长,我们所欣羡不来学不来的,在他写给朋友的书简里,或者更见他的特色,玲珑多态,繁华足媚,其芜杂亦相当,其深厚也正是六朝文章所特有,秋心年龄尚青,所以容易有喜巧之处,幼稚亦自所不免,如今都只是为我们对他的英灵被以光辉。他死后两周,我们大家开会追悼,我有挽他一联,文曰,"此人只好彩笔成梦,为君应是昙华招魂",即今思之尚不失为我所献于秋心之死一份美丽的礼物,我不能画花,不然我可以将这一册小小的遗著为我的朋友画一幅美丽的封面,那画题却好像是潦草的坟这一个意思而已。二十一年十二月八日。

"古槐梦遇"小引[①]

我曾有赠师兄一联,其文曰,"可爱春在一古树,相喜年来寸心知,"此一棵树,便是"古槐梦遇"之古槐也。记不清在那一年,但一定是我第一次往平伯家里访平伯,别的什么也都不记得,只是平伯送我出大门的时候,指了一棵槐树我看,并说此树比此屋还老,这个情景我总是记得,而且常常对这棵树起一种憧憬。等待要我把这憧憬写给你们看时,则我就觉得我的那对子上句做得很好。这是以前的话,如今却有点不同,提起来我还是对那棵树起一种憧憬,等待要我把这憧憬写给你们看时,则我就觉得平伯的"古槐梦遇"这四个字很好,平伯未必知道他的记梦的题目,我却暗喜说得我的梦境也。"老年花似雾中看",大概也很是一个看法,从前我住在西山,很喜欢看见路上一棵古松牵着似红似黄的许多藤花,有一天一个乡下人告诉我说这叫做凌霄花,我真是对于这位乡下人怀着一种感谢,今日则一棵树的阴凉儿便觉得很是神秘,神秘者,朦胧之谓也。我从我所说的这糊涂话再来一思,是的,其间不无道理,年青的时候有大欢喜,逞异想,及其

[①] 载北平《华北日报·每周文艺》1934年1月9日第5期,署名废名。又载奉天《盛京时报》1934年1月20日《另外一页》,署名废名。收入上海世界书局1936年1月初版《古槐梦遇》(俞平伯),题为《古槐梦遇小引》,署名废名。

年事稍长,目力固然不大靠得住,却又失却梦的世界,凡事都在白日之中,这证之以孔圣人的"吾不复梦见",可见是证据确凿的。那么古槐书屋的一棵树今日尚足以牵引我的梦境,吾其博得"吾家"冯妇之一点同情乎?其为乐也,亦非年青时所可得而冒牌者也。

我同平伯大约都是痴人,——我又自己知道是一个亡命的汉子,从上面的话便可以看得出一点,天下未必有那样有情的一棵树,其缘分总在这两个人。说起来生怕人家见笑似的,说我们有头巾气,自从同平伯认识以来,对于他我简直还有一个兄弟的情怀。且夫逃墨不必归于杨,逃杨亦未必就归于儒,吾辈似乎未曾立志去求归宿,然而正惟吾辈则有归宿亦未可知也。我常心里有点惊异的,平伯总应该说是"深闺梦里人",但他实在写实得很,由写实而自然渐进于闻道,我想解释这个疑团,只好学时行的话说这是一种时代的精神。我这话好像也并不是没有根据,只看中国历史上的文坛人物都难逃出文人的范围,(现在的文人自然也并不见得少)惟乱世则有一二诗人的确是圣人之徒,其中消息不可得而思之欤?

然而平伯命我为他的《古槐梦遇》写一点开场白,我不要拿这些白日的话来杀风景才好。于是我就告诉你们曰,作者实是把他的枕边之物移在纸上,此话起初连我也不相信,因为我的文章都是睁开眼睛做的,有一天我看见他黎明即起,坐在位上,拿了一枝笔闪一般的闪,一会儿就给一个梦我看了,从此我才相信他的实话。于是我就赞叹一番曰,吾不敢说梦话,拿什么"谪仙""梦笔"送花红,若君者其所谓不失其赤子之心者乎?愿你多福。废名和南。二十二年五月六日。

跋"落叶树"[1]

　　李义山诗有云,"闻道神仙有才子,"此言很引起我的憧憬。若贺知章之见李太白曰,"子谪仙人也,"我对于这位仙人却很是隔膜,不能生友谊。其实这与诗人李白完全无干,我与谪仙二字没有情分而已。这是我个人糊涂的地方,一点没有道理,亦不敢强别人同意。关于《落叶树》我想跋他几句,一提笔却几乎〔乎〕要跑野马,赶紧带住。然而写《落叶树》的这位少年大约总很有他的标格,不然怎么动我的糊涂的兴致呢。前年他约我一路上大觉寺看杏花,我答应他去临时又没有去,他一人一日行百里,似乎并未看得花而归,说大觉寺有一块匾曰"无来去处"。他那个没头没脑的沙弥神气,真有点莫名其妙了。经我这一写,未免失却本色。然而我爱鹤西是一个最切实的人,在我所认识的少年人当中很少有他这样的切实。

　　《落叶树》是鹤西在柳州写的,远迢迢的寄给我,我跋这一篇小文的本意就只这一句。去年冬天他由北平到柳州去,行到梧州给我来一明片,很饶意兴。这或者因为我同他都是未曾远游之人。他说三日的海程把他弄到香港上岸,"这回着实觉得大地

---

[1] 载上海《人间世》半月刊1934年4月5日第1期,署名废名。

之可爱了。"这里他提到我的半部小说上的主人公,大约指了那一段舟行的故事,孤舟一日,一跃登岸,那么站着,"俨若人生足履大地很是一个快乐。"来片又说"香港竟可着单衣,若到江南赶上春矣。"我很少接到这样远客的来信,只是数年前窗外雪意正佳时,看见《语丝》上鲁迅先生《厦门通信》,大约有云他坐在室内,山上杏花可望,很令我向往。我复鹤西梧州的来片,兹亦附抄在这里:

梧州来片,给了我一个很好的快乐,若在香港着单衣,"若到江南赶上春矣"。这大约比古人出门向西而笑还要快乐。计程当已在柳州矣,我乃即刻挥毫,思有以报足下,异地得故人书,亦必快乐也。你大约是十一月十一日在北平动身,是日下午我适得到一位叶公送我的《桂游半月记》,于是很是怅惘,大有追不及黄鹤之概,无从放在行人手边矣。农事多暇,惠我好音。……

二十三年三月七日

读论语

小时读熟的书，长大类能记得，《论语》读得最早，也最后不忘，懂得他一点却也是最后的事。这大约是生活上经验的响应，未必有心要了解圣人。日常之间，在我有所觉察，因而忆起《论语》的一章一句，再来翻开小时所读的书一看，儒者之徒讲的《论语》，每每不能同我一致，未免有点懊丧。我之读《论语》殆真是张宗子之所谓"遇"欤。闲时同平伯闲谈，我的意见同他又时常相合，斯则可喜。二十三年三月二十三日。

一

子曰，诗三百，一言以蔽之曰，"思无邪。"愚按思无邪一言，对于了解文艺是一个很透澈的意见，其意若曰，做成诗歌的材料没有什么要不得的，只看作意如何。圣保罗的话，"凡物本来没有不洁净的，惟独人以为不洁净，在他就不洁净了，"是一个意思两样的说法，不过孔丘先生似乎更说得平淡耳。宋儒不能懂得

---

① 载上海《人间世》半月刊1934年4月20日第2期，署名废名。

这一点,对于一首恋歌钻到牛角湾里乱讲一阵,岂知这正是未能"思无邪"欤,宁不令人叹息。中国人的生活少情趣,也正是所谓"正墙面而立",在《中庸》则谓"人莫不饮食也,鲜能知味也。"愚前见吾乡熊十力先生在一篇文章里对于"人而不为周南召南其犹正墙面而立"很发感慨,说他小时不懂,现在懂得,这个感慨我觉得很有意义。后来我同熊先生见面时也谈到这一点,我戏言,孔夫子这句话是向他儿子讲的,这不能不说是一位贤明的父亲。

二

《中庸》言"诚",孟子亦曰"反身而诚,乐莫大焉。"《论语》则曰"直"。我觉得这里很有意义。"直"较于"诚"然自平凡得多,却是气象宽大令人亲近,而"诚"之义固亦"直"之所可有也。大概学问之道最古为淳朴,到后来渐渐细密,升堂与入室在此正未易言其价值。子曰,"人之生也直,"又曰"斯民也三代之所以直道而行也,"又曰"以直报怨,以德报德,"从以直报怨句看,直大约有自然之义,便是率性而行,而直报与德报对言,直又不无正直之义。吾人日常行事,以直道而行,未必一定要同人下不去,但对于同我有嫌怨的人,亦不必矫揉造作,心里不能释然,亦人之情也。孔子比后来儒者高明,常在他承认过失,他说"直",而后来标"诚",其中消息便可寻思。曰"克己复礼为仁",曰"观过斯知仁",此一个"礼"与"过"认识不清,"克己"与"仁"俱讲不好,礼中应有生趣,过可以窥人之性情。愚欲引伸"直"之义,推而及此,觉得其中有一贯之处。

三

　　陶渊明诗曰,"遥遥沮溺心,千载乃相关。"愚昔闲居山野,又有慨于孔丘之言,"鸟兽不可与同群也,吾非斯人之徒与而谁与。"此言真是说得大雅。夫逃虚空者,闻人足音,跫然而喜,人之情总在人间。无论艺术与宗教,其范围可以超人,其命脉正是人之所以为人也。否则宇宙一冥顽耳。孔子栖栖皇皇,欲天下平治,因隐居志士而发感慨,对彼辈正怀无限之了解与同情,故其言亲切若此,岂责人之言哉。愚尝反复斯言,谓古来可以语此者未见其人。若政治家而具此艺术心境,更有意义。因此我又忆起"吾岂匏瓜也哉,焉能系而不食"之句,这句话到底怎么讲,我也不敢说,但我很有一个神秘的了悟,憧憬于这句话的意境。大约匏瓜之为物,系而不给人吃的,拿来做"壶卢",孔子是热心世事的人,故以此为兴耳。朱注,"匏瓜系于一处,而不能饮食,人则不如是也,"未免索然。

知堂先生①

　　林语堂先生来信问我可否写一篇《知堂先生》刊在"今人志",我是一则以喜,一则以惧。喜者这个题目于我是亲切的,惧则正是陶渊明所云"惧或乖谬,有亏大雅君子之德,所以战战兢兢若履深薄云尔。"我想我写了可以当面向知堂先生请教,斯又一乐也。这是数日以前的事,一直未能下笔。前天往古槐书屋看平伯,我们谈了好些话,所谈差不多都是对于知堂先生的向往,事后我一想,油然一喜,我同平伯的意见完全是一致的,话似乎都说得有意思,我很可惜回来没有把那些谈话都记录下来,那或者比着意写一篇文章要来得中意一点也未可知。我们的归结是这么的一句,知堂先生是一个唯物论者,知堂先生是一个躬行君子。我们从知堂先生可以学得一些道理,日常生活之间我们却学不到他的那个艺术的态度。平伯以一个思索的神气说道,"中国历史上曾有像他这样气分的人没有?"我们两人都回答不了。"渐近自然"四个字大约能以形容知堂先生,然而这里一点神秘没有,他好像拿了一本自然教科书做参考。中国的圣经贤传,自古以及如今,都是以治国平天下为己任的,这以外大约没

---

① 载上海《人间世》半月刊1934年10月5日第13期,署名废名。

有别的事情可做，唯女子与小孩的问题，又烦恼了不少的风雅之士，我常常从知堂先生的一声不响之中，不知不觉的想起了这许多事，简直有点惶恐，我们很容易陷入流俗而不自知，我们与野蛮的距离有时很难说，而知堂先生之修身齐家，直是以自然为怀，虽欲赞叹之而不可得也。偶然读到《人间世》所载苦茶庵小文《题魏慰农先生家书后》有云，"为父或祖者尽瘁以教养子孙而不责其返报，但冀其历代益以聪强耳，此自然之道，亦人道之至也。"在这个祖宗罪业深重的国家，此知者之言，亦仁者之言也。

我们常不免是抒情的，知堂先生总是合礼，这个态度在以前我尚不懂得。十年以来，他写给我辈的信札，从未有一句教训的调子，未有一句情热的话，后来将今日偶然所保存者再拿起来一看，字里行间，温良恭俭，我是一旦豁然贯通之，其乐等于所学也。在事过情迁之后，私人信札有如此耐观者，此非先生之大德乎。我常记得当初在《新月》杂志读了他的《志摩纪念》一文，欢喜慨叹，此文篇末有云，"我只能写可有可无的文章，而纪念亡友又不是可以用这种文章来敷衍的，而纪念刊的收稿期又迫切了，不得已还只得写，结果还只能写出一篇可有可无的文章，这使我不得不重又叹息。"无意间流露出来的这一句叹息之声，其所表现的人生之情与礼，在我直是读了一篇寿世的文章。他同死者生平的交谊不是抒情的，而生死之前，至情乃为尽礼。知堂先生待人接物，同他平常作文的习惯，一样的令我感兴趣，他作文向来不打稿子，一遍写起来了，看一看有错字没有，便不再看，算是完卷，因为据他说起稿便不免于重抄，重抄便觉得多无是处，想修改也修改不好，不如一遍写起倒也算了。他对于自己是这样的宽容，对于自己外的一切都是这样的宽容，但这其间的威仪呢,恐怕一点也叫人感觉不到,反而感觉到他的谦虚。然而文章毕竟是天下之事,中国现代的散文,从开始以迄现在,据好些人的闲谈,知堂先生是最能耐读的了。

那天平伯曾说到"感觉"二字,大约如"冷暖自知"之感觉,因为知堂先生的心情与行事都有一个中庸之妙,这到底从那里来的呢?平伯乃踌躇着说道,"他大约是感觉?"我想这个意思是的,知堂先生的德行,与其说是伦理的,不如说是生物的,有如鸟类之羽毛,鹄不日浴而白,乌不日黔而黑,黑也白也,都是美的,都是卫生的。然而自然无知,人类则自作聪明,人生之健全而同乎自然,非善知识者而能之欤。平伯的话令我记起两件事来,第一我记起七八年前在《语丝》上读到知堂先生的《两个鬼》这一篇文章,当时我尚不甚了然,稍后乃领会其意义,他在这篇文章的开头说:

> 在我们的心头住着 Du Daimone,可以说是两个——鬼。我踌躇着说鬼,因为他们并不是人死所化的鬼,也不是宗教上的魔,善神与恶神,善天使与恶天使。他们或者应该说是一种神,但这似乎太尊严一点了,所以还是委屈他们一点称之曰鬼。
>
> 这两个是什么呢?其一是绅士鬼,其二是流氓鬼。据王学的朋友们说人是有什么良知的,教士说有灵魂,维持公理的学者也说凭着良心,但我觉得似乎都没有这些,有的只是那两个鬼,在那里指挥我的一切的言行。这是一种双头政治,而两个执政还是意见不甚协和的,我却像一个钟摆在这中间摇着。有时候流氓占

了优势,我便跟了他去傍〔彷〕徨,什么大街小巷的一切隐密无不知悉,酗酒,斗殴,辱骂,都不是做不来的,我简直可以成为一个精神上的"破脚骨"。但是在我将真正撒野,如流氓之"开天堂"等的时候,绅士大抵就出来高叫"带住,著即带住!"说也奇怪,流氓平时不怕绅士,到得他将要撒野,一听绅士的吆喝,不知怎的立刻一溜烟地走了。可是他并不走远,只在街头街尾探望,他看绅士领了我走,学习对淑女们的谈吐与仪容,渐渐地由说漂亮话而进于摆臭架子,于是他又赶出来大骂云云……

这样的说法,比起古今的道德观念来,实在是一点规矩也没有,却也未必不最近乎事理,是平伯所说的感觉,亦是时人所病的"趣味"二字也。

再记起去年我偶尔在一个电影场上看电影,系中国影片,名叫《城市之夜》,一个码头工人的女儿为得要孝顺父亲而去做舞女,我坐在电影场上,看来看去,悟到古今一切的艺术,无论高能的低能的,总而言之都是道德的,因此也就是宣传的,由中国旧戏的脸谱以至于欧洲近代所谓不道德的诗文,人生舞台上原来都是负担着道德之意识。当下我很有点闷窒,大有呼吸新鲜空气之必要。这个新鲜空气,大约就是科学的。于是我想来想去,仿佛自己回答自己,这样的艺术,一直未存在。佛家经典所提出的"业",很可以做我的理想的艺术的对象,然而他们的说法仍是诗而不是小说,是宣传的而不是记载的,所以是道德的而不是科学的。我原是自己一时糊涂的思想,后来同知堂先生闲谈,他不知道我先有一个成见,听了我的话,他不完全的说道:"科学其实也很道德。"我听了这句话,自己的心事都丢开了,仿佛这一句平易的话说得知堂先生的道境,他说话的神气真是一点也不费力,令人可亲了。

二十三年七月

《樱桃》批语①

三作均佳。第三首,因主词性质的关系,下面的动词似不宜用"开""挂"等字,何如?

废名　十月九日

---

① 手稿。题目系本书编者所加。《樱桃》,徐芳作,全诗如下:
先是美人的容颜
开在树上。
如今是少女的红唇
挂在枝头了。
　　一九三四年九月七日
废名将第二行改为"树上笑",第三行改为"如今是女子的红唇",第四行改为"枝头不语了"。《樱桃》载《北平晨报·北晨学园》1936年4月29日第939号,所用即为废名修改稿。

新诗问答①

问　可以谈谈关于新诗的意见么?

答　这倒是我喜欢谈的题目。据我所知道的现在作新诗的青年人,与初期白话诗作者,有着很不同的态度。

问　怎样的不同?

答　他们现在作新诗,只是自己有一种诗的感觉,并不是从一个打倒旧诗的观念出发的,他们与中国旧日的诗词比较生疏,倒是接近西方文学多一点,等到他们稍稍接触中国的诗的文学的时候,他们觉得那很好。他们不以为新诗是旧诗的进步,新诗也只是一种诗。

问　你对于这个态度取着什么意见?

答　我以为这个态度是正确的,可以说是新诗观念的一个进步。

问　有些初期做新诗的人,现在都不做新诗了,他们反而有点瞧不起新诗似的,不知何故?

答　据我所知道的初期做新诗的人现在确是不做新诗,这是他们的忠实,也是他们的明智,他们是很懂得旧诗的,他们再也没有新诗"热",他们从实际观察的结果以为未必有一个

---

① 载上海《人间世》半月刊1934年11月5日第15期,目录署名废名,正文无署名。

东西可以叫做"新诗"。

问　看你的口气,对于刚才所说的两方面似乎都表示同意,然则你对于新诗到底取着什么态度?

答　是的,对于这两方面我都同意,正因为此,我觉得我们才有新诗可谈。然而我首先要谈谈旧诗,我对于新诗能够有我的一点意见,可以说是从旧诗看来的。我所谓旧诗,乃指着中国文学史上整个的诗的文学而说。

问　愿闻其详。

答　要怎样详细的说,我是没有那样的能力的,我只能就我所感得亲切的来说。我觉得中国以往的诗的文学,内容总有变化,虽然总有变化,自然而然的总还是"旧诗"。以前谈诗的人,也并不是不感觉到有一个变化,但他们总以为这是一种"衰"的现像,他们大约以为愈古的愈好。我想这个态度是不合理的。他们不能理会到这是诗的内容的变化,这个变化是一定的,这正是时代的精神。好比晚唐人的诗,何以能说不及盛唐呢?他们用同样的方法做诗,文字上并没有变化,只是他们的诗的感觉不同,因之他们的诗我们读着感到不同罢了。古今人头上都是一个月亮,古今人对于月亮的观感却并不是一样的观感,"永夜月同孤"正〈正〉是杜甫,"明月松间照"正是王维,"举酒〔杯〕邀明月,对影成三人"正是李白。这些诗我们读来都很好,但李商隐的"嫦娥无粉黛"又何尝不好呢?就说不好那也是没有办法的,因为那只是他对于月亮所引起的感觉与以前不同。又好比雨,晚唐人的句子"春雨有五色,洒来花旋成",这总不是晚唐以前的诗里所有的,以前人对于雨总是"雨中山果落""春帆细雨来"这一类闲逸的诗兴，到了晚唐人，他却望着天空的雨想到花想到颜色上去了，这也不能不说是很好的想像。我首先所引的李商隐的"嫦娥无粉黛"，也正可以这样解释，他望着月亮，却想到粉白黛绿上去了。感觉的不同，我只能笼统的说是时代的关系。因为这个不同，在一个时代的大诗人手下就能产生前无所有的佳作。我还是拿李商隐来说，我看他的哀愁或者比许多诗人都美，嫦娥窃不老之药以奔月本是一个平常用惯了的典故，他则很亲切的用来做一个象征，其诗有云，"嫦娥应悔偷灵药，碧海青天夜夜心，"我们以现代人的眼光去看这诗句，觉得他是深深的感着现实的悲哀，故能表现得美，他好像想像着一个绝代佳人，青天与碧海正好比是女子的镜子，无奈这个永不凋谢的美人只是一位神仙了。难怪他有时又想到那里头并没有脂粉。

问　这样说倒很有趣，只是能够断定这一定是作诗人当时的意思么？

答　这话自然很难说，不过我们可以从他的许多诗看出他的灵魂之一致处。他爱用嫦娥与东方朔的典故，大约前者象征理想，后者象征现实，所以他说"窃药偷桃事难兼"。这还近乎表面的说法，若我们探到灵魂深处，可以窥见他对于颜色的感觉，他的诗中关于"月"与"夜"与"花"的联想似乎很特别，如李花诗有"自明无月夜"之句，白菊有"繁花疑自月中生"，又如"深夜月当花"，"独夜三更月，空庭一树花"，我觉得这样的感觉在以前的唐诗里似少见，杜甫有"暗水流花径"，但杜诗引起读者的联想似乎只在夜里的水流，同"石泉流暗壁"一样的是杜甫的句子，倒是张籍的"夜月红柑树，秋风白藕花"动人颜色之感,至少我个人是如此。李商隐关于牡丹的诗每每说到夜里去了,《僧院牡丹》诗有"粉壁正荡水,缃纬初卷灯"之句,另外有一首《牡丹》,起头用些夜的典故,最后两句"我是梦中传彩笔,欲书花叶寄朝云,"我想这真当得起西洋批评家所说的 Grand Style,他大约想像这些好看的花朵,虽然是黑夜之中,而颜色自在,好比就是诗人画就的寄给明日的朝阳。这样大抵就是"梦想",也就是感觉过敏,对于现实太浓,势非跑到天上去不可了。他在另一牡丹诗里有两句"应怜萱草淡,却得号忘忧,"或者可以帮助我们解释这个意思。倘若我的话不是说得完全无稽,则前人把唐诗分作几期以为气体有盛衰之别,不能说是得其真相,他们何曾理会到内容的变化呢?各时代的诗都可作如是观,三百篇,古诗十九首,魏晋的诗,我们今日接触起来,都感得出这些诗里情感的变化。宋人姜白石的诗我读了也很新鲜,(我以为白石词不如诗)觉得这也确不是唐诗里有的。我对于词,也感着一个内容的变化,《花间集》大体说来好比是绘画,宋人词好比是音乐,前者写色,后者写情。南宋人也自有他的内容,好比史邦卿咏雨的句子"临断岸新绿生时,是落红带愁流去,"这种情思实在很佳,却好像不是北宋所有的。中国的诗的文学,到词为止,都是令我自然而然的注视其各自的内容,到了元曲,我的看法却不同,我觉得曲,还是诗,但以诗的文学这个标准来论曲,它似乎没有什么特别的内容,只是体裁上由词而变成曲,所以我以为曲还是诗而没有独自的诗的价值,曲在文学史上的价值当以另一个观点去看。总而言之,我以为中国的诗的文学,到宋词为止，内容总有变化，其体裁也刚刚适应其内容，那一些诗人所做的诗都应该算是"新诗"，而这些新诗我想总称之曰"旧诗"，因为他们是运用同一性质的文字。初期提倡白话诗的人，以为旧诗词当中有许多用了白话，因而把那些诗词认为白话诗，我以为那是不对的，旧诗词，即我所称的"旧诗"，实在是在一个性质之下运用文字，那里头的"白话"是同单音字一样的功用，这便是我总称之曰"旧诗"之故。这样的诗的体裁，其所能表现的内容大约已经应有尽有，后人要再做诗填词，恐怕只是照壶卢画样，即算作者是天才，也总是居于被动的地位，体裁是可以模仿的，内容却是没有什么新的了。在另一方面后来有许多新的文学，如明人的散文，明清的小说，而这些新文学家也都做旧诗，他们的诗却并不怎么了不得，这未必是才力的关系。我再换一个说法，我们从散文与小说看来，古人的文章确是渐渐变到白话上来了，而且是有意的，只看《红楼梦》作者在开卷第一回的表明态度便可知道，他要用"贾语村言"，奇怪，曹雪芹偏偏还是做旧诗，这颇是令人纳闷的事情。白话文不待新文学运动已经有人写了，而这些写白话文的人不写白话诗，这好像是我们的新诗一个不好的预兆。这自然只是一句笑话，然而我想这里头或者也包含了一点道理。大凡一种新文学，都是这些新文学的作者有一种欲罢不能的势力然后他们的文学成功，至于他们是有意的或是无意的或者还没有关系，词与小说我想都是如此。这种欲罢不能的势力便成为文学的内容，这个内容每每自然而然的配合了一个形式，相得益彰，于是沛然若决江河莫之能御。说到这里我想把我的话作一个了结,我的重要的话只是这一句:我们的新诗首先要看我们的新诗的内容,形式问题还在其次。旧诗都有旧诗的内容,旧诗的形式都是与其内容适应的,至于文字问题在旧诗系统之下是不成问题的,其运用文字的意识是一致的,一贯下来的,所以我总称之曰旧诗。

问　然则什么是我们的新诗的内容呢?

答　这个我们还得谈旧诗。我说旧诗的内容尽有变化,其运用的文字却是一个性质,然而旧诗之所以成为诗,乃因为旧诗的文字,若旧诗的内容则可以说不是诗的,而是散文的。这话骤然听来或者有点奇怪,但请随便拿一首诗来读一下,无论是诗也好,词也好,古体诗也好,今体诗也好,其愈为旧诗的佳作亦愈为散文的情致,这一点好像刚刚同西洋诗相反,西洋诗的文字同散文的文字文法上的区别是很少的,西洋诗所表现的情思与散文的情思则显然是两种。中国诗中,像"前不见古人,后不见来者,念天地之悠悠,独怆然而涕下,"确是诗的内容,然而这种诗正是例外的诗。"姑苏城外寒山寺,夜半钟声到客船,"其所以成为诗之故,岂不在于文字么?若察其意义,明明是散文的意义。我先前所引的李商隐的"我是梦中传彩笔,欲书花叶寄朝云,"确不是散文的意义而是诗的,但这样的诗的内容用在旧诗便不称,读之反觉其文胜质,他的内容失掉了。这个内容倒是新诗的内容。我的意思便在这里,新诗要别于旧诗而能成立,一定要这个内容是诗的,其文字则要是散文的。旧诗的内容是散文的,其文字则是诗的,不关乎这个诗的文字扩充到白话。

问　你的意思仿佛可以明白,民间的歌谣大约是你所说的"散文的文字"？

答　歌谣确是可以做我们的新诗的参考，我们的歌谣是散文，但我们的歌谣也还能成为韵文，是自然的形成。我们的新诗如果能够自然的形成我们的歌谣那样，那我们的新诗也可以说是有了形式。不过据我的意见这是不大可能的，事实上歌谣一经写出便失却歌谣的生命，而诗人的诗却是要写出来的。写出来，文字上能成为诗，那正是旧诗。所以有人怀疑我们是不是有一个东西可以叫做新诗，那正是从诗的形式上实际观察的结果。

问　难怪你始终只是谈内容，我们的新诗首先要看我们的新诗的内容，原来新诗的诗的形式并没有！

答　我不妨干脆的这样说，新诗的诗的形式并没有。但我相信我们的时代正是有诗的内容的时代，我们的新诗正应该成功，也必得真有我们的新诗出现，我们的新文学才最有意义，单是散文的成绩，我们的新文学未必足以夸过古人，因为我们的散文本可以有一个形式上的成功，那怕文章的实质还赶不上古人。若我们的新诗成功了，我们的散文也必更有新的散文，恐不是一般人所能窥测的。这些话都近乎空话，有些固然是我自己信得过的，有许多则很出乎我的能力之外，不应该谈，其言不达意处，更请原谅。

关于派别[①]

林语堂先生在《人间世》二十二期《小品文之遗绪》一文里说知堂先生是今日之公安，私见窃不能与林先生同。据我想，知堂先生恐不是辞章一派，还当于别处去求之。因此我想到陶渊明。陶渊明以诗传于后代，然而陶渊明的诗实在不能同魏晋六朝的诗排在一起，他本来是孤立的。知堂先生的散文行于今世，其"派别"也只好说是孤立，与陶诗是一个相似的情形。且让我道出究竟。我读陶诗亦可谓久矣，常常感得一个消息而又纳闷，找不着电码把这个消息传出去，有一天居然于他人口中传出我自己的心事，而我与这说话人又可谓之同衾而隔梦。此人为北齐杨休之，我一日读到他的这几句话，"余览陶潜之文，辞采虽未优，而往往有奇绝异语，放逸之致，栖托仍高"，杨休之去渊明未远，他的话没有成见在胸，只是老实说他自己所感触的，他从陶渊明的作品里感到"辞采未优"，这碻〔确〕是一个事实，只看我们怎样认识这个事实。陶诗原来是一个特别的产物，他虽然同魏晋六朝人一样的是写诗，他的诗却不是诗人骚士一样的写景抒

[①] 载上海《人间世》半月刊1935年4月20日第26期，署名废名。正文后附"语堂跋"。

情,而他又有诗人骚士一样的成功,因此古今的诗人骚士都可以了解他,而陶诗又实在是较难了解。杨休之提出的"辞采"二字,很能帮助我们说话,陶诗比起《文选》上那些诗人的诗篇,不正是少辞采吗?陶诗像谢灵运的诗吗?像鲍照的诗吗?甚至于像阮籍的《咏怀》吗?我们直觉的可以答曰不像。原来陶诗不是才情之作,陶渊明较之那些诗人并不是诗人,那些诗人的情感在陶诗里头难有,因此那些诗人的辞采在陶诗里头难有。陶诗不但前无古人,亦且后无来者,后之论唐诗者每将王维韦应物柳宗元等人同陶渊明说在一起,以为他们学陶而得陶之一体,这样的说法其实未必公平,王维等人其辞采亦多于陶,与其说他们与陶公接近,还不如说与鲍谢更为接近,唐诗写山水之胜,求之陶诗无有也。这个事实我以为并不稀罕,陶渊明在某一意义上本不是诗人,虽然他的诗写得那么恰好。我由杨休之的话再想到陶公自己的话,他仿张衡蔡邕诸文士而作《闲情赋》,序有曰,"余园间多暇,复染翰为之,虽文妙不足,庶不谬作者之意乎?"我想"文妙不足"或者本不是一句闲话,其知己知彼情见于词乎?昔年读《饮酒》诗,其第十首云,"在昔曾远游,直至东海隅,道路回且长,风波阻中途,此行谁使然,似为饥所驱,……"我很为"似为饥所驱"之一"似"字所惊住,觉得这实在是有道之君子,对于自己的事情未能相信,笔下踌躇,若使古今文人为之,恐要写得华丽,所谓下笔不能自休也。陈师道曰,"鲍照之诗华而不弱,陶渊明之诗切于事情,但不文耳,"虽然这所谓"切于事情"的含义怎么样我们不能妄为之推测,观其"不文"一语,总也是他的真实的感觉罢。今天我特意把《昭明文选》所录的诗翻阅一过,翻到挽歌项下见

其将陶诗《挽歌》三首只选了第三首,此诗曰:

  荒草何茫茫,白杨亦萧萧,
  严霜九月中,送我出远郊。
  四面无人居,高坟正嶣峣,
  马为仰天鸣,风为自萧条。
  幽室一已闭,千年不复朝。
  千年不复朝,贤达无奈何。
  向来相送人,各自还其家,
  亲戚或余悲,他人亦已歌。
  死去何所道,托体同山阿。

于是我掩卷而想,萧统为什么只选这一首?其以此首有"荒草何茫茫,白杨亦萧萧"等萧瑟的描写乎?陶诗之佳却不以此,在其唯物的中庸心境,因其心境之佳,而荒草茫茫乃益佳耳。《挽歌》第二首曰:

  在昔无酒饮,今但湛空觞。
  春醪生浮蚁,何时更能尝。
  肴案盈我前,亲旧哭我傍。
  欲语口无音,欲视眼无光。
  昔在高堂寝,今宿荒草乡。
  一朝出门去,归来良未央。

这样的文章,大约算得"古幽默",写的是自己死后的情景,从前没有酒喝，现在酒菜都摆在面前，喝不到嘴了。曰"死去何所道，托体同山阿，"又曰"一朝出门去，归来良未央，"好像是老头儿哄孩子的话，说得蕴藉之至。又想着自己死后亲戚朋友来吊丧的情形，后来各人又都回家过日子去了。我的这些话只是对于萧统的选诗起了一点好奇心，他大约不能看出陶渊明的本来面目，同选旁人的诗是一副眼光，这仿佛可以证明我上面的说话似的。话又说回来，我草这篇文章的本意，是因为我觉得知堂先生的文章同公安诸人不是一个笔调，知堂先生没有那些文采，兴酣笔落的情形我想是没有的，而此却是公安及其他古今才士的特色。在这一点上我觉得知堂先生恰好与陶渊明可以相提并论，故不觉遂把一向我读了陶诗所感触者写出一些，而将要说到知堂先生这方面来，话一开头即有告收束之势，未知已足以见我之意乎？我这篇小文的范围，只着重在文章的派别这一个意思，因此把我以为应该算是孤立的两个人连在一起，实在这两个古今人并不因此是一派，此事今日真未能详言也。

上文于昨日写完了，在篇首加了"关于派别"四个字算是题目，打算就寄给《人间世》发表，但心里总觉得有点不安，文章刚刚写到一半就结束——，我越想越觉得我还应该把后半篇的意思补足起来，因为我的初意虽只是想说出我自己所感得的知堂先生的散文与陶诗又是怎样的不同，而这文章上的不同乃包含了一个很有意义的事实，我好像有一个要说话的责任似的，当仁而让，恐是自己懒惰。近日身体小有不适，家里的人劝我莫多用心思，昨夜我乃又戏言曰，"这篇文章恐怕还要多得几块钱稿费，两千字还不够。"妻乃又很不以我为然了，说我在病中来了客偏偏爱说话，又写什么文章。我说，这是要紧的话，不能不说。今天早起我的心里很感着一种闲情,因为我很少有一个懒散作文的快乐,今早再来补写这篇文章,很是一个轻巧的工作的意味了。近人有以"隔"与"不隔"定诗之佳与不佳,此言论诗大约很有道理,若在散文恐不如此,散文之极致大约便是"隔",这是一个自然的结果,学不到的,到此已不是一般文章的意义,人又乌从而有心去学乎?我读知堂先生的文章,每每在这一点上得到很大的益处,这益处我并不是用来写文章,只是叹息知堂先生的德行。我在本刊十三期今人志《知堂先生》一文里有一节关于文章的话我觉得我可以完全抄来。"我常记得当初在《新月》杂志读了他的《志摩纪念》一文,欢喜慨叹,此文篇末有云,'我只能写可有可无的文章,而纪念亡友又不是可以用这种文章来敷衍的,而纪念刊的收稿期又迫切了,不得已还只得写,结果还只能写出一篇可有可无的文章,这使我不得不重又叹息。'无意间流露出来的这一句叹息之声,其所表现的人生之情与礼,在我直是读了一篇寿世的文章。他同死者生平的交谊不是抒情的,而生死之前,至情乃为尽礼。知堂先生待人接物,同他平常作文的习惯,一样的令我感兴趣,他作文向来不打稿子,一遍写起来了,看一看有错字没有,便不再看,算是完卷,因为据他说起稿便不免于重抄,重抄便觉得多无是处,想修改也修改不好,不如一遍写起倒也算了。他对于自己是这样的宽容,对于自己外的一切都是这样的宽容,但这其间的威仪呢,恐怕一点也叫人感觉不到,反而感觉到他的谦虚。"我的这篇文章是去年七月写的,到现在为时虽然不到一年,我自知也不无进益,我觉得我更能了解知堂先生的宽容。去年刘半农先生去世,我同刘先生不甚相识,只能算是面熟,但我听了他死的消息为之哀思,正同另一不相识的人徐志摩先生数年前死了我在故乡报纸上看见消息不觉怅念是一样,不过徐先生好像是以其才华动我的感情,这点感情好像是公的,刘先生则令我一个同他没有交情的人忽然认识他的德行似的,我觉得他的声音笑貌很可亲近,虽然北大上课时休息室里遇见刘先生我总有点窘,想不出话来说。我本着我的朴素的感情作一副挽联,"学问文章空有定论,声音笑貌愈觉相亲",抄给胡适之先生看,适之先生说上联的"空"字人家看了有褒贬的意思,那么这就很非我的本意了,所以这对子我没有用。北大举行半农先生追悼会时我另外写了一副送去,"脱俗尚不在其风雅,殁世而能称之德行",我自己还是觉得不好。后来我看见知堂先生有一挽对,我的私心觉得这也是不好的,及至我读到他的《半农纪念》一文,那里面也引了这副挽对,我乃很有所得。我们总是求把自己的意思说出来,即是求"不隔",平实生活里的意思却未必是说得出来的,知堂先生知道这一点,他是不言而中,说出来无大毛病,不失乎情与礼便好了。知堂先生近来常常戏言,他替人写的序跋文都以不切题为宗旨。有时会见时他刚写好一篇文章就拿出来给我们看,笑着道,"古文。"他说古文,大约就好比搭题的意思。去年他替李长之君的文集写的序,我拿了原稿读到篇末,忽然眼明,原文的句子怎么样我不记得,大意是说他的那些不切题的话就不当论文而当论人罢,这里除一个诚实的空气之外,有许多和悦,而被论者(其实并没有被论)的性格又仿佛与我们很是亲近,不知长之君以为何如,我确是感到一个春风。不久以前我又看到《关于画廊》的原稿,这是为李曦晨君的《画廊集》写的序,我看了很是惭愧,但一点也不觉得怯弱,很有更近乎勇的神气,因为我也应该为《画廊集》写一点序跋之类,但当时觉得写不出就没有写,知堂先生的序《画廊》,曦晨君不知以为何如,我感到一个奋勉的空气,又多苍凉之致。(特别我同曦晨较常接近,故有此感。)其实这都不是知堂先生文章里面字句与意义直接给我们的。这种文章我想都是"隔",(不知郑振铎先生的"王顾左右而言他"是不是这个意思?)却是"此中有真意"存乎其间也。严格的讲起来,散文这东西本来几几乎不是文学作品,你说你顶爱好这样的文学作品也未始不可,我尝以为《论语》一书最是散文的笔调,这个笔调就是隔,"子曰,富而可求也,虽执鞭之士吾亦为之","陈司败问昭公知礼乎,孔子曰知礼",其他答门人之问无一是孔子的非说不可的那一句话,这句话又每每说得最可爱,千载下徒令我们想见其为人。此外如诸葛孔明的《出师表》,一篇公文那么见人的态度,若求之于字句与意义,俱为心思以外的话也。若陶渊明之诗则不然,一部陶诗是不隔,他好像做日记一样,耳目之所见闻,心意之所感触,一一以诗记之。陶渊明之诗又与《论语》是一样的分量,他的写景与"子在川上曰,逝者如斯夫,不舍昼夜"是一样的质朴,非庄子的秋水不辨牛马也。古今其他的诗人关乎景物的佳句,多为诗人的想像,犹如我们记忆里的东西也。田园诗人四个字照我的意义说起来确可以加之于陶渊明,他像一个农夫,自己的辛苦自己知道,天热遇着一阵凉风,下雨站在豆棚瓜架下望望,所谓乐以忘忧也。我曾同朋友们谈,陶诗不是禅境,乃是把日常天气景物处理得好,然此事谈何容易,是诚唯物的哲人也。然而他较之孔子,较之诸葛,较之今人如知堂先生,陶公又确是诗人。这一点我曾熟思之,觉得我不无所见,我在这半篇文章的开头说有一个很有意义的事实者此也。原来诗人都是表现自己的,大约他天生成的有这表现的才能，他在这表现之中也有着匠人制作的快乐，这是诗之所以"不隔"之故，而诗也要愈是自己的事情愈是表现得好，陶诗虽不能同乎其他诗人之诗，而陶诗固皆是以自己为材料也。陶公之所以必为隐逸，古今诗人只有陶公是真正的隐逸，均是由此而生的有趣的问题。他做彭泽令是为得糊口，"自量为己必贻俗患"又不得不"俛俛辞世"。若在孔子，虽然仕非为贫而有时乎为贫，然而为委吏要会计当，为乘田要牛羊茁壮，"敬其事而后其食"，"执御执射"大约也真是"多能鄙事"，这里头我想也总有一个快乐，不能老早等着做一个"万世师表"。我很爱他自己的话，"吾少也贱，故多能鄙事。君子多乎哉，不多也。"从前我喜欢上半句，后来我爱"君子多乎哉，不多也"，他对于绅士们的谦让很有情趣。我的意思是想说陶公与孔子很有一个性格上的不同。陶公对于生活的写实，又是他与中国文人最大的不同，"人生归有道，衣食固其端，孰是都不营，而以求自安？"所以他结果非思慕长沮桀溺不可，这一来这个"田园诗人"反而令人奇怪，因为难得找例子，他是一个农工，我们不能说他是"隐逸"了。有人怀疑他的"乞食"只是一句诗，大约也怀疑他的耕田，因为我们大家没有亲眼看见。陶诗《归田园居》第三首云，"种豆南山下，草盛豆苗稀，晨兴理荒秽，带月荷锄归，狭道草木长，夕露沾我衣，衣沾不足惜，但使愿无违。"此诗我曾经爱读，觉得亲切，有一回平伯我兄也举了"衣沾不足惜，但使愿无违"两句，以为正是孔子之徒，现在我想陶公或者还是农人的写实罢，见面时再问平伯以为何如。再来说散文一派，也就是我所说的儒家。我说诗人都是表现自己的，诗的表现是不隔，（我在这里说诗的表现是"不隔"，特别是就我这篇文章的意思立论，而不是就一般诗的艺术说，若就一般诗的艺术说则不隔二字还很得斟酌。)若散文则不然,具散文的心情的人,不是从表现自己得快乐,他像一个教育家,循循善诱人,他说这句话并非他自己的意思非这句话不可,虽然这句话也就是他的意思。又如我前面所说的,具散文的心情的人,自己知道许多话说不出,也非不说出不可,其心情每见之于行事,行事与语言文字之表现不同,行事必及于人也。这里便是吾意着重之点,行事亦何莫而非自己之表现,只是他同诗人不一样,诗人虽不与鸟兽为群,诗人确是有他自己的一个"自然",因此他自己也有一个"樊",(用陶诗"久在樊笼里,复得返自然"语,)孔子的诗情则偶见于"吾非斯人之徒与而谁与"也。这或许还有环境上的原因,然而性格的不同我想是一个重要的原因。诗人因为"为己",他恐有不自在的地方,陶公虽然自谦"总角闻道,白首无成",这里或者也足以见他的真情,自己辛苦数十年,临死还以小儿辈饥寒念之在心。孔子一生与人为徒,有志于老安少怀朋友信之,有许多情感因此恐怕还要淡漠一点,我想这里很有点心理学上的问题,然而我怕我胡乱说话,我只能说我好像懂得一个"礼"字。孔子的经验见于"仁""礼"二词,仁的条目是礼,仁之极致也是礼,除开仁而言礼不是孔子的意思,举仁而礼之义可在其中,我说这些话是记起《论语》一章,"颜渊死,颜路请子之车以为之椁。子曰,才不才亦各言其子也,鲤也死有棺而无椁,吾不徒行以为之椁,以吾从大夫之后不可徒行也。"这章书很有意思。没有颜渊这一死,颜路这一请,孔子不说到他的鲤,孔子说到他的鲤又是当着人家的父亲面前说的,孔子对于这个人的短命又是那么哀恸,这人又"视予犹父",所以我觉得孔子答颜路的话可谓有情有礼。有人注重"才不才",拿来做注解,我想未必罢,这三个字的口气是因为"各言其子"罢,是孔子说话的心情态度好罢。后来的人不但不会读"经",也不会读"传",他们如果会读《左传》,看看古人对答词令之佳,他们就不会只在"意义"里头去找了。我提起这章书的本意却是因为我们可以想伯鱼死时的情形,在自己小孩子的事情上面见孔子的礼的态度,也就是仁的极致,宋儒则谓之"化"。大凡旷达的人,我想旷达只是禅境,未必无普通人的烦恼,他们对于日常生活有点厌烦,虽然他们有他们自己的很好的境界,到得俗事临头,他们也"未能免俗",倒是能近取譬修己安人的人,从实生活上得到经验,"恕"本来是及于人的,"恕"亦可以宽己也。陶公不是一般的旷达,他过的是写实的生活,这是他的挽歌写得那么好的原故,不但庄子没有这样的文章,孔子也似乎没有这个冷静,但关于儿女辈常抱一个苦心,可谓不达孔子之礼,而在陶公又最为自然也。写到这里我记起一件事,中国读书人都是士大夫阶级,我们现在也都是,有一天内人同我讲一句话,我甚有所启发,她说,"我们生了小孩子,我只盼望孩子身体健康,至于孩子将来做什么事情那却没有一定,我带到乡间去学手艺也好,我喜欢同他们常聚在一块儿,反正手艺也总是人做的。"庸言庸行,我得一善。然而这话我那里配说,徒有惭愧之情,若陶公一农夫耳,四体诚乃疲,饮酒赋诗,又何害乎职业,至于子孙不能饱食暖衣,实在应非自己的责任。千载下之今日我来讲这些空话,只能算是妄语,读者恕之。话又说回来,我的这一段话的意思,是想说明陶公到底还是诗人,孔子真是儒者的代表,各人性格上的不同,因而生活的状况不一样,两方便又都是写实的生活,都是"尽性",性情不可有一个解脱的统一,吾辈慕其生活,又爱其性情也。再来说今之人如知堂先生。或者有人要问,知堂先生自己出文集,陶渊明还未必自己出诗集,而你的意思仿佛还认知堂先生是儒家？是的,我在这篇文章的开始,不知不觉的以知堂先生的文章与陶渊明的诗相提并论,并没有想到要说《论语》,大约就因为文集与诗集的原故。然而我以为知堂先生是儒家。其实我的意思从上文已可以寻绎出来,兹不惮再繁言。今之人每每说知堂先生是隐逸,因之举出陶渊明来,连陶渊明一齐抹杀,据我的意见陶渊明其实已不是隐逸,已如上述,夫隐逸者应是此人他能做的事情而他不做,如自己会导河,而躲在沙滩上钓鱼,或者跑到城里来售买黄灾奖券,再不然就是此人消极,自己固然不吃饭去求长生不老,而让小孩子也在家里饿死,纵然大家不责备这些人,这些人亦自可耻矣。社会还是古今这样的社会,非隐逸的条件其实只是一句话,此人尚在自己家里负责任。若在古不谈正统,不谈治国平天下,在今不谈大众文学,较之你们乱谈,其不同正在一个谈字上面,自己知道没有什么罪过。孔子曰,未知生,焉知死。未能事人,焉能事鬼。此言何其慨乎言之。我们生在今日之中国,去孔子又三千年矣,社会罪孽太重,于文明人类本有的野蛮而外,还不晓得有许多石头压着我们,道学家,八股思想,家族制度等等,我们要翻身很得挣扎。名誉,权利,爱情,本身应该是有益的东西,有许多事业应该从这里发生出来,在中国则是一个变态,几几乎这些东西都是坏事的。我们今日说"修身齐家",大家以为落伍,不知这四个字谈何容易,在这里简直要一个很大的知者。孔子曰,"己欲立而立人,己欲达而达人,能近取譬可谓仁之方也已",孔子说这话恐怕还要随便一点,在今日这句话简直令我们感到苦痛,然而这却是知者的忧愁也。我在《知堂先生》那一篇小文里最后说到科学是道德，意思恐很不明白，然而我当时也就算了，因为我只是记着我自己的一点心情，从知堂先生那里得的知慧，如果我真有好些科学知识，我想我本着这个意思要多写文章，我却是没有科学知识的，不想再多说空话。在知堂先生的《夜读抄》出版的时候，我拿来翻阅，随处感得知者之言，仁者之声，如中华民国二十二年十月九日北京大学西斋有一女子吊死的事情，知堂先生写了一篇《缢女图考释》，读者以为是一篇幽默的文章乎？这个幽默却是与《论语》的"师冕见""子见齐衰者"那几章的文章一样的有意义。因此我又记起一件事，有一天平伯同我谈笑话，他说孔子这人真有趣，"子见齐衰者，冕衣裳者，与瞽者，见之虽少必作，过之必趋"，齐衰者冕衣裳者，大约是有目共见，若夫瞽者，则孔子看见他，他不看见孔子，孔子这人很可爱了。平伯这话又令我记起《莫须有先生传》第二章莫须有先生下乡遇见算命的先生，后来我把《莫须有先生传》再翻开一看，觉得莫须有先生这人也还可爱。《夜读抄》里有《论泄气》一文，大约是幽默的杰作，我在这里完全抄两段：

"中国的修道的人很像是极吝啬的守财奴，什么一点东西都不肯拿出去，至于可以拿进来的自然更是无所不要了。大抵野蛮人对于人身看得很是神秘，所以有吃人种种礼俗，取敌人的心肝脑髓做醒酒汤吃，就能把他的勇气增加在自己的上面。后代的医药里还保留着不少的遗迹，一方面有孝子的割股，一方面有方书上的天灵盖紫河车，红铅秋石，人中白人中黄，至今大约还很有人爱用，只是下气通这一件因为无可把握，未曾被收入药笼中，想起来未始不是一桩恨事。唯一的方法只有不让他放出去，留他在腹中协佐真气，大有补剂的效力，这与修道的咽自己的吐沫似是同样的手段,不过更是奇妙,却也更为难能罢了。(废名谨按,此段前文系转引俞曲园先生《茶香室三钞》引明李日华《六砚斋三笔》'李赤肚禁人泄气'云云。)

"在某种时地泄气算是失仪。史梦兰的《异号类编》卷七引《乐善录》云:'邵篪以上殿泄气,出知东平。邵高鼻圈卷发,王景亮目为泄气师子。'记得孙中山先生说中国人坏的脾气,也有两句云:'随意吐痰,自由放庇〔屁〕。'由此看来,在礼仪上这泄气的确是一种过失,不必说在修道求仙上是一个大障碍了。但是,仔细一想,这种过失却也情有可原,因为这实在是一种毛病。吐痰放屁,与吐呕遗矢溺原是同样的现象,不过后者多在倒醉或惊惶昏瞀中发现,而前者则在寻常清醒时,所以其一常被宽假为病态,其他却被指斥为恶相了。其实一个人整天到晚咯咯的吐痰,假如不真是十足好事去故意训练成这一套本领,那么其原因一定是实在有些痰,其为呼吸系统的毛病无疑,同样的可以知道多泄气者亦未必出于自愿,只因消化系统稍有障害,腹中发生这些气体,必须求一出路耳。上边所说的无论那一项,失态固然都是失态,但论其原因可以说是由于卫生状况之不良,而不知礼不知清洁还在其次。那么归根结蒂神仙家言仍是不可厚非,泄气不能成为仙人,也就不能成为健全国民,不健全即病也。病固可原谅,然而不能长生必矣。"

我抄这两段文章,除略略有点介绍幽默的嫌疑之外,我是爱好知堂先生心境的和平,我们只看他这一句,"上边所说的无论那一项,失态固然都是失态,但论其原因可以说是由于卫生状况之不良,而不知礼不知清洁还在其次",我觉得很能看出知堂先生气象,他很少有责备人的意思,看见人家很好就很好。我曾举了《夜读抄》里《兰学事始》这篇文章同知堂先生说,"这种文章给中学生看了很有益处。"知堂先生点首,又踌躇着道,"我们做文章恐怕还应该做明白一点。"有一回我们几个人计议,想办一个杂志给中学生看,知堂先生又提出"严正"二字。有一回我举《论语》"学而"三章,我说,"这样的话真记得好,其实是人人都难做到的事情,却记得那么像家常话。"知堂先生也点头,又接着道,"有许多事大家都承认的,也不必二加二等于四,这些话我们以前都觉得不必说,以后要看怎么说的好。"言下都令我有所得。我再把《夜读抄》后记里所引的与侵君的信抄在这里:

"惠函诵悉。尊意甚是,唯不佞亦但赞成而难随从耳。自己觉得文士早已歇业了,现在如要分类,找一个冠冕的名称,仿佛可以称作爱智者,此只是说对于天地万物尚有些兴趣,想要知道他的一点情形而已。目下在想取而不想给。此或者亦正合于圣人的戒之在得的一句话罢。不佞自审日常行动与许多人一样,并不消极,只是相信空言无补,故少说话耳。大约长沮桀溺辈亦是如此,他们仍在耕田,与孔仲尼不同者只是不讲学,其与仲尼之同为儒家盖无疑也,匆匆。六月十日。"

这里令我感得兴趣的是这两句:"目下在想取而不想给。此或者亦正合于圣人的戒之在得的一句话罢。"我觉得这很见知堂先生的心情,不知不觉的写出"戒之在得"这句话,殊幽默之至,老年人总是想于人有点益处也。至此我的意思大约已经都说了,只是题目扯得太大,我总怕我有妄语。现在又回转头来,原来我写这篇文章的意思只是想说明文章笔调之不同,文章有三种,一种是陶诗,不隔的,他自己知道;一种如知堂先生的散文,隔的,也自己知道;还有一种如公安派,文采多优,性灵溢露,写时自己未必知道。我们读者如何知之？知之于其笔调。

（三月十四日写完）

语堂跋：吾读此文甚得谈道及闻道之乐，益发增吾归北平之感。此文自有一番境界，恐非常人所易明白，且易启误会，非常人所易明白而吾仍必发表之，不得已也。

知人论世，本来不易，识得知堂先生面目更非私淑先生而心地湛然者莫办，废名可谓识先生矣。若吾评知堂先生，必曰此公不能救国，亦不能领导群众，摇旗呐喊，只是纯然取科学态度求知人生之作者，后人当有是吾言者。此文最好处是录与知堂平伯对答的话，此并非侮辱，废名知吾如何爱好此论语式之对话也。想此番记录工作非做不可，而能记其语录者，又非以上论道诸君子不可。勉之哉，勉之哉。吾犹有一句要话奉劝。问问岂明，若子死，岂明不能免俗大热闹一番，是何道理？岂明答辞，便是他整个性格之剖析。吾于此一事，甚见得岂明之"渐近自然"处，"吾从众"处，及其内情之冲动处。其热闹乃其恸哭。又若子死后闻岂明曾探一同岁女子之病，此岂非"各言其子"之相近境界乎？至公安作文知与不知，只在中郎《癖嗜录》叙"予尝谓作文无他法，抽笔时举精神肤发尽脱之笔端而不自知则善矣"一语。此语见"狂言"卷二，狂言岂假得来乎？

蝇[①]

我故意取这一个字做题目,让大家以为我是讨厌苍蝇。我的意思不是那样,我是想谈周美成的一首词,看他拿蝇子来比女子,而且把这个蝇子写得多么有个性,写得很美好。看起来文学里没有可回避的字句,只看你会写不会写,看你的人品是高还是下。若敢于将女子与苍蝇同日而语之,天下物事盖无有不可以入诗者矣。在《片玉集》卷之六"秋景"项下有《醉桃源》一首,其词曰:

冬衣初染远山青,双丝云雁绫,夜寒袖湿欲成冰,都缘珠泪零。　　情黯黯,闷腾腾,身如秋后蝇,若教随马逐郎行,不辞多少程。

杜甫诗,"况乃秋后转多蝇",我们谁都觉得这些蝇儿可恶,若女儿自己觉得自己闷得很,自己觉得那儿也不是安身的地方,行不得,坐不得,在离别之后理应有此人情,于是自己情愿自己

[①] 载北平《世界日报·明珠》1936年10月1日(原刊未标期号,此期循例应为第1期),署名废名。

变做苍蝇,跟着郎的马儿跑,此时大约拿鞭子挥也挥不去,而自己也理应知道不该逐这匹马矣。因了这个好比喻的原故,把女儿的个性都表现出来了,看起来那么闹哄哄似的,实在闺中之情写得寂寞不过,同时路上这匹马儿也写得好,写得安静不过,在寂寞的闺中矣。因了这匹马儿,我还想说一匹马。温飞卿词,"荡子天涯归棹远。春已晚,莺语空肠断。若耶溪,溪水西,柳堤,不闻郎马嘶。"第一句写的是船,我看这只船儿并不是空中楼阁,女儿眼下实看见了一只船,只是荡子归棹此时不知走到那里,"千山万水不曾行",于是一只船儿是女儿世界矣。这并不是我故意穿凿,请看下面这一匹马,"柳堤,不闻郎马嘶,"同前面那只船一样的是写景,柳堤看见马,盼不得郎马,——不然怎么凭空的诗里会有那么一个声音的感觉呢?船是归棹,马也应是回来的马,一个自然要放在远水,一个又自然近在柳堤矣。这些都是善于描写女子心理。

莫　　字①

　　李后主有名的《浪淘沙》,我在大学预科的时候还是很喜欢,动不动就"簾〔帘〕外雨潺潺"的哼唱起来,后来乃觉得像这样的诗并写得不好,虽然作者的感情我还以为是真的。这样的诗,若借用王静庵的一个字,我以为正是"隔"。大凡诗之所给读者的,不是作者作诗的情绪,应是作者将这个情绪写成的诗,写得"不隔"才是不隔。什么"罗衾不耐五更寒,梦里不知身是客,一晌贪欢",大约可以博得少年们的欢喜,只是诗的调子读起来像煞有价〔介〕事而已,其实写得很粗浮。就连"问君能有几多愁,恰似一江春水向东流",我以为也不及秦少游的"飞红万点愁如海"。我曾将这点意思同侵君谈,他反诘我道,"那么,车如流水马如龙,花月正春风,不好吗?"我应之曰好。这确乎乃是写得好。我今天写这篇小文的意思乃是来谈《浪淘沙》里的"莫"字,我一晌是把"独自莫凭阑"之莫,读作暮,有一天捧读槐居士《读词偶得》,他说莫就是莫,不宜读为暮也。槐居士引后主《菩萨蛮》"高楼谁与上"之句作参证,高楼谁与上,非即独自莫凭阑之孤况欤? 这

---

　　① 载北平《世界日报·明珠》1936年10月2日(原刊未标期号,此期循例应为第2期),署名废名。

一解使我眼明,我对于李后主的《浪淘沙》乃稍有好感,仿佛这一个莫字可以拗得起"无限江山"的情感似的。我自己觉得有趣的乃是另外两个诗人的莫字我平常很喜欢,一是"楼高莫近危阑倚",一是"劝君莫上最高梯",来得儿女缠绵,诗情深美,何独把李后主看得那么老实总以为他是老老实实的告诉我们日暮之时他独自凭阑去乎?

上文是写这篇小文的本意,一面写一面再翻阅槐居士的解词,一面又读《浪淘沙》,看来看去,我乃又觉得事情不妙,"独自莫凭阑"恐怕还是说日暮之时他独自凭阑去。此事本无关闳旨,反正我是不喜欢《浪淘沙》的。后主词另有"无言独上西楼"之句,我就以之搪塞槐居士。

志　　学[①]

孔子说他"十有五而志于学",三十,四十,五十,六十一直说到七十岁的进步。十年以来,我好读《论语》,懂得的我就说我懂得,不懂得的我就觉得我不能懂得,前后的了解也有所不同,到得现在大致我总可以说我了解《论语》了。有趣的最是"志学"这一章。前几年我对于孔夫子所作他自己六十岁七十岁的报告,即"六十而耳顺,七十而从心所欲不逾矩,"不能懂得,似乎也不想去求懂得,尝自己同自己说笑话,我们没有到六十七十,应该是不能懂得的。那时我大约是"三十",那么四十五十岂非居之不疑吗? 当真懂得了吗? 这些都是过去了的话,现在也不必去挑剔了。大约是在一二年前,我觉得我能了解孔子耳顺与从心的意思,自己很是喜悦,谁知此一喜悦乃终身之忧,我觉得我学不了孔夫子了,颇有儿女子他生未卜此生休的感慨。去年夏间我曾将这点意思同吾乡熊十力先生谈,当时我大约是所有〔有所〕触发,自己对于自己不满意。熊先生听了我的话,沉吟半晌,慢慢说他的意思,大意是说,我们的毛病还不在六十七十,我们乃

[①] 载北平《世界日报·明珠》1936年10月4日(原刊未标期号,此期循例应为第4期),署名冯文炳。

是十五而志于学没有懂得,我们所志何学,我们又何曾志学,我们从小都是失学之人。此言我真是得益不少。去年"重九"之后,在我三十五生日的时候,我戏言,我现在大约才可以说四十岁的事情了,这个距离总很不远。是的,今日我可以说"不感〔惑〕"。回转头来,对于十五志学,又很觉有趣。自己的好学,应自即日问学,自即日起也无妨做一个蒙师,首先我想教读自己的孩子。金圣叹为儿子批《水浒》的意思是很可敬重的,孔子问伯鱼学没有学过《周南》《召南》〈读〉,我自己还想从头〈读〉《周南》《召南》也。

去年"腊八"我为我的朋友俞平伯先生所著《槐屋梦寻》作序,《梦寻》的文章我最所佩服,不但佩服这样的奇文,更爱好如此奇文乃是《周南》《召南》。我的序文里有一句话,"若乱世而有《周南》《召南》,怎不令人感到奇事,是人伦之美,亦民族之诗也〈。〉"我曾当面同俞先生谈,这句话恐怕有点缠夹,这里我很有一点感慨,《周南》《召南》系正风,但文王之世不亦为乱世乎?小时在私塾里读《了凡钢鉴》,有一句翻案文章我还记得,有人劝甲子之日不要兴兵,理由是"纣以甲子亡,"那位皇上答道,"纣以甲子亡,武王不以甲子兴乎?"我说"乱世而有《周南》《召南》,"不仅是赞美《国风》里的诗篇,是很有感慨的,很觉得《周南》《召南》是人伦之美,民族之诗也。

三竿两竿[1]

中国文章,以六朝人文章最不可及。我尝同朋友们戏言,如果要我打赌的话,乃所愿学则学六朝文。我知道这种文章是学不了的,只是表示我爱好六朝文,我确信不疑六朝文的好处。六朝文不可学,六朝文的生命还是不断的生长着,诗有晚唐,词至南宋,俱系六朝文的命脉也。在我们现代的新散文里,还有"六朝文"。我以前只爱好六朝文,在亡友秋心居士笔下,我才知道人各有其限制,"你不能做我的诗,正如我不能做你的梦",此君殆六朝才也。秋心写文章写得非常之快,他的辞藻玲珑透澈,纷至沓来,借他自己《又是一年芳草绿》文里形容春草的话,是"泼地草绿"。我当时曾指了这四个字给他看,说他的泼字用得多么好,并笑道,"这个字我大约用苦思也可以得着,而你却是泼地草绿。"庾信文章,我是常常翻开看的,今年夏天捧了《小园赋》读,读到"一寸二寸之鱼,三竿两竿之竹",怎么忽然有点眼花,注意起这几个数目字来,心想,一个是二寸,一个是两竿,两不等于二,二不等于两吗?于是我自己好笑,我想我写文章决不会写这

---

[1] 载北平《世界日报·明珠》1936 年 10 月 5 日(原刊未标期号,此期循例应为第 5 期),署名废名。又载新乡《豫北日报·苦茶》1936 年 10 月 15 日第 8 期,署名废名。

么容易的好句子,总是在意义上那么的颠斤簸两。因此我对于一寸二寸之鱼三竿两竿之竹很有感情了。我又记起一件事,苦茶庵长老曾为闲步兄写砚,写庾信《行雨山铭》四句,"树入床头,花来镜里,草绿衫同,花红面似。"那天我也在茶庵,当下听着长老法言道,"可见他们写文章是乱写的,四句里头两个花字。"真的,真的六朝文是乱写的,所谓生香真色人难学也。

水浒第十三回[1]

我尝劝学生读金圣叹第五才子书,对于自己作文总很有益处。只可惜中国小说于男子妇人间的事情总写不好,此盖是民族精神的致命伤,缺乏健全思想,无可如何也。《红楼梦》的空气要算是最好的,虽然贾宝玉的名誉太大,我不想替他宣传,然而《红楼梦》尊重女子人格这一点,又怎不令我们佩服。据考证家的报告,这又却是满洲人的光荣。《水浒》所写的是英雄好汉,但中国的绿林同文人士大夫也还是一个传统,故秋心君曾向我发泄其愤怒,他说他最讨厌武松,理由是"武松杀丫鬟!"此君大约是熟读欧洲中世纪骑士的故事,其愤怒我可以同情也。金圣叹第五才子书《水浒传》我总劝学生们读读,可以启发文思,我记得我从前读到杨志在黄泥冈上生辰纲被打劫了的时候,眼看着十四个伙计软倒地下,起来不得,"树根头拿了朴刀,挂了腰刀,周围看时,别无物件,杨志叹了口气,一直下冈子去了,"在周围看时,别无物件,句下有批:"只有满地枣子!写来绝倒。"金圣叹先生这一笔,我当时很得到喜悦,仿佛把黄泥冈再描写了一遍,满

---

[1] 载北平《世界日报·明珠》1936年10月8日(原刊未标期号,此期循例应为第8期),署名废名。

地枣子,又足以现得黄泥冈寂静矣。第五才子书第十三回下,圣叹有一段文章,至今我很是佩服。这一回晁盖盖始出名,"我因是而想,有有全〈部〉书在胸而始下笔著书者,有(无)全书在胸而姑涉笔成书者。如以晁盖为一提纲挈领之人,而欲第一在便先叙起有,此所谓无全书在胸而姑涉笔成书者也。若既以晁盖为第一部提纲挈领之人,而又不得不先放去一十二回,直至第十三回方与出名,此所谓有全书在胸而后下笔著书者也。"这样的著书之人,这样的批书之人,都可以做我们的老师者也。我们虽不必学著书,却无妨学这一点安闲的态度,即是预备好好的做工作。唐人诗句,"闭户著书多岁月,种松皆作老龙鳞,"其实是无全书在胸而姑涉笔成趣者也,不如金圣叹的话亲切而有味。在鲁智深倒拔垂杨柳那一回,批书之人曾将"施耐庵"之名,作一句文章,"发愤作书之故,其号耐庵不虚也。"这个作书之故我们不管他,这个批书之人,"予日欲得见斯人矣。"

无　　题[①]

　　我在《水浒第十三回》一篇小文里,称赞金圣叹"此所谓有全书在胸而后下笔著书者也"的说法。这句话的价值,当然是因为《水浒》的价值而有价值,不然则未必能以逗得我们的欢乐。在那个反对的方向,其实也有一个极大的欢乐,即是"无全书在胸而姑涉笔成书者也"。可惜我这番佳话不能说与金圣叹听,圣叹听之当为我浮一大白。此无全书在胸而姑涉笔成书之书为何书?乃外国的《水浒传》。乃世界无比的《吉诃德先生》。可惜这部书我们没有一部好好的翻译,虽然著者西万提司先生在中国的明朝末年曾这样戏言过,说是中国皇帝有信给他,叫他把这一部小说寄去,以便作北京学校里西班牙语教科书用。这部书最有意思的地方,至少我个人觉得最有意思,乃是无全书在胸,而姑涉笔成书,其价值恐在《水浒》以上也。我这样说,一点也不是长他人之威风,灭自己的志气,因为我尝私自里说一句大话,如果硬要我做一部小说作北京学校里教科书用,限十年二十年交卷,《水浒传》我只好五体投地,不敢效颦自分才力不及,若他人的《吉诃德先生》,我确想较一日之短长。其原因,当然因为"无

[①] 载北平《世界日报·明珠》1936年10月11日第11期,署名废名。

全书在胸",故尔说大话。我这句空话的意思,是因为《吉诃德先生》我国没有翻译本,我不便在读者大众之前说短论长,断定他的价值不在《水浒》以下,故尔以区区良心为凭。外国也有金圣叹,他们说,《吉诃德先生》,西万提司本来没有什么计划的,当他执笔著书的时候,连那么一个主脚,吉诃德先生的从卒山差邦札,起初也不在他的心眼里,一直到路上听见一个店主人的话,岂有骑士出游而不带从卒的事情(,)我们的吉诃德先生乃回转头来携带我们的山差邦札出门了。所以在《吉诃德先生》上卷第七回山差邦札始与出名。我想,不但骑士出游应该有一个Squire,《吉诃德先生》没有山差邦札一定是写不好的。

在《第六才子书读法》里头,金圣叹也有妙语。《西厢记》其实只是一字。《西厢记》是何一字?《西厢记》是一无字。赵州曰,你是不会,老僧是无。《西厢记》是此一无字。何故《西厢记》是此一无字?此一无字是一部《西厢记》故。圣叹此一无字的艺术论,其实就是"无全书在胸"的意思。若都要有全书在胸然后下笔著书,此事岂不甚难,所以我们平常作文也不要成心做题目。圣叹自己解释得好,"最苦是人家字〔子〕弟,未取笔,胸中先已有了文字。若未取笔胸中先已有了文字,必是不会作文字的人。"又云,"最苦是人家子弟,提了笔,胸中尚无有文字。若提了笔胸中尚无有文子〔字〕,必是不会做文字的人。"

孔子说诗[1]

知堂先生《苦竹杂记》里有《郝氏说诗》一文,我读了甚得喜悦,篇末抄引郝兰皋夫妇合著的《诗说》里几则文章,读之不欲放下,后来放下了,又联想到孔子说诗。《论语》里有一章书,向来不引起我的注意,这回因了《郝氏说诗》,我乃又默诵一遍,"唐棣之华,偏其反而。岂不尔思,室是远而。子曰,未之思也,夫何远之有。"孔子说诗亦复有趣,我觉得他老先生好像替学生改作文一样,批得很幽默,——这或者是我自己呆头呆脑,年来常替学生改作文,故而乱说孔夫子亦未可知。我且以第二回手将郝氏这一节文章从《苦竹杂记》里抄录下来,即为介绍诗三百篇的文章起见这节话亦不惜第三回说:

"晋人论诗,亟赏昔我往矣,杨柳依依,今我来思,雨雪霏霏,及讦谟定命,远犹辰告,以为佳句。余谓固然,佳句不止此也,如鸡栖于埘〔埘〕,日之夕矣,羊牛下来,写乡村晚景,睹物怀人如画。又如蒹葭苍苍,白露为霜,所为伊人,在水一方,渺然有天际真人想。其室则迩,其人甚远,渺渺予怀,悠然言外。东门之栗,有践家室,此有践二字便带画景。至如汉之广矣,不可泳思,江之永

---

[1] 载北平《世界日报·明珠》1936年10月16日第16期,署名废名。

矣,不可方思,尤所谓别情云属,文外独绝者也。"

这节文章不待看完,我就想去读《诗经》,《诗经》读了一半,我就默读《论语》里的诗四句,"唐棣之华,偏其反而。岂不尔思,室是远而。"我受了郝氏诗说的暗示,先翻了诗《东门之墠》在书桌上,"东门之墠,茹芦在阪,其室则迩,其人甚远。"这室迩人远的说话,所谓咫尺千里是也,今古诗情都一般。若这样写文章:"岂不尔思,室是远而!"翻成白话便是"我岂不想你,只是你住的地方太远了。"人听了这一句话人以为是敷衍面子的话,难怪孔子听了也说不是,"未之思也,夫何远之有。"只有说"人辽〔远〕"的情理,没有说"室远"的情理。室迩而人远乃是"思",若说"室远",是"未之思也。"因此我想孔子这人一定很令我们向迩〔迩〕,我们可以高山仰止矣。不过我说来说去还是说得好玩的,这里的问题乃是,"唐棣之华,偏其反而,岂不尔思,室是远而",这四句诗何以落得孔夫子说一个不是?是别人在他老先生耳朵旁边唱,如子路一年三百六十日唱"不忮不求,何用不臧!不忮不求,何用不臧!"于是老师劝他百尺竿头更进一步,——还是在别的读书情形之下呢?殊为吾辈所欲知之而不得而知之者也。

陶渊明爱树[①]

　　世人皆曰陶渊明爱菊,我今来说陶渊明爱树。说起陶公爱树来,在很早的时候我读《闲情》一赋便已留心到了。《闲情赋》里头有一件一件的愿什么愿什么,好比说愿在发而为泽,又恐怕佳人爱洗头发,岂不从白水以枯煎?愿做丝而可以做丝鞋,随素足周旋几步,又恐怕到时候要脱鞋,岂不空委弃于床前?这些都没有什么,我们大家都想得起来,都可以打这几个比方,独有"愿在昼而为影,常依形而西东,悲高树之多荫,慨有时而不同,"算是陶公独出心裁了,我记得我读到这几句,设身处地的想,他大约是对于树阴凉儿很有好感,自己又孤独惯了,一旦走到大树阴下,遇凉风暂至,不觉景与罔两俱无,惟有树影在地。大凡老农老圃,类有此经验,我从前在乡下住了一些日子,亦有此经验也。所以文章虽然那么做,悲高树之多荫,实乃爱树荫之心理。稍后我读《影答形》的时候,见其说着"与子相遇来,未尝异悲悦,憩荫若暂乖,止日终不别,"已经是莫逆于心了。在《止酒》一诗里,以"坐止高荫下"与"好味止园葵,大懽止稚子"相提并论,陶公非爱树而何?我屡次想写一点文章,说陶渊明爱树,立意却还在介绍

[①] 载北平《世界日报·明珠》1936年10月20日第20期,署名废名。

另外一首诗,不过要从爱树说起。陶诗《读山海经》之九云:

> 夸父诞宏志,乃与日竞走。俱至虞渊下,
> 似若无胜负。神力既殊妙,倾河焉足有。
> 余迹寄邓林,功竟在身后。

这首诗我真是喜欢。《山海经》云,夸父不量力,欲追日景,逮之于禺谷,渴欲得饮,饮于河渭,河渭不足,北饮大泽,未至,道渴而死,弃其杖,化为邓林。这个故事很是幽默。夸父杖化为邓林,故事又很美。陶诗又何其庄严幽美耶,抑何质朴可爱。陶渊明之为儒家,于此诗可以见之。其爱好庄周,于此诗亦可以见之。"余迹寄邓林,功竟在身后,"是作此诗者画龙点睛。语云,前人栽树,后人乘荫,便是陶诗的意义,是陶渊明仍为孔丘之徒也。最令我感动的,陶公仍是诗人,他乃自己喜欢树荫,故不觉而为此诗也。"连林人不觉,独树众乃奇,提壶挂寒柯,远望时复为,"他总还是孤独的诗人。

如切如磋[1]

　　子贡曰：贫而无谄，富而无骄，何如？子曰，可也。未若贫而乐，富而好礼者也。子贡曰，诗云，如切如磋，如琢如磨，其斯之谓欤？子曰，赐也始可与言诗已矣，告诸往而知来者。

　　右《论语》之一章。我觉得孔子与子贡师生二人谈话的空气很好，所谈的话我们也没有不懂的地方，因为谈的话本来不令人难懂，只是在生活上未必容易学得到。子贡的意见本来也颇高明，所以孔子许之曰"可也。"但孔子到底是孔子，他把子贡的话修改一些，不，不是修改子贡口头上的话，是作人的态度再进一步。子贡到底是孔门高足，听了先生的话，引诗如切如磋如琢如磨咏之。孔子乃又称赞一番，"赐也始可与言诗已矣，告诸往而知来者。"这一番称赞之词用白话恐怕翻译不好。

　　我从前在武昌上中学的时候，因为校长是讲王学的，我也跟着读王阳明的书。因为一个字的缘故，王阳明到现在留了一个不好的印像给我。孔子说，"君子疾没世而名不称焉。"这句话本

---

[1] 载北平《世界日报·明珠》1936年10月26日第26期，署名废名。

来很好,很像孔子的话,然而王阳明说"称"字应该读去声,即是说恐怕死了以后名不相称,怕死后之名誉乃过誉。此殊不合如切如磋如琢如磨之道,有点近乎乡下人拿称来称,未免可笑。

去年有一天我无意间默读《论语》,"子曰,富与贵,是人之所欲也,不以其道得之,不处也。贫与贱,是人之所恶也,不以其道……"默读至此,不记得原文,于是我有点着恼,怎么读不下去。我又有点好奇,心想,如果这以下的字句要我来替孔子补足起来,或者孔子当时的说话叫我来记录,应该怎么记?这一来我又很是喜悦,一心想得一百分。结果我只好交白卷,因为我实在想不好,难得适当的字句。再从书架上拿了《论语》来翻阅,孔子乃是这样说下去,"贫与贱,是人之所恶也,不以其道得之,不去也。"我读之甚为喜悦。此事我在北京大学国文系一年级作文班上曾向学生谈及,不知诸生感兴趣否。

陈　亢[①]

陈亢问于伯鱼曰,子亦有异闻乎？对曰,未也。尝独立,鲤趋而过庭,曰,学诗乎？对曰,未也。不学诗,无以言。鲤退而学诗。他日,又独立,鲤趋而过庭,曰,学礼乎？对曰,未也。不学礼,无以立。鲤退而学礼。闻斯二者。陈亢退而喜曰,问一得三,闻诗,闻礼,又闻君子之远其子也。

《论语》这章书我很喜欢,觉得孔门真是诚实切实。陈亢这个人很老实。伯鱼亦殊可爱,不愧为孔子之子,孔子亦不愧为其父。父亲问他学诗没有,他说没有学,退转来他就学诗。有一天父亲又问他学礼没有,他说没有学,退转来他就学礼。他很有礼貌的把这些话告诉陈亢,临了还要诚恳的说一句："闻斯二者。"陈亢起初像一个乡下人,问着世兄"子亦有异闻乎？"临了又像大学里的旁听生,偷听了一堂课,喜不过,还要说一点自己老实的心得。不过他喜不过告诉给什么人,我们却无从知道。宋儒却真不令人喜欢,在"子亦有异闻乎"句下朱熹注曰,"亢以私意窥

[①]　载北平《世界日报·明珠》第1936年10月31日第31期,署名废名。

圣人，疑必阴厚其子。"在"闻斯二者"句下注曰，"当独立之时所闻不过如此，其无异闻可知。"是何伧父口吻也。

在另一章书里也可以见陈亢对于孔子的神气，他问于子贡曰，"夫子至于是邦也，必闻其政，求之与？抑与之与？"子贡回答他，"夫子温良恭俭让以得之。夫子之求之也，其诸异乎人之求之与。"观子贡说话的神气，不免有点鄙陈亢的意思，然而我们都如闻其语如见其人，我们又可以看得出孔门的真面目也。

钓　　鱼[①]

我出这个题目，很有点近乎赋得。在我的灵魂里连一丝钓鱼的影子也没有，只有竹竿，然而我写了这个题目动手写文章了。今天下午得到古渔翁寄来的一封信，信封是砖鱼，信纸又恰是渔翁用具的画，其八行则是子钓而不"钓"的空气，寒斋甚得快乐，心想我来写一个钓鱼的题目罢，于是就写了这一个题目，很有点像古渔翁当年写《金鱼》。我不知怎的小时有许多可记忆的事情，也记得钓鱼，最记得族里一位叔叔钓，这件事情却与我没有关系，即是说钓鱼于我没有感情，我直觉的我不能写出一篇钓鱼的文章来，他如放风筝我大约可以写得佳作，再如钓鱼用的竿子也可写得佳作。记得故乡城外河边竹林里儿时曾如何的想到那里得一竿竹子，有时望着竹林动了偷心，想偷得一竿竹子跑。看见人家在那里买竹子拿去作钓竿，家里却不给钱我也来买一竿竹子了。我只喜欢有这一竿竹子。我为什么不喜欢钓鱼，从小如此，说不出所以然来，但勉强推求起来，这里恐怕很有原故，关乎个人的性格。就到现在，孔夫子我事事佩服，惟独他老先生"钓而不网，弋不射宿"两桩行事，我读之毫无爱好，这不是从品

[①] 载上海《宇宙风》半月刊1936年11月1日第28期，署名废名。

行上立论,乃是从兴趣立论。若印度圣人"投身饲饿虎"的故事,我读之大有冯妇攘臂下车的欢喜,我觉得我能了解这个意思。孔子钓鱼的意思则不能了解。这些都不是从品行上论,乃从兴趣立论,若论品行我岂敢开口。我对于钓鱼打猎虽无兴趣,若知道孔圣人怎么钓鱼,怎么打猎,却是有趣味的事情。他如他老先生爱听音乐,"三月不知肉味",记得很幽默。我所觉得好玩的,他老先生在卫敲磬,门外挑草器的普罗同志何以爱管闲事,同他老人家挑眼儿作诛心之论?说到这些,孔子钓鱼,我又仿佛能以了解。

中国文章[①]

　　中国文章里简直没有厌世派的文章,这是很可惜的事。我这话虽然说得有点儿游戏,却也是认真的话。我说厌世,并不是叫人去学三闾大夫葬于江鱼之腹中,那倒容易有热中的危险,至少要发狂,我们岂可轻易喝采。我读了外国人的文章,好比徐志摩所佩服的英国哈代的小说,总觉得那些文章里写风景真是写得美丽,也格外的有乡土的色采,因此我尝戏言,大凡厌世诗人一定很安乐,至少他是冷静的,真的,他描写一番景物给我们看了。我从前写了一首诗,题目为"梦",诗云:

　　　　我在女子的梦里写一个善字,
　　　　我在男子的梦里写一个美字,
　　　　厌世诗人我画一幅好看的山水,
　　　　小孩子我替他画一个世界。

　　我喜读莎士比亚的戏剧,喜读哈代的小说,喜读俄国梭罗古

[①] 载北平《世界日报·明珠》1936年11月6日第37期,署名废名。又载北平《平明日报·星期艺文》1948年1月11日第38期,署名废名。

勃的小说,他们的文章里却有中国文章所没有的美丽,简单一句,中国文章里没有外国人的厌世诗。中国人生在世,确乎是重实际,少理想,更不喜欢思索那"死",因此不但生活上就是文艺里也多是凝滞的空气,好像大家缺少一个公共的花园似的。延陵季子挂剑空坟的故事,我以为不如伯牙钟子期的故事美。嵇康就命顾日影弹琴,同李斯临刑叹不得复牵黄犬出上蔡东门,未免都哀而伤。朝云暮雨尚不失为一篇故事,若后世才子动不动"楚襄王,赴高唐",毋乃太鄙乎。李商隐诗,"微生尽恋人间乐,只有襄王忆梦中",这个意思很难得。中国人的思想大约都是"此间乐,不思蜀,"或者就因为这个原故在文章里乃失却一份美丽了。我尝想,中国后来如果不是受了一点儿佛教影响,文艺里的空气恐怕更陈腐,文章里恐怕更要损失好些好看的字面。我读中国文章是读外国文章之后再回头来读的,我读庾信是因为了杜甫,那时我正是读了英国哈代的小说之后,读庾信文章,觉得中国文字真可以写好些美丽的东西,"草无忘忧之意,花无长乐之心","霜随柳白,月逐坟圆,"都令我喜悦。"月逐坟圆"这一句,我直觉的感得中国难得有第二人这么写。杜甫《咏明妃诗》对得一句"独留青冢向黄昏",大约是从庾信学来的,却没有庾信写得自然了。中国诗人善写景物,关于"坟"没有什么好的诗句,求之六朝岂易得,去矣千秋不足论也。

庾信《谢明皇帝丝布等启》,篇末云"物受其生,于天不谢",又可谓中国文章里绝无而仅有的句子。如此应酬文章写得如此美丽,于此见性情。

孔门之文[1]

> 棘子成曰,君子质而已矣,何以文为。子贡曰,惜乎夫子之说君子也。驷不及舌。文犹质也。质犹文也。虎豹之鞟,犹犬羊之鞟。

《论语》这一章书,令我很有所触发。我很爱好子贡这一番说话。孔门与以后的儒家高下之别,我们不妨说就在这一个"文"字。孟夫子的文章向来古文家是很佩服的了,我却觉得孟夫子的毛病就在乎有点"野",即是孔子说的质胜文则野。同时孟轲也就有点纵横家的习气,或者也就是孔子说的文胜质则史罢。孟轲总还不失为深造自得的大贤,到了唐朝的韩愈,他说孟轲功不在禹下,他又以唐朝的孟轲自居,是子贡所谓"犬羊之鞟"者乎。宋儒的毛病也就在乎缺乏一个"君子"的态度,即是不能文质彬彬,或者因为他们正是韩愈以后的人物罢。子贡听了棘子成的话,给他那么一个严重的修正,说着一言既出驷马难追,其言又何其文也。他大约是有得于"夫子之文章"者也。我再引子贡的说话,同孟子的说话,同是关于商纣的,读者诸君比较观

---

[1] 载北平《世界日报·明珠》1936年11月9日第40期,署名废名。

之可以分别高下。子贡曰,纣之不善,不如是之甚也。是以君子恶居下流,天下之恶皆归焉。孟子曰,尽信书则不如无书,吾于武成取二三策而已矣,仁人无敌于天下,以至仁伐至不仁而何其血之流杵也。孟轲先生的话真是有点霸道,简直可恶。朱熹对于血流漂杵又加一番解释,"武成言武王伐纣,纣之前徒倒戈,攻于后以北,血流漂杵,孟子言此则其不可信者。然书本意乃谓商人自相杀,非谓武王杀之也。"是又说得更下流,不堪卒读。

女子故事[1]

中国的事情都是该女子倒霉。一方面非女子不行,从秀才人情纸半张算起,以致于国家大事,都好像如此。到得事情弄糟了的时候,这些女子又自然无所逃于天地之间了。只有孔夫子算是懂得平等道理的,他虽然说"唯女子与小人为难养也,"话确是嫌老实了一点,然而我想也可以博得现在摩登太太们的同情,她们自己屈尊到媒人店里去找老妈子,也只好默认孔夫子的话有真理。孔夫子另外一句话则应该令古今一切男子们害羞,"吾未见好德如好色者也。"真的,你们为什么不好德呢?你们也就不当好色。我写下"女子故事"这个题目,本意是关于做诗作文的,却不料下笔乃引起了男女两造的敌忾,殊为杀风景之至,未免被他褒女笑也,真是好笑得很。前回我因为写一篇小文说中国文章,拿了庾信的文章翻阅,见其《谢赵王赍丝布启》有"妻闻裂帛(,)方当含笑"这么一句,有点自喜,心想我平日的论断恐怕很靠得住,庾信用典故应该是这么用,因为家里有许多新材料,自然要请裁缝来剪裁,于是女子自然喜欢,所以说"妻闻裂帛,方

---

[1] 载北平《世界日报·明珠》1936年11月15日第46期,署名废名。又载《武汉日报·今日谭》1936年11月19日第264号,署名废名。又载北平《平明日报·星期艺文》1948年1月25日第40期,署名废名。

当含笑"了。若屈原的《天问》，虽然是心里有许多问题解决不了，"周幽谁诛焉得夫褒姒"，总之还是把女子与亡国两件事联在一起，只好算作"未能免俗"了。李商隐的《华清宫》，"未免被他褒女笑，只教天子暂蒙尘，"大约更是平空的自己好笑，有点故意效颦，但决无挖苦的意思。"巧笑知堪敌万几，倾城最在着戎衣，晋阳已陷休回顾，更请君王猎一围，"中国是否有这个倾城的女子不得而知，未必有这么大胆，总是诗人的胆大吧〔罢〕了。外国文学里倒可以找出这样的女子来。中国女人只可以哭不可以笑，所以杞梁之妻善哭，哭得敌人的城崩，笑则倾自己的城，亡自己之国了。孙武子的兵法是有名的，却也靠杀了两个女队长立威名，真是寒伧得可以。女人偏总是以好笑该死，谁叫你们不躲在闺中不出来呢？"梁王司马非孙武，且免宫中斩美人，"这却又是晚唐诗，诗意虽然可佳，总而言之这里头都很有危险性。"景阳宫井剩堪悲，不尽龙鸾誓死期。肠断吴王宫外水，浊泥犹得葬西施。"这一首《景阳井》，我觉得很好，诗里有两条冤鬼，一位就是张贵妃，一位是很古的西施。西施的事情我们不大清楚，只假定她是"水葬"，张贵妃同了亡国之君逃入井，自然是想不死，自然又被拖出来斩了，据说斩之于青溪。李商隐乃写这个景阳井。诗写得很美，其情亦悲，这些事情总不能怪女子，于是只有空井可哀，"肠断吴王宫外水，浊泥犹得葬西施"了。说来说去都是女子不幸，男子可羞。最后我却要引一段文章，是《聊斋志异》上面的，不可谓非难得，两株牡丹花变了两个女子，又由曹州姊妹变而为洛阳妯娌，在某生者家里做人家，"由此兄弟皆得美妇，而家又日以富。一日，有大寇数十骑突入第，生知有变，举家登楼。寇入围楼。生俯问有仇否。答言无仇，但有两事相求，一则闻两夫人世间所无,请赐一见;一则五十八人,各乞金五百。聚薪楼下,伪纵火计以胁之。先允其索金之请,寇不满志,欲焚楼。家人大恐。女欲与玉版下楼,止之不听,炫妆而下,阶未尽者三级,谓寇曰,我姊妹皆仙媛,暂时一履尘世,何畏寇盗,欲赐汝万金,恐汝不敢受也。寇众一齐仰拜,喏声不敢。姊妹欲退。一寇曰,此诈也。女闻之,反身伫立,曰,意欲何作,便早图之,尚未晚也。诸寇相顾,默无一言。姊妹从容上楼而去。寇仰望无迹,哄然始散。"我们读之浮一大白。

神仙故事(一)[1]

中国诗里用神话做典故,我们可以有几种读法。屈原《离骚》曰,"朝发轫于苍梧兮,夕余至乎县圃。欲少留此灵琐兮,日忽忽其将暮。吾令羲和弭节兮,望崦嵫而勿迫。"这里羲和便等于一名马车夫,因为他是御日的,诗人生怕太阳赶快落了,就叫羲和慢一点走。不过话经我一翻译,现得淘气一点,原文只是一个高贵的身分,另外不表现着什么个性了。所以《离骚》里的神话典故,等于辞藻,这一份辞藻又等于代词,犹如后世称女子说是"月里嫦娥",说是"电影明星"罢了。有一种用典故,也可以说等于辞藻,不过这里却有着作者的幻想,如庾信《舟中望月》有云,"天汉看珠蚌,星桥视桂花,"便已开了晚唐的风气,他仿佛天河里自然也有蚌蛤,明月正好看珠蚌,月中桂花,星桥也正好看不过了。有一种借用神话,如陶渊明性嗜酒,家贫不能常得,正遇"翩翩三青鸟,毛色奇可怜",为西王母取食,于是诗人便托此鸟告诉王母,"在世无所须,惟酒与长年。"这可以说是近乎人情。又如李商隐有一首绝句,"海客乘槎上紫氛,星娥罢织一相闻,只应不惮牵牛妒,聊用支机石赠君。"因为相传有一个故事,昔有人

---

[1] 载北平《世界日报·明珠》1936年11月18日第49期,署名废名。

寻河源,经月而至一处,见一女织,一丈夫牵牛饮河,问此是何处,女与一石而归,问严君平,君平曰,此织女支机之石,所以李商隐写那么一首诗了,把织女写得同凡女一样,近乎人情。庾信有《见征客始还遇猎》一诗,先说这位征客犹乘战马未解戎衣,就遇着逐猎,自然就猎一围,然后云,"故人迎借问,念旧始依依,河边一片石,不复肯支机。"也无非是说家中织女正望牵牛,不要在这里打猎。"河边一片石"这一句在这里接得很美,非俗手可及。李商隐的"直遣麻姑与搔背,可能留命待桑田,"于人情之中又稍带理想,大约他很不高兴沧海变为桑田这一回事,想着麻姑那个鸟爪似的手,最好就打发她去替人家搔背,或者可以耽误一点时间了。有时又想着叫她栽一点别的东西,所以祷告西王母,"好为麻姑到东海,劝栽黄竹莫栽桑"了。若《听雨梦后作》又云,"瞥见冯夷殊怅望,鲛绡休卖海为出,"写得更像煞有介事似的,很令人同情。蛟人水居如鱼,不废织绩,时出人家卖绡,于是河伯在那里怅望,鲛人你不要卖了,海中行复扬尘矣。这些地方,较之屈原"使湘灵鼓瑟兮,令海若舞冯夷,"便很有差别,屈原的写法容易使人雷同。屈原确是长于辞藻,"帝子降兮北渚,目眇眇兮愁予,袅袅兮秋风,洞庭波兮木叶下。""筑室兮水中,葺之兮荷盖。""山中人兮芳杜若,饮石泉兮荫松柏,君思我兮然疑作。雷填填兮雨冥冥,猿啾啾兮又夜鸣,风飒飒兮木萧萧,思公子兮徒离忧。"是长袖起舞,非丑妇可以效颦者也。这篇神仙故事话未完,聊咏《九歌》作结。

永远是黑暗和林庚[①]

今早读了诗人林庚《"光明在前面"》一篇佳作,他大约是可恶拿着(")光明在前面(")这一面旗子在市场上招摇的人而说的,即是说他不喜欢空头文学家"光明在前面"这一个口号。我今也来喊一个口号,"永远是黑暗!"我其实是一个哲学家的说法,即所谓"逝者如斯夫,不舍昼夜"也。又像做一日和尚撞一日钟山门上贴春联,"暮鼓晨钟惊醒世间名利客"也。总而言之,合乎真理,人间若是久长时,正在朝朝暮暮也。再换一个说法,那才更是我的本意,更合乎科学的认识,即是说世界确乎永远是黑暗,因为永远是光明。地球上的光明是太阳给我们的,地球上的黑暗也是太阳给我们的,黑暗这两个字,即是光明这两个字,因为黑暗等于光明,是一个东西也。又即是虚空。不过本着这个认识,未免将陷于悲观。悲观又因为乐观,所以悲观又不能成立。那么我的态度是一个大无畏的精神了。从前写了一首新诗,抄奉新诗人郔政:

梦中我画得一个太阳

[①] 载北平《世界日报·明珠》1936年11月22日第53期,署名废名。

人间的影子我想我将不恐怖
一切在一个光明底下
人间的光明也是一个梦

神仙故事(二)①

　　十八年来堕世间,瑶池归梦碧桃闲。如何汉殿穿针夜,又向窗中觑阿环。

　　右李商隐《曼倩辞》。我以前曾讲陶渊明《读山海经》第九首,用夸父故事写诗,将整个诗人的态度都表现给我们。李商隐的《曼倩辞》亦有此特色,虽然稍简单一点,这一位诗人的风度却已大致描画出来了。这样用神仙故事,中国诗人里难有第三者。《东方朔别传》,朔谓同舍郎曰,天下人无能知朔,知朔者惟太王公耳。朔卒后,武帝召太王公问之曰,尔知东方朔乎？公曰,不知。公何所能？曰,颇善星历。帝问诸星具在否？曰,具在,独不见岁星十八年,今复见耳。帝叹曰,东方朔在朕旁十八年而不知是岁星哉！惨然不乐。于是李商隐的《曼倩辞》又更加了一番色彩,意思是说你来到世间一十八年,(金圣叹批曰,苏武争禁十九年!)天天梦想家里,大约真是"灵风正满碧桃枝"了,然而在那一夜里何以又钻他窗纸,觑我们世上的女子呢？这里有好几个典故,解诗人自己用的典故不算,作诗人用的典故大概是这样,

---

① 载北平《世界日报·明珠》1936年11月29日第60期,署名废名。

《博物志》，七月七日夜七刻，王母降于九华殿，王母索七桃，以五枚与帝，母食二枚，惟母与帝对坐，其从者皆不得进，时东方朔窃从殿南厢朱鸟牖中窥母，母顾之谓帝曰，此窥牖小儿尝三来盗我桃。又《汉武内传》，七月七日西王母降于宫中，遣侍女与上元夫人相闻，须臾上元夫人遣问云，"阿环再拜，上问起居。"随后上元夫人也到了。可见东方朔并没有向窗中觑阿环，窥老乡亲又被她看见了，然而做诗的却说"又向窗中觑阿环"。有人说，"方朔既窥王母，则亦觑阿环矣。"事实上有此可能，故纸堆中总没有。总之诗人做诗又是一回事，等于做梦，人间想到天上，天上又相思到人间，说着天上乃是人间的理想，是执着人间也。其《北青萝》诗有云，"世界微尘里，吾宁爱与憎，"话便说得直率。其咏嫦娥，"嫦娥应悔偷灵药，碧海青天夜夜心，"与《曼倩辞》是一个灵魂的光点也。大凡理想的诗人，乃因为他凡人的感觉美，说着瑶池归梦，便真个碧桃闲静矣。说着嫦娥夜夜，便真个月夜的天，月夜的海，所谓"沧海月明珠有泪"，也无非是一番描写罢了，最难。是此夜月明人尽望，他却从沧海取一蚌蛤。我从前写小说的时候，将王维的一瓣梨花夸大的说，"黄莺弄不足，含入未央宫，""一座大建筑，写这么一个花瓣。"若李商隐的沧海珠泪，非我故意夸张，本来如此也。我现在并不是写小说，乃是说诗，能得古人心者也。

赋得鸡[①]

李商隐有一首绝句,题作"东南",若用新式标点符号便该这样标点:

东南一望日中乌,欲逐羲和去得无?——且向秦楼棠树下,每朝先觅照罗敷!

我在北京大学课堂上讲新诗的时候,曾说像这样的旧诗绝句乃是新诗的题材,因为旧诗用典故结果这首诗好像文胜质,其实他的质很重,好像他应该严装而他便装了。此诗三四两句,乃好容易抓住乐府《陌上桑》而得解脱,"日出东南隅,照我秦氏楼,秦氏有好女,自名为罗敷。"诗人即景生情,望着远远的太阳想到什么人去了,大约真是天涯一望断人肠,于是就做起诗来,诗意是说,追太阳去是不行的,——这是望了今天的太阳而逗起的心事,于是又想到明天早晨"日出东南隅",在那个地方有一个人儿,太阳每天早晨都照着她罢! 所以这首诗是由一个夕阳忽而

---

① 载北平《世界日报·明珠》1936年12月5日第65期(原刊期号有误,应为第66期),署名废名。

变为一个朝阳，最为难得。李商隐写日落时的诗，都是即景生情，多有感触，如《天涯》一绝，"春日在天涯，天涯日又斜，莺啼如有泪，为湿最高花。"又如有名的《乐游原》，"向晚意不适，驱车登古原。夕阳无限好，只是近黄昏。"我抄这两首五言绝句，仿佛暗示给读者，《东南》一诗乃由今日的夕阳变而为明天早晨的太阳这一个学说，是有几分靠得住的。我又想到了一首诗，系李诗题作《代赠二首》之一，"东南日出照高楼，楼上离人唱石州，总把春山扫眉黛，不知供得几多愁。"这总一定是早晨的太阳照着楼上人儿。这人儿不知就是"秦楼棠树下"那人儿否？我这一说是说得好玩的，一点也没有意思暗示读者说是的，万一是的也无法，一言既出驷马难追了。

其实我今天写这篇小文的本意，乃是有点同屈原为难，我一向知道屈原不会活用神话典故，上回为得作文说神话典故起见，又只好再拿《楚辞》翻阅，翻来翻去又给我看出破绽来，如三闾大夫自己偏要"远游"，何以又于穆天子多有微辞，"穆王巧梅，夫何为周流？环理天下，夫何索求？"此亦我所欲问天者也。岂他乃根据别的史乘，不同我同陶渊明都只读一本书乎，即是《穆天子传》，我读了这一本书，又熟读了《唐诗三百首》，"瑶池阿母绮窗开，黄竹歌声动地哀，八骏日行三万里，穆王何事不重来？"阿母曾为天子瑶〔谣〕曰，"将子无死，尚复能来？"现在既不来，是人生无常也。李商隐还有两首诗，他对于羲和的态度，比屈原也要了解人情些，"万树鸣蝉隔岸虹，乐游原上有西风。羲和自趁虞泉宿，不放斜阳更向东。"此诗亦题作《乐游原》。又《丹丘》云，"青女丁宁结夜霜，羲和辛苦送朝阳。丹丘万里无消息，几对梧桐忆凤凰。"他仿佛羲和也应该赶到那个客店里去打一尖，明天早晨又要"不辞风雪为阳乌"也。

　　按,阳乌之句,见李诗《赋得鸡》,即是风雨如晦鸡鸣不已的意思,故我这篇文章亦题作《赋得鸡》。又阳乌义云日也,相传日中有三足乌。

偶　　感[①]

知堂先生有《希腊人的好学》一篇短文章，讲的是古希腊书呆子的故事，我们读了犹如读一篇神仙故事，虽然那两个书呆子一个就是几何学老祖宗欧几里得（Euchlid），一个是古代最大的力学者兼数学者亚奇默得（Arhimedes）。那样好学的传统于咱们中国人很陌生，故我们听了犹如神话一样的好玩了。皇帝问欧几里得，可否把他的那学问弄得更容易些，他回答道，大王，往几何学去是并没有御道的。有一弟子习过设题后问他道，我学了这些有什么利益呢？他就叫一个奴隶来说道，去拿两角钱来给这厮，因为他是一定要用他所学的东西去赚钱的。亚奇默得于基督二八七年前生于须拉库色，当他的故乡与罗马抗战的时候，亚奇默得先生造了许多力学的器具，把敌人的船弄了一些恶作剧，沉没到海里去或是碰在岩石上粉碎了，然而他老先生自己对于这些玩艺儿颇不满意，以为学问讲实用便是不纯净。须拉库色被罗马所攻取，他叫一个罗马兵站开点，不要蹯坏地上所画的图，遂被杀。这是希腊人的荣誉。知堂先生还有一篇短文章，

[①]　载北平《世界日报·明珠》1936年12月6日第66期（原刊期号有误，应为第67期），署名废名。

可以说是对于乞食的礼赞，"一切生物的求食法不外杀，抢，偷三者，到了两条腿的人才能够拿出东西来给别的吃，所以乞食在人类社会上实在是指出一种空前的荣誉。"这个荣誉又归印度人拿去了，印度人乞食与布施的意思真是人类的光荣，从我这一个中国的懒人的立场说，除了发愤忘食较为切近生活之外，最理想的办法还是乞食。我此刻所想谈的其实是恋爱问题。今天无意之间翻得以前在大学里一本英文练习簿，第一叶上铅笔写的几行英文，一看知是摘抄 Shelley 的一句半诗，现在也不必去查考原诗，将这一句半引来便行：

True Love in this differs from gold and clay,
That to divide is not to take away.
Love is like understanding, that grows bright,
Gazing on many truths'
…………

意思是说，爱情不像金子也不像土，分开了并不就把他拿走了。爱情好比是一个人的智力，注视的真理多，乃放光明。我今番看了英国浪漫派诗人这一句半诗，不觉大吃一惊，即是说我对于这一句半话很是隔膜，不知做学生的时候为什么抄下来了。我觉得中国书籍里没有"恋爱"这个字，我们也就没有恋爱的光荣了。大凡传统里所没有的东西，也就不必去捏造，没有什么东西并不就没有光荣，只须说明没有什么东西便好了。中国有"好色"二字。孔子言未见好德如好色，又言少之时血气未定戒之在色。庄子也以毛嫱丽姬人之所美，鱼见之深入，鸟见之高飞，喻天下孰知正色。宋玉有《好色赋》，也以好色与守德并称。食色二事，中国确是平等观之。这个不能不说是很合理的看法。而且人与动物平等。人与动物平等，正是人类的健康。到了《国风》好色而不淫，哀而不伤，也正是健康。《论语》有一章书，我近来始懂得，我且抄引了来：

  子夏问曰，巧笑倩兮，美目盼兮，素以为绚兮，何谓也？子曰，绘后事〔事后〕素。曰，礼后乎？子曰，起予者商也，始可与言诗已矣。

孔门这样说诗，这样说礼，说礼为后来的事，然后诗与礼是人类的文明。人类不进于文明，于是求降为野蛮乃事理之不可得者也。野蛮即健康，人类的健康则有待于文明者也。孔子说绘事后素，即是说文采后于质地，子夏乃悟到"礼后"，可见礼是有趣味的事情，是最高等的事情，难怪孔子以非礼勿视听言动的话告诉大弟子颜回也。中国圣贤不讲恋爱，却言学礼，言学诗，我以为是很美满的人生观，亦即中庸之道。后代的文人学者，不是登徒子便是道学家，摩登男女乃讲恋爱。我今觉得不讲恋爱或者还是一件文明，与希腊人的好学印度人的乞食同日而语之，无非是表示我提倡本位文化之至意，即是说我也很摩登。

金圣叹的恋爱观[1]

我写下这么个题目,与写陶渊明与托尔斯泰的比较是一样的八股。然而我相信金圣叹先生如果生在我们今日做一个批评家,一定替我们归纳一部恋爱哲学出来。而他当日批《西厢》却用的是演绎法,即是说他把别人的《西厢记》都改窜了,如"王西厢"开始明明是"遇艳",金圣叹却改作"惊艳",明明是且上佛殿来,"生做撞见科",金圣叹却证明没有这一回事,"近世忤奴乃云双文直至佛殿,我睹之而恨恨焉。"张生唱曰,"尽人调戏,觯着香肩,只将花笑撚。"金圣叹批曰,"尽人调戏者,天仙化人,目无下土,人自调戏,曾不知也。彼小家十五六女儿,初至门前,便解不可尽人调戏,于是如藏似闪,作尽丑态。又岂知郭汾阳王爱女晨兴梳头,其执栉进巾,捧盘沏水,悉用偏裨牙将哉。《西厢记》只此四字便是吃烟火人道杀不到。千载徒传临去秋波,不知已是第二句。"这第二句又怎么讲? 这第二句"王西厢"是"怎当他临去秋波那一转",金圣叹改作"我当他临去秋波那一转",文章改得死板,有丑妇效颦之嫌,却批得好玩,"妙眼如转,实未转也。

---

[1] 载北平《世界日报·明珠》1936 年 12 月 11 日第 71 期(原刊期号有误,应为第 72 期),署名废名。又载新乡《豫北日报·苦茶》1936 年 12 月 23 日第 60 期,署名废名。

在张生必争云转,在我必为双文争曰,不曾转也。忤奴乃欲效双文转。"金圣叹先生却真令我们佩服。我起初读《西厢》只读他的第六才子书,读到"琴心"前面的批点,见其喟然叹曰,"夫张生绝代之才子也,双文绝代之佳人也。以绝代之才子惊见有绝代之佳人,其不辞千死万死而必求一当,此必至之情也。即以绝代之佳人惊闻有绝代之才子,其不辞千死万死而必求一当,此亦必至之情也。"这已经有语不惊人死不休,其实他是一番至诚话。他处处喟然而叹,处处也就是莞尔而笑,所以我们也就觉得割鸡焉用牛刀,关于中国才子佳人的勾当,他何以这么认真说话。接着他又有更严重的话,"然而吾每念焉,彼才子有必至之情,佳人有必至之情,然而才子必至之情,则但可藏之才子心中。佳人必至之情,则但可藏之佳人心中。即不得已久之久之至于万万无幸而才子为此必至之情而才子且死,则才子其亦竟死。佳人且死,则佳人其亦竟死。而才子终无由能以其情通之于佳人,而佳人终无由能以其情通之于才子。何则? 先生制礼,万万世不可毁也。"除了这一番恋爱哲学之外,还有金圣叹先生的心理学,总之他觉得"此琴心一篇文字"的重要,并不是一个丫鬟教一个才子以琴"挑"她家小姐,乃是"托之于琴"。否则厘毫夹带狂且身分,唐突佳人乃极不小,读者于此胡可以不加意哉。我为金圣叹的诚意所感,又为好奇心所驱使,从第六才子开卷读到"琴心"一批,赶忙去找了王实甫《西厢记》来对照,果然金圣叹先生是宣传他自己的恋爱哲学,即是先王之礼,因此之故他所佩服的姓王字实父其人反而挨骂作忤奴了。总之错在当初,他应该先看见她,而她——金圣叹说,"岂惟心中无张生,乃至眼中未曾有张生也。不惟事实如此,夫男先乎女,固亦世之恒礼也"。

贬金圣叹[①]

第六才子书《酬简》一篇里，金圣叹在一句正文下有小字批曰，"斫山云，天下事之最易最易者，莫如偷期。圣叹问何故？斫山云，一事只用二人做，而一人却是我，我之肯已是千肯万肯，则是先抵过一半功程也。"我觉得古今戏曲小说诗之最难最难写者，莫如偷期。偷期还较为容易写，因为还可以轻描淡写，如月上柳梢头人约黄昏后，尚可以成为好诗。若到了男女两造已当面的事情，即是金圣叹先生所谓妙事，乃是真难写。若是诗人自己自由做诗，读者又有自由批评其诗的美丑，那是另外一回事，对于金圣叹先生我则不能不贬他一下。他的兴会太好，这是我们最佩服他的一点，他的态度也很诚实，然而以他的兴会去畅谈其先王之礼说着"两人虽死焉可也"则可，若谈偷期之事，尽管兴会好是不成的，我们要看《西厢记》的文章到底是不是妙文，否则就同三家村中冬烘先生有差不多的考语，"此岂非先生不惟不解其文，又独正解其事故耶？"男女之事是不是妙事且不说，但中国关于男女之事没有一篇好文章，则真是一件妙事。"甚矣人之相

[①] 载北平《世界日报·明珠》1936年12月17日第77期（原刊期号有误，应为第78期），署名废名。

去不可常理计也。同此一手,手中同此一笔,而或能为妙文焉,或不能为妙文焉。今而又知岂独是哉,乃至同此一男一女,而或能为妙事焉,或不能为妙事焉。"圣叹这句话我断章取义引了来,觉得非同小可,很想自己来写一些妙文,即是写小说,给少年男女们去读,大有"言行君子之所以动天地也"的趣味。最要紧的是文章要写得好,故事也要好玩,没有教训的意味。我这意思还是由金批《西厢》引起来的。在《酬简》一篇,元和令第一句,"绣鞋儿刚半折",金圣叹断此句为一节,而且批曰,"右第二十五节。此时双文安可不看哉。然必从下渐看而后至上者,不惟双文羞颜不许便看,虽张生亦羞颜不敢便看也。此是小儿女新房中真正神理也。"双文张生的事情我们不管,但如小儿女新房中是这么的情形,吾辈老牛舐犊之情真有点不容坐视。他们岂可以这样的没有趣味,新房中应该留好些记忆,做异日情话的资料,岂可以从今天起便正墙面而立也哉。我真想写一部小说,做他们的洞房花烛夜的礼物,这部小说如果写成了,比老子著一部《道德经》还要心安而理得。说到这里,我对于《聊斋》又要表一番敬意,《聊斋志异》里有一篇题作"青娥",我觉得写的很不坏,只可惜这样的佳作偶尔得之罢了。

诗与词[①]

上回我打算写一篇神仙故事的时候,遇着一件有趣的事情。我诵着"瑶池阿母绮窗开,黄竹歌声动地哀,八骏日行三万里,穆王何事不重来,"觉得这个诗的音乐很好,仿佛我不会吟诗的人也会吟一首似的。于是我真个吟起来了,出口如有神助,这么吟着,"奉帚平明金殿开,且将团扇共徘徊,玉颜不及寒鸦色,犹带昭阳日影来。"那时我是在街上走路,确乎是口号。再一想这岂是我能作的诗,原来这还是一首唐诗了,是盛唐诗人王昌龄一首有名的绝句。我觉得很好玩,古人的诗乃成为我的天籁了。我再一想,难怪我出口成章,王昌龄这一首《长信秋词》,同李商隐的那一首《瑶池》,原来是一个音乐,或者李诗是熟读了王的诗然后出口成章也未可知,所以今日无意中由我吐露消息了。因此我又想起一件事,即诗的内容的问题。王昌龄的诗就是王昌龄的诗,是他那个时候的诗,即世所谓盛唐,写的便是奉帚平明。李商隐的诗就是李商隐的诗,是他那个时候的诗,即世所谓晚唐,写的便是瑶池阿母。两首诗,不但同样是绝句,而且同是一个韵,我们读之感着不同,乃因为题材的不同,即人情之变化,非

[①] 载北平《世界日报·明珠》1936年12月27日第88期,署名废名。

诗的本身有什么"气体"之可言也。

　　李商隐有一首律诗,五六两句云,"日向花间留返照,云从城上结层阴。"我们读之觉得凝滞,大约因为是对句子的原故,作者对于花间晚照并没有一个生动的情绪,这个情绪也不适宜于诗体。若宋祁的词,"为君持酒劝斜阳,且向花间留晚照",便很见情致了。李商隐《赠荷花》诗云,"世间花叶不相伦,花入金盆叶作尘。惟有绿荷红菡萏,卷舒开合任天真。此荷此叶常相映,翠灭红衰愁杀人。"同一个题材,在《珠玉词》里更十分美好,"荷花初开犹半卷,荷花欲折须微绽。此叶此花真可羡,秋水畔,清凉绿映红妆面。　　美酒一杯留客宴,拈花摘叶情无限,争奈世人多聚散,频祝愿,如花似叶长相见。"此如花似叶长相见在诗里便见不着者也,乃是体裁的关系。

冬眠曲及其他[①]

　　静希将刻其第四本诗集,命我写一篇序。我实不敢序静希的诗,亦实不敢辞,于是又实是勉为之序。这些都不是我故意说瞎话,是我的实话。首先静希知道我的真心实话也,话要这么扭扭捏捏的说,礼也,亦情也。金圣叹作序,第一篇是恸哭古人,第二篇是留赠后人。恸哭古人的意思我觉得可以不有,因此也就没有。若夫留赠后人的意思我觉得大可以有,我近来乃凡事都感觉留赠后人的兴趣者也。诗人辛稼轩曰,不恨古人吾不见,恨古人不见吾狂耳。这便因为古人有东西留赠给我们,我们读之如见其人,独有他们少此一见耳。不过孔夫子有一句话说得更浪漫更切实,他说德不孤必有邻。这个我们有什么把握真是惶恐之至,然而这句话的真实性又与天地同其不朽,斯则奇也。当今之新诗人,有好几位都是不佞之友人,大半是友谊居第一位,诗人是附加上去的,即是说我的朋友是诗人。独静希乃因其诗人的资格,然后我叨光来做他的朋友,即是说以诗而增进友谊者也,这可以说是德不孤必有邻。我不能写诗(附注,某是学道

[①] 载北平风雨诗社 1937 年初藏版《冬眠曲及其他》(林庚),署名废名。标点符号系本书编者所加。

的),这句话其实是首先应该声明的。那么这里所谓邻的意思大约只是说我对于诗有一点了解,而中国闹新诗的人则不大了解诗,不了解诗而闹新诗,无异作了新诗的障碍。私心尝觉得这件事可恨,故常想一脚踢翻那个诗坛。踢翻那个无非是要建设这个,即是说要把新诗的真面目揭发出来。不见有新诗,又何能向壁虚造?所以在静希的《春野与窗》无声无臭的出世的时候,我首先举手佩服之,心想此是新诗也,心想此新诗可以与古人之诗相比较也,新诗可以不同外国文学发生关系而成为中国今日之诗也。以后常与静希见面谈话,静希又不断的写其新诗,从此不但知道我们的新诗可以如此,又知道古人的诗可以如彼,然则一个人才的关系固不大哉。所以我说无须恸哭古人,只须留点东西赠给后人,后人自然要循着古人根据也,然则一个人才的关系固不大哉。余为静希的诗集作序,然甚惭也。民国二十五年十一月十三日,废名于北平之北河沿。

二十五年我的爱读书[1]

(一)三百篇

(二)左传

(三)周易

民国二十五年我的爱读书可以提出三种,一是《三百篇》,一是《左传》,一是《周易》。不凑巧这三部书都是经,与北平尊经社的人冲突,——因为他们同我雷同,故我说与他们冲突。《三百篇》与《左传》最表现着一种风趣,这风趣是中国的,中国后来所没有的也正是没有这个风趣了。可惜这两部书我还没有工夫仔细读。《周易》我也只是稍为翻了一翻,还没有仔细读,我读《易》的宗旨同江绍原先生处于反对的方向,即是说我是注重"微言大义"的,不过此事亦甚难,是孔夫子的话"人能弘道非道弘人"也。

---

[1] 载上海《宇宙风》半月刊1937年1月1日第32期,署名废名。

小园集序[①]

　　此时已是今夜更深十二时了罢,我不如赶快来还了这一笔文债,省得明天早晨兴致失掉了,那是很可惜的事,又多余要向朱君说一句话对不起序还没有写也。今夜已是更深十二时也,我一口气一叶叶的草草将朱君英诞送来的二册诗稿看完了,忍不住笑,忍不住笑也。天下有极平常而极奇的事,所谓乐莫乐兮新相知也。其实换句话说也就是,是个垃圾成个堆也。今日下午朱君持了诗稿来命我在前面写一点文章,这篇文章我是极想写的,我又晓得这篇文章我是极不能写也,这位少年诗人之诗才,不佞之文绝不能与其相称也,不写朱君又将以为我藏了什么宝贝不伸手出来给人也,我又岂肯自己藏拙不出头赞美赞美朱君自家之宝藏乎,决非本怀也。去年这个时候,诗人林庚介绍一个学生到我这里来,虽然介绍人价值甚大,然而来者总是一学生耳,其第一次来我适在病榻上,没有见,第二次来是我约朱君来,来则请坐,也还是区区一学生的看待,朱君当头一句却是问我的新诗意见,我问他写过新诗没有,他说写过,我给一个纸条给他,请他写一首诗我看,然后再谈话,他却有点踌躇,写什么,我看他

[①] 载上海《新诗》月刊1937年1月10日第1卷第4期,署名废名。

的神气是他的新诗写得很多，这时主人之情对于这位来客已经优待，请他写他自己所最喜欢的一首，他又有点不以为然的神气，很难说那一首是自己所最喜欢的，于是来客就拿了主人给他的纸条动手写，说他刚才在我的门口想着做了一首诗，就写给你看看，这一来我乃有点惶恐，就将朱君所写的接过手来看，并且请他讲给我听，我听了他的讲，觉得他的诗意甚佳，知道这进门的不是凡鸟之客，我乃稍为同他谈谈新诗，所谈乃是我自己一首《摇〔掐〕花》，因为朱君说他在杂志上读过这一首诗，喜欢这一首诗，我就将这一首诗讲给他听，我说我的意思还不在爱这一首诗，我想郑重的说明我这首诗的写法，这一首诗是新诗容纳得下几样文化的例证。不久朱君的诗集《无题之秋》自己出版了，送一册给我，我读了甚是佩服，乃知道这位少年诗人的诗才也。不但此也，我的明窗净几一管枯笔，在真的新诗出世的时候，可以秋收冬藏也。所以我在前说一句是个垃圾成个堆，其实说话时忍不住笑也，这一大块锦绣没有我的份儿，我乃爱惜"獭祭鱼"而已。说到这里，这篇序已经度过难关，朱君这两册诗稿，还是从《无题之秋》发展下来的，不过大势之所趋已经是无可奈何了，六朝晚唐诗在新诗里复活也。不过我奉劝新诗人一句，原稿有些地方还得拿去修改，你们自己请郑重一点，即是洞庭湖还应该吝惜一点，这件事是一件大事，是为新诗要成功为古典起见，是千秋事业，不要太是"一身以外，一心以为有鸿鹄之将至"也。若为增进私人的友爱计，这个却于我无多余，是獭祭鱼的话，秋应为黄叶，雨不厌青苔也。是为序。二十五年十一月三日，废名于北平之北河沿。

琴　　序[①]

　　鹤西在柳州住了三年,这回回到北平来,下车他便来看一颗落叶的树,因为他三年不见落叶树。我们平常总以为柳柳州的柳州比五柳先生庭前的树叶子总还要多,谁知多是多的,天下之秋乃不能有一叶之大块,则寒林之为游子相思树也宜矣。说起叶子来,鹤西应记得荷叶的话,就在他去柳州那年,我同他在北平北海过桥,那时正是初夏,北海里荷叶疏若晨星,渐渐露面,我想起一句诗,并觉得这句诗仿佛说得我所想像的鹤西的新散文的形态,即是"池荷初贴水"的简单完全,新鲜别致,我曾将我的意思吹着鹤西耳边风了,却不料他到柳州去后寄来了文章,简单完全是简单完全,如何却是落英缤纷一幅彩画乎,这幅彩画又即是一盏灯乎,然则是仍为初贴荷叶也。甚善甚善。不过我还得补足我的叶的话,大凡荷叶并不就是莲花,这一点是我所想声明的,只看中国诗人说鱼戏莲叶东鱼戏莲叶西,说叶上初阳干宿雨,水面清圆——风荷举,而花不与焉,便是铁证。这一点也便是鹤西的文章最可珍贵,因为叶是长在土里,犹之乎草,鹤西的文章乃地之子也。说到这里,柳柳州的官衔要取消,他并没有给柳州什么光荣,鹤西这回北归,是可谓荣归也,乡人欲舐其眼矣。

[①] 载上海《宇宙风》半月刊1937年3月16日第37期,署名废名。存手稿。

而他回到北平来,首先又看看我们树上的落叶。然则落叶又到处是游子也。王摩诘有《辋川集》,鹤西同我都爱其春草明年绿者也,鹤西的琴足以弹此一曲。庾信诗赋动江关,我们今日的崭新人物,犹是故时将军也。但我还爱好一份诗,此作者为姜白石,我且抄几章,并不是一个题目的诗:

> 细雨穿沙雪半销,吴宫烟冷水迢迢。
> 梅花竹里无人见,一夜吹香过石桥。
> 湖上风恬月澹时,卧看云影入玻璃。
> 轻舟忽向窗边过,摇动青芦一两枝。
> 苑墙曲曲柳冥冥,人静山空见一灯。
> 荷叶似云香不断,小船摇曳入西陵。
> 木末谁家缥渺亭,画堂临水更虚明。
> 经过此处不相识,塔下秋云为我生。

我还记一件事。鹤西在柳州时刻了一块印,文为"门外行者"四个字,他寄文章给我,打了这方印,我当时觉得这四个字很好玩,但不知道他的意思,又恐怕这是一块爱情的石头,如说在门前经过,所以我也不敢写信问他个水落石出,后来乃他告诉给我,他住的地方窗外即平芜,窗外又是路,时有行人,所以他的一位朋友摘得他的一篇文中的四字作印相赠,曰"门外行者"。

二十五年十一月二十四日,
废名序于北平东城之常出屋斋

罗袜生尘[①]

自来写美人诗句,无论写神女写凡女,恐无过"凌波微步,罗袜生尘"两句之佳,这两句大约亦最晦涩,古今懂得这两句话的人据我所知大约有两个人。我的话很有点近乎咄咄逼人,想一句话压倒主张诗要明白的批评家似的,其实不然,我是衷心的喜爱这两句文章,而文章又实在是写得晦涩罢了。多年以前,我因为不解《洛神赋》里头这凌波微步罗袜生尘两句怎么讲,两句其实又只是一个尘字难解,明明是说神女在水上走路,水上走路何以"生尘"呢?可见我是很讲逻辑的,平日自己做诗写小说也总是求与事理相通,要把意思写得明明白白,现在既然遇着这一个不合事理的尘字,未免纳闷,乃问之于友人福庆居士,问他凌波微步罗袜生尘的尘字怎么解。他真是神解,开我茅塞。原来凌波微步罗袜生尘就在一个尘字表现出诗来,见诗人的想像,诗的真实性就在这一个字。福庆居士若曰,正惟凌波生尘,乃是罗袜微步,她在水上走路正同我们在尘上走路,否则我们自己走路的情形,尘土何足多。不知诸位如何,我自从听了福庆居士的讲,乃甚喜爱曹植这两句诗,叹为得未曾有。后来又恍然大悟,李商

[①] 载上海《新诗》月刊1937年4月10日第2卷第1期,署名废名。

隐有一首《袜》,诗云,"尝闻宓妃袜,渡水欲生尘,好借常娥著,清秋踏月轮。"因为"渡水欲生尘"是一个真实的意像,故宓妃袜常娥素足著之乃很有趣味,犹之乎摩登女子骑脚踏车驰过,弄得人家满眼路尘,何况天上的路清秋月轮乎?故我说懂得凌波微步罗袜生尘这两句话至少有两个人,福庆居士我当面听了他的讲,李商隐我们看见他这个袜也。

随　　笔[①]

中国诗词,我喜爱甚多,不可遍举。但也可以举出一句两句诗来,算是我最喜欢的。我的意思同一般人说的名句不一样,名句不一定表现着作者,只是这个句子写得太好罢了,如韦应物之"流萤度高阁",孟浩然之"疏雨滴梧桐",都是古今所称赏的,实在这两句诗别人也可以写,这两句诗非一定要写在韦孟二人的名字下不可。我所最喜爱的一句两句诗,诗是真写得好,诗又表现着作诗之人,作者自己大约又并不怎么有意的写得的。我最爱王维的"春草明年绿,王孙归不归。"因为这两句诗,我常爱故乡,或者因为爱故乡乃爱好这春草诗句亦未可知,却是没有第二个人能写得者也,未免惆怅而可喜。李商隐诗"一春梦雨常飘瓦,尽日灵风不满旗,"可以说是前不见古人,后不见来者,中国绝无而仅有的一个诗品。此诗题为"重过圣女祠",诗系律诗,句系写景,虽然不是当时眼前的描写,稍涉幻想,而律诗能写如此朦胧生动的景物,是整个作者的表现,可谓修辞立其诚。因为"一春梦雨常飘瓦",我常憧憬南边细雨天的孤庙,难得作者写着"梦雨",更难得从瓦上写着梦雨,把一个圣女祠写得同《水浒》上

[①] 载上海《文学杂志》月刊1937年5月1日第1卷第1期,署名废名。

的风雪山神庙似的令人起神秘之感。"尽日灵风不满旗",大约是描写和风天气树在庙上的旗,风挂也挂不满,这所写的正是一个平凡的景致,因此乃很是超脱。最后我想说我喜欢"细雨梦回鸡塞远"这一句词。这一句词,我想同诗里"姑苏城外寒山寺,夜半钟声到客船"是相似的妙趣,就时间与空间说,夜半钟声与客船到岸一定有什么关系呢?客曰没有什么因果关系。然而夜半钟声到客船诗句则美。同样,梦到鸡塞去了一趟,醒来乃听见淅沥淅沥的下着细雨,于是就写着细雨梦回鸡塞远,就时间与空间说,细雨与梦回鸡塞也没有因果关系,大约因为窗外细雨,梦回乃有点不相信的神情罢了。实在细雨梦回乃是兴之一体,比风雨如晦鸡鸣不已更为诗中有画,余甚爱此句,亦甚爱南唐中主之词。

为赵巨渊题笺①

孔子言志曰："朋友信之。"言政亦曰："民无信不立。"《大学》亦言："与国人交，止于信。"余读书久矣，今日乃知此言之切实。何以知之？从反面知之。中国今日乃一举国无信之国家也，圣人之言不可畏哉。

巨渊先生　正之　　　废名　二十六年五月二十六日

---

① 手稿。题目和标点符号系本书编者所加。

天马诗集[①]

  我于今年三月成诗集曰《天马》,计诗八十余首,姑分三辑,内除第一辑末二首与第二辑第一首系去年旧作,其余俱是一时之所成;今年五月成《镜》,计诗四十首。现在因方便之故,将此两集合而刊之,唯《天马》较原来删去了几首,所删的有几首是第三辑里的散文诗,以不并在这里为好。方其成功《天马》时,曾作一序略略述及我对于新诗的意见,余之友人多见及之,兹则弃之,我想那意见或者是对的,然而我偶而而作诗,何曾立意到什么诗坛上去,那实在是一时的高兴而写了几句枝叶话罢了。及其写完《镜》,我更觉得我尚有"志"可言似的,那个志其实就庶几乎无言之志。今日别无话要说,只是勉强这样的想,惟人类有纪念之事,所以茫茫大块,生者不忘死,尚凭一抔之土去想像,其平生无一面缘者直为过路之人而已,是曰坟;艺术则又给不相识者以一点认识,所谓旦暮遇之,斯道不废,下余不可以已者殆没有。中华民国二十年十月十七日,废名记。

  [①] 载上海《风雨谈》月刊1943年7月25日第4期,署名废名。文末有沈启无1942年元旦(2月15日)所作附记。

予病中无事,检理故纸,忽得废兄此稿,不胜欣慨,抄诵一过,恍惚如见吾友声音颜色。予昔日亦尝偶尔写诗,乃多得之吾友鼓励,静寂中时有共赏之趣。今别后又已五易寒暑,想吾友好修精勤,当由艺术的而更进于道,予唯凭此忧患之身,多所想像,将于何处为世人唱哀歌耶。

　　一九四二年元日沈启无记于北京西城半壁书屋

父亲做小孩子的时候[1]

民国二十八年秋季我在黄梅县小学教国语,那时交通隔绝,没有教科书,深感教材困难,同时社会上还是《古文观止》有势力,我个人简直奈他不何。于是我想自己写些文章给小孩们看,总题目为"父亲做小孩子的时候"(。)这是我的诚意,也是我的战略,因为这些文章我是叫我自己的小孩子看的,你能禁止我不写白话文给我自己的小孩子看吗?孰知小学国语教师只做了一个学期功课,又太忙写了一篇文章就没写了,而且我知道这篇文章是失败的,因为小学生看不懂。后来我在县初中教英语,有许多学生又另外从我学国文,这时旧的初中教科书渐渐发现了,我乃注意到中学教科书里头有好些文章可以给学生读,比我自己来写要事半功倍得多,于是我这里借一种,那里借一种,差不多终日为他们找教科书选文章。我选文章时的心情,当得起大公无私,觉得自己的文章当初不该那样写,除了《桥》里头有数篇可取外,没有一篇敢保荐给自己的小

---

[1] 载天津《益世报·文学周刊》1946年11月16日第15期,署名废名。

孩子看,这不是自己的一个大失吗?做了这么的一个文学家能不惶恐吗?而别人的文章确是有好的,我只可惜他们都太写少了,如今这些少数的文章应该是怎样的可贵呵,从我一个做教师与做父亲的眼光看来。现在我还想将"父亲做小孩子的时候"继续写下去,文章未必能如自己所理想的,我理想的是要小孩子喜欢读,容易读,内容则一定不差,有当作家训的意思。《五祖寺》这一篇是二十八年写的,希望以后写得好些,不要显得"庄严"相。

三十五年十一月八日废名记于北平

五祖寺

现在我住的地方离五祖寺不过五里路,在我来到这里的第二天我已经约了两位朋友到五祖寺游玩过了。大人们做事真容易,高兴到那里去就到那里去!我说这话是同情于一个小孩子,便是我自己做小孩子的时候。真的,我以一个大人来游五祖寺,大约有三次,每回在我一步登高之际,不觉而回首望远,总很有一个骄傲,仿佛是自主做事的快乐,小孩子所欣羡不来的了。这个快乐的情形,在我做教师的时候也相似感到,比如有时告假便告假,只要自己开口说一句话,记得做小学生的时候总觉得告假是一件很不容易的事了。总之我以一个大人总常常同情于小孩子,尤其是我自己做小孩子的时候,——因之也常常觉得成人的不幸,凡事应该知道临深履薄的戒惧了,自己作主是很不容易的。因之我又常常羡慕我自己做小孩时的心境,那真是可以赞美的,在一般的世界里,自己那么的繁荣自己那么的廉贞了。五祖寺是我小时所想去的地方,在大人从四祖,五祖回来带了喇叭,木鱼给我们的时候,幼稚的心灵,四祖寺,五祖寺真是心向往之,五祖寺又更是那么的有名,天气晴朗站在城上可以望得见那个庙那个山了。从县城到五祖山脚下有二十五里,从山脚下到庙里有五里。这么远的距离,那时我,一个小孩子,自己知道到五祖寺去玩是不可能的了。然而有一回做梦一般的真个走到五祖寺的山脚下来了,大人们带我到五祖寺来进香,而五祖寺在我竟是过门不入。这个,也不使我觉得奇怪,为什么不带我到山上去呢?也不觉得怅惘。只是我一个小孩子在一天门的茶铺里等候着,尚被系坐在车子上未解放下来,心里确是有点孤寂了。最后望见外祖母,母亲姊姊从那个山路上下来了,又回到我们这个茶铺所在的人间街上来了,(我真仿佛他们好容易是从天上下来)甚是喜悦。我,一个小孩子,似乎记得始终没有说一句话。到现在那件过门不入的事情,似乎还是没有话可说,即是说没有质问大人们为什么不带我上山去的意思,过门不入也是一个圆满,其圆满真仿佛是一个人间的圆满,就在这里为止也一点没有缺欠。所以我先前说我在茶铺里坐在车上望着大人们从山上下来好像从天上下来,是一个实在的感觉。那时我满了六岁,已经上学了,所以寄放在一天门的原故,大约是到五祖寺来进香小孩子们普遍的情形,因为山上的路车子不能上去!只好在山脚下茶铺里等着。或者是我个人特别的情形亦未可知,因为我记得那时我是大病初愈,还不能好好的走路,外祖母之来五祖寺进香乃是为我求福了,不能好好走路的小孩子便不能跟大人一路到山上,故寄放在一天门。不论为什么原故,其实没有关系,因为我已经说明了,那时我一个小孩子便没有质问的意思,叫我在这里等着就在这里等着了。这个忍耐之德,是我的好处。最可赞美的,他忍耐着他不觉苦恼,忍耐又给了他许多涵养,因为我,一个小孩子,每每在这里自己游戏了,到长大之后也就在这里生了许多记忆。现在我总觉得到五祖寺进香是一个奇迹,仿佛昼与夜似的完全,一天门以上乃是我的夜之神秘了。这个夜真是给了我一个很好的记忆。后来我在济南千佛山游玩,走到一个小庙之前白墙上横写着一天门三个字,我很觉得新鲜,"一天门?"真的我这时乃看见一天门三个字这么个写法,儿时听惯了这个名字,没想到这个名字应该怎么写了。原来这里也有一天门,我以为一天门只在我们家乡五祖寺了。然而一天门总还在五祖寺,以后我总仿佛"一天门"三个字写在一个悬空的地方,这个地方便是我记忆里的一天门了。我记忆里的一天门其实什么也不记得,真仿佛是一个夜了。今年我自从来到停前之后,打一天门经过了好几回,一天门的街道是个什么样子我曾留心看过,但这个一天门也还是与我那个一天门全不相干,我自己好笑了。写到这里,我想起了二天门。今年四月里,我在多云山一个亲戚家里住,一天约了几个人到五祖寺游玩,走进一天门,觉得不像,也就算了,但由一天门上山的那个路我仿佛记得是如此,因此我很喜欢的上着这个路,一直走到二天门,石径之间一个小白屋,上面写"二天门",大约因为一天门没有写着一天门的原故,故我,一个大人,对于这个二天门很表示着友爱了,见了这个数目字很感着有趣,仿佛是第一回明白一个"一"字又一个"二"字那么好玩。我记得小时读"一去二三里,烟村四五家,楼台六七座,八九十枝花",起初只是唱着和着罢了,有一天忽然觉着这里头有一二三四五六七八九十，十个字，乃拾得一个很大的喜悦，不过那个喜悦甚是繁华，虽然只是喜欢那几个数目字，实在是仿佛喜欢一天的星，一春的花；这回喜欢"二天门"，乃是喜欢数目字而已，至多不过旧雨重逢的样子，没有另外的儿童世界了。后来我在二天门休息了不小的工夫，那里等于一个凉亭，半山之上，对于上山的人好像简单一把扇子那么可爱。

那么儿时的五祖寺其实乃与五祖寺毫不相干，然而我喜欢写五祖寺这个题目。我喜欢这个题目的原故，恐怕还因为五祖寺的归途。到现在我也总是记得五祖寺的归途，其实并没有记住什么，仿佛记得天气，记得路上有许多桥，记得沙子的路。一个小孩子，坐在车上，我记得他同大人们没有说话，他那么沉默着，喜欢过着木桥，这个木桥后来乃像一个影子的桥，它那么的没有缺点，永远在一个路上。稍大读《西厢记》，喜欢"四围山色中，一鞭残照里"两句，也便是唤起了五祖寺归途的记忆，不过小孩子的"残照"乃是朝阳的憧憬罢了。因此那时也懂得读书的快乐。我真要写当时的情景其实写不出，我的这个好题目乃等于交一份白卷了。

黄梅初级中学同学录序三篇[①]

民国二十八年秋,黄梅县小学在山里头恢复开学,我在停古乡金家寨第二小学做教师。二十九年春二小迁移,金家寨改为县初级中学校址,县初中又恢复开学,我乃为县中学英语教师。后来中学校址屡迁,我继续任教,直到三十四年春因校舍不能集中,管教困难,学生赌博,我觉得事无可为而辞职。我在中学里经过了三班学生毕业,在毕业的时候学生自办同学录,要我写序,最初两班我毫不推辞写了,到了三十三年冬季毕业的那一班我则不肯写,我说,"你们在校赌博,不听师长教训,我且要离职,决不写什么同学录序。"我拒绝再三,后来他们当中有一位同学说,"我们以前错了,现在我们确是知道错,请先生还认我们是学生。"我为此言所感动,连忙也就替他们写了。我于次年春离去县中学,得以有工夫写成拙著《阿赖耶识论》。现在我将这

[①] 载上海《大公报·星期文艺》1946 年 11 月 17 日第 6 期,署名废名。又载天津《大公报·星期文艺》1946 年 11 月 17 日第 6 期,署名废名。黄梅县档案馆藏"湖北黄梅县立初级中学第八班毕业同班录民国三十二年七月"和"湖北黄梅县立初级中学第九班毕业同班录",有废名《序》,即本篇之"二"和"三"。

三篇同学录序放在这里发表,或者亦不无意义。三十五年十一月八日废名记于北平。

一

古今做先生的莫如孔子,做学生的莫如孔子的学生。我这话仿佛说得很可笑,孔夫子还要你鼓吹么?其实不然,我们不要把"孔门"看得高了,看得高便等于空中楼阁,不是真面目。这是世人不懂得孔子的原故。我把孔子就当作我们学校里的先生一般,孔门弟子便是我们学校里的学生,一般的是师生生活,然后再来看这个先生怎么样,这个先生的学生怎么样,于是这里看见的是先生与学生的好模范,令人叹息不止。

在上课的时候,学生有时栽瞌睡,有时又躲在寝室里睡午觉,孔夫子的学生亦如此,于是先生大责骂一顿,《论语》所载宰予昼寝,正是这件事情的记录,我以为很有意思,令我们想像那个寝室里是什么情形,那个学生午睡怎么被孔夫子查出了,结果记一次大过。子路不耻恶衣,自己穿一件旧袍子同穿皮袍的阔人站在一起,我自有我的价值,而彼于我何加焉,我有什么可羞耻的地方呢?先生见着这个好学生,引一句诗赞美一番:"不忮不求,何用不臧。"子路高兴极了,从此天天起来诵这一句诗,"不忮不求,何用不臧!不忮不求,何用不臧!"同我们乡里私塾学生背《诗经》一般,未免可笑,所以孔子叫他不要读,"你天天这么的读什么呢?百尺竿头你应该再进一步!"这些不正是我们师生之间普通的情形么?先生对于学生该是怎样的留心。孔子的学生也真是好学。有一回一个瞎子走进学校来了,先生搀着他,怕他摔交,及阶说这是阶,及席说这是席,学生也都站起来了,又坐下去,这是谁,这是谁,一一介绍给他听。孔子对于瞎子向来是讲礼的,他在路上走路遇见无目之人总要恭恭敬敬的尽个礼,只可惜瞎子不认得而且不晓得(因为他是瞎子!)这路上有一个人——我们现在称为圣人而在当时只是一个过路人,对他尽礼罢了。现在有瞎子来校参观,等到他出门之后,学生见老师那么殷勤招待他,问老师是不是道理应该如此。老师告诉他们道理应该如此。这是孔门好学。我喜欢读《论语》,觉得它是世界上一部最好的学校日记。我回故乡,在中学教书三年,光阴过得很快了,第七班同学将毕业,办同学录,要我写点文章作纪念。此事不提起则可,一提起在我却未免感慨系之。因为我平常总是觉得我们师生之间感情不够,切磋不够,这或者不是一个学校的情形如此,是今日一般学校的通病,我们何足以言分别呢?我常常想起《论语》一书,我爱孔夫子,爱孔夫子的学生,因为我是爱诸位同学的。我觉得对不起诸位同学,与诸位同学相处三年,无一事足以当得起教育二字,而我本有心教诲子弟的。姑以此文作别后相思之资。中华民国三十一年十二月二十一日于黄梅五祖寺之观音堂。

二

人总有一个留纪念的意思。所以庄周一派的旷达,总不能说是近人情。泰哥尔《飞鸟集》有一章云,"愿生者有那不朽的爱,死者有那不朽的名,"将此意说得最有情趣,令人觉得人生可敬可爱。中国人的生活总是那么的干燥无味,一般读书人的思想亦然,动不动以好名不好名来品评人,其实名是啥物事?好名又是啥物事?本着朴实的感情,好名怎么算得一件不好的事呢?生平或者身后留得好的名声,不正同我们愿被人怀念着是一样的心事么?人生虽短,令名则长,大丈夫真是应该留芳百世。孔子曰,"君子疾没世而名不称焉。"孔子的话我相信同我是一般的老实,一般的说得人生之佳致哩。后来王阳明到底是三代以下的人物,思想便不免钻到牛角湾里面去了,将孔夫子的话要曲为之解,按他的意思圣人怎么说名誉呢?疾没世而名不称的称字应读若相称的称字,即是说恐怕死后自己的名誉太大了,实不足以当之。你看这是如何的煞风景。我平常看见游客们喜在名胜地方的墙壁上写下自己的名字,即如我们在五祖寺读书的时候有些同学在竹林里竹子上将自己的姓名与时日一起刻下,我觉得这未必是中国文士传统如此,(传统自然也有关系)或者乃是人之常情。总之这些事没有受人嘲笑更没有受责备的理由,只要写得刻得有趣味便好了。既然是留名,自然更要讲公德,若是在不应该写字的地方却大写而特写一番,弄得不堪入目,那是怪我们做先生的平日少训导,我们确是有爱惜名誉之必要。

在另一方面,中国人又很少有保存纪念的习惯,因此常常使人有文献不足征之感。即如五祖是我们黄梅的和尚,我们关于五祖比外乡人多知道些什么呢?我们找不出一片古物出来可以帮助我们做一点考证。民间传说虽有些,只是传说而已,不足以为历史。这是如何可惜的事。历史的材料,每每在当时是无心之物而给有心人保存着,保存到后代便是无价之宝。我们中国人何以如此的没有历史癖呢?这样我们能爱国吗?爱乡吗?听说满清时代黄梅开办高等小学第一班毕业同学录有一位郑先生保存着有一份,而这位郑先生是以迂腐著名的。我以为郑先生有可佩服之处,既然有同学录,为什么不应该保存它呢?你不保存它,当初为什么要这个东西呢?不是你自己胡闹么?不要以为一本同学录无足重轻,天下事的价值都不在事的本身,在乎做这事的一点心,便是敬其事之心。若就保存史料说,又正是国民的一种责任,这个责任心也正在这里表现着。县中学第八班同学毕业,办同学录,叫我写一篇序,我谨序之如上。中华民国三十二年六月一日于黄梅什村庙之南冯仕贵祖祠堂。

三

我今天借这个机会把我从前做中学生以前的事情检察一番,不知可供诸君的参考否。

我做小孩子的时候是好孩子还是坏孩子呢?是用功的学生还是不用功的学生呢?就一般的说法,我不能算是好孩子,也不能算是一个用功的学生。然而只有到现在我才能评判我自己,那个小孩子之所以不好,不能怪我。你说那个学生不用功,是你不知道怎样叫做用功。那时我家是一个大家庭,在乡间大家庭里头照例是栽培长子长孙的,若非长子长孙便看得淡漠,受教育也好,不受教育也好,听其自然。我便是一个被看得淡漠的孩子,平常上学不像哥哥诸事受优待,看见糖果想买,看见玩艺儿想玩,大人总不给钱,衣服也不及哥哥穿得讲究,因此自己也缺乏自尊心,常与街市上一些小贩为友。受了他们的诱惑,曾偷家里的钱同他们打牌。所以这个小孩子是一个坏孩子。这个坏孩子与我现在有关系没有呢?没有关系。坏事是无根的,如梦幻泡影。不过因此我羡慕好孩子,喜欢孟母三迁的故事,喜闻孔子儿时陈俎豆为戏。小儿命名思纯,殆有感也(。)

我做学生并不用功。然而我并不因此可惜。我所受的教育完全与我无好处,只有害处,这是我明明白白地可以告诉天下教育家的。一直到在大学里读了外国书以后,我才明白我们完全是扮旧戏做八股,一脚把它踢开了。从此自己能作文,识道理,中国圣人有孔子,中国文章有六朝以前,而所谓古文是八股的祖宗。此事岂不奇,人何以能从束缚里得自由呢?教育又何其以加害于人为能事呢?是的,这便是中国女子裹脚的原故。只有"自然"对于我是好的,家在城市,外家在距城二里的乡村,十岁以前,乃合于陶渊明的"怀良辰以孤往",而成就了二十年后的文学事业。在北平时有友人结婚,命诸人题一小册作纪念,我所写者为:

小桥城外走沙滩　至今犹当画稿看
最喜高底河过堰　一里半路岳家湾

此不过沧海一滴耳,若真要懂得我的儿童世界,故乡恐无有其知己。而我的儿童世界在故乡。而在当时竟是"自有仙才自不知",从师读《三字经》,乌烟瘴气,把一颗种子盖被住了。而种子毕竟是会生长的。以上所说的话,岂不等于说教育无用?然而"后生可畏,焉知来者之不如今也"。

临了我要说一句,中学教育对于我有一个极大的好处,便是听物理课养成我的法则观念。记得教师在讲台上实验拿着七色板一转,我们在台下果然看得一轮白太阳,此事对于我后来的影响不可度量。中华民国三十三年十二月二十一日于黄梅停古乡李家花屋。

响应"打开一条生路"[①]

杨振声先生在本刊第一期有一篇《我们要打开一条生路》，并引了"周虽旧邦，其命维新"作题辞，我一看到题目就自己振作了起来，我觉得我要来响应这个号召。

首先要认定我们都是"生于忧患"的，今日要来说话必是不得已，不得已而为国家民族说话。那么我说"打开一条生路"，一定是有一条生路了。这一条生路是什么呢？很简单，我们要自信。从态度上说，我们不妨自居于师道；从工作上说，我们要发扬民族精神，我们的民族精神表现于孔子，再说简单些，我们现在要讲孔子。

一句话，"我们现在要讲孔子"就是了，何以先要委曲的说几

[①] 载天津《大公报·星期文艺》1946年12月1日第8期，署名废名。文后有杨振声按语："振声按：在我发表过《打开一条生路》之后，朱自清先生便说了：'生路自然要打开，但是怎样打开呢？'这问的甚有道理。我似乎只能这样说，在文艺方面看，我们（一）打开新旧文艺的壁垒，（二）打开中外文艺的界限，（三）打开文艺与哲学及科学的画界。如此我们以融会的精神培养成文艺的基础，是其一，然后面临着今日世界的新势趋，人类在冲突矛盾中所遭遇的新命运，以创造的精神，从过去的与现在中，综合中外新旧，胎育我们新文化的蓓蕾以发为新文艺的花果，是其二。无疑地，这些话还是很笼统，废名先生的这篇文章，正是废名先生的一个打开的办法。见解正不必一致，而自由讨论与无界限的开辟新荒，才正是我们的企求。"又载上海《大公报·星期文艺》1946年12月1日第8期，署名废名。

句呢？这里又有一个很大的原故，即是说我们要讲孔子是经过新文化运动来的。当初胡适之先生提倡新文化运动，声明是"但开风气不为师"，那时我在学校里做学生，很喜欢这个口号，觉得我们真是抱着一个开风气的使命似的，不知道什么叫做"为师"，师正是偶像，是要打倒的。于今则我感觉得要为师，所以我说我们要自居于师道不是偶然说出来的，是很有一番考虑。接着我说发扬民族精神，我们的民族精神表现于孔子，当然都是经过了考虑，是以为师的资格而说话。老实说，我们今日而不为师的话，便是自私，便是不凭良心，那样自己便不说话了。

为师便要讲孔子。

这里是讲文艺的，所以我在这里只说文艺。我在二十三年写了一篇《读论语》，佩服孔子"诗三百，一言以蔽之曰'思无邪'"的话，以为"思无邪"是了解文艺一个很透澈的意见。那时我对于这三个字的解释倾向于圣保罗"凡物本来没有不洁净的，惟独人以为不洁净，在他就不洁净了"(,)一方面，虽然解释得不算错，却还是由于解放的态度来的，即今思之恐不是孔子立言的本旨。我们当时对于文艺都是从西方文艺得到启示，懂得西方文艺的"严肃"，若中国不是"正经"便是"下流"，即是一真一伪，最表现这个真与伪的莫过于男女问题，恋爱问题，中国人在这些事情上面都缺乏诚意，就男子说自己不尊重自己的人格，也不尊重女子的人格，只是好色而已，西洋人好色也不失其诚，因之也不失其美，意大利邓南遮的小说 *The Child of Pleasure*，真正的意思便是"登徒子"，其艺术的价值还是一个美字，中国文学关于好色则是丑态百出，所以要我举一部书给小孩子读，我简直不敢举，《水浒》罢，《红楼梦》罢，《西厢记》罢，都有丑态，在我由西方文学而回头读中国文学的时候真是痛恨之。西方文艺关于性欲的描写也都是严肃,中国人只是下流。在下流的对面是"正经",而正经亦是下流,下流是下流的言行一致,正经则是言行不一致,只有这个区别。我们讨厌正经,反而甚于讨厌下流,对于那些假道学家认为"不洁净的",只看得出假道学家自己的不洁净,文艺的材料则没有什么叫做不洁净。因此我佩服孔子思无邪的话,我当时解释这三个字的意思是,"做成诗歌的材料没有什么要不得的,只看作意如何。"这是我们自己解放自己。然而作我们自己生活的准则呢?我们是不是牺牲了自己的生活呢?在别的主义上作了牺牲,牺牲是应当的,若自己牺牲自己的生活则不健康,正如少年人手淫不健康是一样。这里不是道德问题,而是卫生问题。正确的说,也只有卫生问题才是道德问题了。我们那时有逛窑子的朋友,有爱一个女子又爱一个女子的朋友,自己如果患了梅毒,或是博得许多女子的欢喜,便以外国作家如叔本华据说也害了性病引来安慰自己,或以凯沙诺伐不曾伤过女人的心认自己亦为不错。我那时读雪莱的诗,见他说"爱情不像金子同泥土,把它分开了并不就把它拿走了,爱情简直像学问一样,在认识许多真实之后大放光明",很是喜欢,仿佛诗人之言是真理。现在想来,雪莱的话恐不对,至少从没有宗教的中国人看应该是不对的。那样可以说母爱,不能说恋爱。恋爱里头总有好色的成分,而且恋爱连忙就是生活,不只是一个人的生活。恋爱是人生之一阶段,在它以后还有许多阶段,正如一个文学家所说:"恋爱这个大学要早点毕业才好,毕业之后还要到社会服务。"那么我们何必把恋爱同母爱一样看得那么绝对神圣呢?孔子曰,"吾未见好德如好色者也。"我告诉青年,好德是绝对的,从少年以至于不知老之将至;好色则如做梦一样,一会儿就过去了。中国诗曰,"结发为夫妻,恩爱两不离",我觉得男女之间应该用恩爱两个字,彼此要认定情分,要知道感激,真是"相亲相爱",这一来便是中国所谓中庸之道,夫妇之道了。中庸之道里头难道就没有诗歌么?难道不是有趣的生活吗?孔子问伯鱼学过《周南》《召南》没有,孔子又赞美《关雎》乐而不淫哀而不伤,这便是告诉少年人要懂得"生活的艺术"。否则生活是"正墙面而立"。正墙面而立的意思便是生活没有意义,便是生活无味。我在乡间曾同着学生说,像乡下人的结婚可以说是正墙面而立,新姑娘同新郎彼此不相识,而且洞房花烛夜新姑娘不敢抬头,坐在床上,对着墙壁,直到夜深,然后,两人见面第一句话不知说什么,这不是正墙面而立吗?在另一方面,中国理学家处处我佩服他,独于男女之事他也是正墙面而立。我们真应该学孔子对于生活的态度,对于文艺的见解。孔子曰:

"小子何莫学夫诗,诗可以兴,可以观,可以群,可以怨,迩之事父,远之事君,多识于鸟兽草木之名。"

这叫做诗的生活,生活的诗。这个诗是中国民族的诗。这里也就是道,因为孔子的道是伦常,离开伦常就没有道。这个伦常之道又正是中国的民族精神。中国的文学,从《三百篇》以至后代,凡属大家,都不出于兴观群怨君父国家鸟兽草木的范围,屈原是如此,杜甫是如此,杜甫所推崇的庾信也是如此。后来还有《牡丹亭》罢。可惜在散文方面没有成就,论其可能,这散文方面的成就该是多么广呢,鸢飞戾天鱼跃于渊都是的,然而从古以来的英雄豪杰都没有这个意识,等到我们的新文学运动起来,知道文学至上,知道外国的小说戏剧都是正式的文学,我们也要来写小说，写剧本，写散文，而关于文学的内容却还没有民族的自觉，于是还是没有根本的文学，学西洋则西洋是艺术，科学，宗教并行的，哪里学得来呢？中国没有科学，没有宗教，若说宗教中国的宗教是伦常，这不足为中国之病，中国作家如不本着伦常的精义，为中国创造些新的文艺作品来则中国诚为病国，这里的小孩子没有一滴精神养料，如何能长得大呢？孔子叫小孩子学诗，我们做了许多年的文学家却没有什么给小孩子学的，想起来真是惭愧而且惶恐。我们还是从今日起替中国打开一条生路罢。我愿大家都当仁不让，鲁迅先生的《狂人日记》嚷着"救救孩子！"我到今日乃真找着了救救孩子的道路了。

　　临了还得补说一句，关于孔子"思无邪"的解释，还是以程朱为得孔子的真意，程子曰，"思无邪者，诚也。"朱子曰，"其用归于使人得其性情之而正〔正而〕已。"是的。我们所理想的文艺是要"使人得其性情之正。"

树与柴火[1]

我家有两个小孩子,他们都喜欢"拣柴"。每当大风天,他们两个,一个姊姊,一个弟弟,真是像火一般的喜悦,要母亲拿篮子给他们到外面树林里去拾枯枝。一会儿都是满篮的柴回来了,这时乃是成绩报告的喜悦,指着自己的篮子问母亲道:"母亲,我拣的多不多?"

如果问我:"小孩子顶喜欢做什么事情?"据我观察之所得,我便答道:"小孩子顶喜欢拣柴。"我这样说时,我是十分的满足,因为我真道出我家小孩子的欢喜,没有附会和曲解的地方。天下的答案谁能像我的正确呢!

我做小孩子时也喜欢拣柴。我记得我那时喜欢看女子们在树林里扫落叶拿回去做柴烧。我觉得春天没有冬日的树林那么的繁华,我仿佛一枚一枚的叶子都是一个一个的生命了。冬日的落叶,乃是生之跳舞,在春天里,我固然喜欢看树叶子,但在冬天里我才真是树叶子的情人似的。我又喜欢看乡下人在日落之时挑了一担"松毛"回家。松毛者,松叶之落地而枯黄者也,弄柴人早出晚归,大力者举一担松毛而肩之,庞大如两只巨兽,旁观

---

[1] 载北平《平明日报·星期艺文》1946年12月29日创刊号,署名废名。

者我之喜悦,真应该说此时落日不是落日而是朝阳了。为什么这样喜悦?现在我有时在路上遇见挑松毛的人,很觉得奇异,这有什么可喜悦的?人生之不相了解一至如此。

然而我看见我的女孩子喜欢跟着乡下的女伴一路去采松毛,我便总怀着一个招待客人的心情,伺候她出门,望着她归家了。

现在我想,人类有记忆,记忆之美,应莫如柴火。春华秋实都到那里去了?所以我们看着火,应该是看春花,看夏叶,昨夜星辰,今朝露水,都是火之生平了。终于又是虚空,因为火烧了则无有也。庄周则曰,"火传也,不知其尽也。"

关于"夜半钟声到客船"[①]

这篇小文是远在第二次世界大战以前预备登在朱孟实先生编的《文学杂志》上答复房庢先生的,后来战事发生,《文学杂志》停刊,区区小文章根本没有寿命之可言,也无所谓死亡了。孰〔孰〕知他依然活在,藏在北平的箱中。今夜友人又偶然谈起"夜半钟声到客船",乃再拿出来发表,想不到他有这样的历史,经过了一次大战争。

我在一篇小文里讲到"夜半钟声到客船",据我的解释是说夜半钟声之下客船到了。文章未发表前,曾经被一位朋友考过,后来我又拿去考了别人,现在房庢先生见了我的文章又写信来问我,问我的解释不算错么?据大家的意思是说夜半的钟声传到客人的耳朵。只有从小住在苏州的一个人与我同意,他当然也不能替我做证明,因为我错他也错了。此事只有张继一人不许错。我的解法,是本着我读这诗时的直觉,我不觉得张继是说寒山寺夜半的钟声传到他正在愁眠着的船上,只仿佛觉得"姑苏

[①] 载北平《平明日报·星期艺文》1947年1月5日第2期,署名废名。

城外寒山寺,夜半钟声到客船"这两句诗写夜泊写得很好,因此这一首《枫桥夜泊》我也仅喜欢这两句,另外不发生什么问题。不过前回被一位朋友考了之后,我曾翻阅《古唐诗合解》,诗解里将"到客船"也是作客船到了解,据说这个客船乃不是"张继夜泊之舟",是枫桥这个船埠别的客船都到了,其时张继盖正在他的船上"欲睡亦不能睡"的光景,此点我亦不肯同意,只在拙作小文里将"客船"二字的含义来得含糊一点,不显明的说是张继的船,其实私意确是认为是张继的船。那么这一首七绝准我这样解两句,与前两句的意思贯串不呢?我想也贯串。"姑苏城外寒山寺,夜半钟声到客船"正是枫桥夜泊非是他处夜泊,亦非是枫江来来往往正在夜行的船上夜半听见寒山寺打钟。姑苏城外寒山寺夜半钟声到客船既已是枫桥夜泊则"月落乌啼霜满天,江枫渔火对愁眠"亦都是枫桥夜泊,非是他处夜泊,否则月落乌啼江枫渔火不独姑苏城外为然。我想唐人做诗未必是做题目,依拙解此诗没有题目似亦可解其事。如是姑苏城外寒山寺夜半钟声传到愁眠的耳朵里,则非先写下夜泊的题目不能决定其为夜泊。我个人只是喜欢"姑苏城外寒山寺,夜半钟声到客船"这两句诗好,其实就是句子写得好,将平常的事情写成一种诗韵的和谐似的,最见中国诗的长处。若夫什么地方的钟声传到愁人的耳鼓,诗情固然更重,诗趣反而减少,——张继如果真是那样说,他或者还不把姑苏城外寒山寺一齐搬出来,一齐搬出来显得头大尾小,其因缘岂不只在于说那个庙里的钟声么?正惟是写一个泊船的地方,故将这个地方半夜里船到的情景写得很好。我这话说得很玄,文章千古事,得失寸心知,妄议别人的诗文,又只能说是个人的意见而已。

讲一句诗[1]

李商隐有一首绝句,题作"月",诗云:

过水穿楼触处明,藏人带树远含清,初生欲缺虚惆怅,未必圆时即有情。

这首诗怎么讲呢?我曾考了好些个人,没有一个人的答案同我相同。因此我很有点儿惶恐,难道只有我是对的,大家都不对么?连忙我又自信起来,我确实是对的,请大家就以我的话为对好了。四句诗只有"藏人带树远含清"一句难懂,这一句见诗人的想像丰富,人格高尚。相传月亮里头有一位女子,又相传月亮里头有一株树,那么我们看着,像一面镜子似的,里面实藏着有人而且有一株树了。月亮到什么地方就给什么地方以"明",而其本身则是一个隐藏,"藏人带树远含清",世间那里有这么一个美丽的藏所呢?世间的藏所那里是一个虚明呢?只有诗人的想像罢了。李商隐的这首诗,要说晦涩晦涩得可以,要说清新清新得无以复加。大凡想像丰富的诗人,其诗无有不晦涩的,而亦

---

[1] 载北平《平明日报·星期艺文》1947年1月12日第3期,署名废名。

必有解人。我真忍不住还要赞美两句,这样说月,月真不是空的;这样写世界,世界真是美丽的。

教　　训[①]

代大匠斲　必伤其手

当我已经是一个哲学家的时──候〔候──〕即是说连文学家都不是了,当然更不是小孩子,有一天读老子《道德经》,忽然回到小孩子的地位去了,完完全全地是一个守规矩的小孩子,在那里用了整个的心灵,听老子的一句教训。若就大人说,则这时很淘气,因为捧着书本子有点窃笑于那个小个子了。总而言之,这真是一件有趣的事情。我的教训每每是这样得来的。我也每每便这样教训人。

是读了老子的这一句话:"夫代大匠斲,希有不伤其手者矣。"

小孩子的事情是这样:有一天我背着木匠试用他的一把快斧把我的指头伤了。

我做小孩子确是很守规矩的,凡属大人们立的规矩,我没有

[①] 载上海《大公报·星期文艺》1947年1月12日第14期,署名废名。又载天津《大公报·星期文艺》1947年1月18日第14期,署名废名。

犯过。有时有不好的行为，如打牌，如偷父亲的钱，那确乎不能怪我，因为关于这方面大人们没有给我们以教育，不注意小孩子的生活，结果我并不是犯规，简直是在那里驰骋我的幻想，有如东方朔偷桃了。然而我深知这是顶要不得的，对于生活有极坏的影响，希望做大人的注意小孩子的生活，小孩子格外地要守规矩了。我记得我从不逃学，我上学是第一个早。关于时间我不失信。我喜欢淌河，但我记得我简直没有赤足下一次水，因为大人们不许我下到水里去。我那时看着会游泳的小孩子在水里大显其身手，真有临渊羡鱼的寂寞了。我喜欢打锣，但没有打锣的机会，大约因为太小了，不能插到"打年锣"的伙里去，若十岁以上的小孩子打年锣便是打锣的一个最好的机会。说是太小，而又嫌稍大，如果同祖父手上抱着的小弟弟一样大，便可以由祖父抱到店里去就在祖父的怀里伸手去敲锣玩，大人且逗着你敲锣玩。那时我家开布店，在一般的布店里照例卖锣卖鼓，锣和鼓挂在柜台外店堂里了。我看看弟弟能敲锣玩，又是一阵羡慕。我深知在大人们日中为市的时候只有小弟弟的小手敲锣敲鼓最是调和，若我也去敲敲，便是一个可诧异的声响了。我们的私塾设在一个庙里，我看着庙里的钟与鼓总是寂寞，仿佛倾听那个声音，不但喜欢它沉默，简直喜欢它响一下才好。这个声音也要到时候，即是说要有人上庙来烧香便可以敲钟鼓了，这时却是和尚的职事。有时和尚到外面有事去了，不在庙里了，进香的来了，我们的先生便命令一个孩子去代替和尚敲鼓，这每每又是年龄大的同学，没有我的分儿了，我真是寂寞。有的大年纪的同学，趁着先生外出，和尚也外出的时候，(这个时候常有)把钟和鼓乱打起来，我却有点不屑乎的神气，很不喜欢这个声音，仿佛响得没有意思了,简直可恶。在旧历七月半,凡属小康人家请了道士来"放施",(相当于和尚的焰口)我便顶喜欢,今天就在我家里大打锣而特打锣,大打鼓而特打鼓了,然而不是我自己动手,又是寂寞。有时趁着道士尚未开坛,或者放施已了正在休息吃茶的时候,我想我把他的鼓敲一响罢,——其实这也并没有什么不可以的,博得道士说一声淘气罢了,我却不如此做,只是心里总有一个一鸣惊人的技痒罢了。所以说起我守规矩,我确是守规矩得可以。

有一次,便是我代大匠斫的这一次,应是不守规矩了。推算起来,那时我有七岁,我家建筑新房子,是民国纪元前四年的故事,我是纪元前十一年生的,因为建筑新房子所以有许多石木工人作工,我顶喜欢木匠的大斧,喜欢它白的锋刃,别的东西我喜欢小的,这个东西我喜欢它大了,小的东西每每自己也想有一件,这把大斧则认为决不是我所有之物,不过很想试试它的锐利。在木匠到那边去吃饭的时候,工作场没有一个人,只有我小小一个人了,我乃慢慢地静静地拿起大匠的斧来,仿佛我要来做一件大事,正正经经地,孰知拿了一块小木头放在斧下一试,我自己的手痛了,伤了,流血了。再看,伤得不厉害,我乃口呿而不合,舌举而不下,且惊且喜,简直忘记痛了。惊无须说得,喜者喜我的指头安全无恙,拿去请姐姐包裹一下就得了,我依然可以同世人见面了。若我因此而竟砍了指头,我将怎么出这个大匠之门呢?即是怕去同人见面。我当时如是想。我这件事除了姐姐没有别人知道了。姐姐后来恐怕忘记了罢,我自己一直记着,直到读了老子的书又是且惊且喜,口呿而不合,舌举而不下,不过这时深深地感得守规矩的趣味,想来教训人,守规矩并不是没出息的孩子的功课。

多识于鸟兽草木之名

孔子命小孩子学诗,说诗可以兴,可以观,可以群,可以怨,迩之事父,远之事君,还要加一句"多识于鸟兽草木之名"。没有这个"多识于鸟兽草木之名",上面的兴观群怨事父事君没有什么意义;没有兴观群怨事父事君,则"多识于鸟兽草木之名"也少了好些意义了,虽然还不害其为专家。在另一处孔子又有犹贤博奕之义,孔子何其懂得教育。他不喜欢那些过着没有趣味生活的小子。

我个人做小孩时的生活是很有趣味的,因为良辰美景独往独来耳闻目见而且还"默而识之"的经验,乃懂得陶渊明"怀良辰以孤往"这句话真是写得有怀抱。即是说"自然"是我做小孩时的好学校也。恰巧是合乎诗人生活的原故,乃不合乎科学家,换一句话说,我好读书而不求甚解,对于鸟兽草木都是忘年交,每每没有问他们的姓名了。到了长大离乡别井,偶然记起老朋友,则无以称呼之,因此十分寂寞。因此我读了孔子的话,"多识于鸟兽草木之名!"我佩服孔子是一位好教师了。倘若我当时有先生教给我,这是什么鸟,这是什么花,那么艺术与科学合而为一了,说起来心向往之。

故乡鸟兽都是常见的,倒没有不知名之士,好比我喜欢野鸡,也知道它就是"山梁雌雉"的那个雉,所以读山梁雌雉子路拱之时,先生虽没有讲给我听,我自己仿佛懂得"子路拱之",很是高兴,自己坐在那里跃跃欲试了。我喜欢水田白鹭,也知道它的名字。喜欢满身有刺的猬,偶然看见别的朋友捉得一个,拿了绳子系着,羡慕已极。我害怕螳螂,在我一个人走路时,有时碰着它,它追逐我,故乡虽不是用"螳螂"这个名字,有它的土名,很容易称呼它,遇见它就说遇见它了。现在我觉得庄子会写文章,他对于螳螂的描写甚妙,因为我从小就看惯了它的怒容了。

在五祖山中看见松鼠,也是很喜欢的,故乡也有它的土名,不过结识松鼠时我自己已是高小学生,同了百十个同学一路旅行去的,它已不算是我个人的朋友了。再说鱼,却是每每不知道它的名字,只是回来向大人说今天我在河里看见一尾好鱼而已。后来做大学生读《庄子》,又是《庄子》!见其说"鯈鱼出游从容",心想他的鱼就是我的鱼罢,仿佛无从对证,寂寞而已。实在的,是庄子告诉我这个鱼的名字。

在草木方面,我有许多不知名,都是同我顶要好的。好比薜荔,在城墙上挂着,在老树上挂着,我喜欢它的叶子,我喜欢它的果实,我仿佛它是树上的莲花,——这个印象决不是因为"木莲"这个名字引起来的,我只觉得它是以空为水,以静穆为颜色罢了,它又以它的果实来逗引我,叫我拿它来抛着玩好了。若有人问我顶喜欢什么果,我就顶喜欢薜荔的果了,它不能给人吃,却是给了我一个好形状。即是说给了我一个好游戏。它的名字叫做薜荔,一名木莲,一直到大学毕业以后才努力追求出来的,说起来未免贻笑大方。还有榖树我知道它的名字,是我努力从博学多能躬行君子现在狱中的知堂老人那里打听出来的,我小时只看见它长在桥头河岸上,我望着它那红红的果子,真是"其室则迩,其人则远",可望而不可即了,因为我想把它摘下来。在故乡那时很少有果木的,不比现在到处有橘园,有桃园,有梨园,这是一个很好的进步,我做小孩子除了很少很少的橘与橙而外不见果树了。或者因为如此,我喜欢那榖树上的几颗红果。不过这个理由是我勉强这么说,我不懂得我为什么那么喜欢它罢了,从现在看来它是没有什么可喜欢的。这个令我惆怅。再说,我最喜欢芭茅,说我喜欢芭茅胜于世上一切的东西是可以的。我为什么这样喜欢它呢?这个理由大约很明白,我喜欢它的果实好玩罢了,像神仙手上拿的拂子。这个神仙是乡间戏台上看的榜样。它又像马尾,我是怎样喜欢马,喜欢马尾呵,正如庾信说的,"一马之奔,无一毛而不动",我喜欢它是静物,我又喜欢它是奔放似的。我当时不知它是芭茅的果实,只以芭茅来代表它,后来在中学里听植物学教师讲蒲公英,拿了蒲公英果实给我们看,说这些果实乘风飞扬,我乃推知我喜欢芭茅是喜欢芭茅的果实了,在此以前我总想说它是花。故乡到处是芭茅做篱笆,我心里喜欢的芭茅的"花"便在蓝天之下排列成一种阵容,我想去摘它一枝表示世间是一个大喜欢,因了我守规矩的原故,我记得我没有摘过一枝芭茅。只是最近战时在故乡做小学教师才摘芭茅给学生做标本。

打锣的故事[1]

　　我做大学生的时候，读了俄国梭罗古勃有名的短篇小说《捉迷藏》，很是喜悦，心想我也来写一篇《打锣的故事》罢。《打锣的故事》如果写起了，应该放在《竹林的故事》之后，《桥》之前。然而笔记本上有"打锣的故事"这个题目，没有文章。我一向是这样，记下来的题目是真多，写出来的文章却是很少了。我的《打锣的故事》与梭罗古勃的《捉迷藏》有什么连带的关系呢？那可以说是寂寞的共鸣，简直是憧憬于一个"死"的寂寞，也就是生之美丽了。到现在我还留着那篇《捉迷藏》的印象，虽然故事的内容忘记殆尽。我记得那是一个母亲同自己的小孩子捉迷藏的故事。奇怪，做小孩子的都喜欢捉迷藏这个游戏，这里头不知有着什么意义否？梭罗古勃的《捉迷藏》则明明是有意义是不待说的。一个小孩子总要母亲同他捉迷藏，母亲便同一般的母亲逗自己的小孩子游戏一样，便总是同他捉迷藏，后来孩子病了，他还是要母亲同他捉迷藏，母亲便同他捉迷藏。他病已不可救了，他在死之前，还是要母亲同他捉迷藏，然而母亲对着这没有希望

---

[1] 载天津《大公报·星期文艺》1947年2月2日第16期，署名废名。又载上海《大公报·星期文艺》1947年2月2日第17期，署名废名。

的自己的孩子可伤心了,掩面而泣,而孩子以为母亲是同他捉迷藏捉迷藏!就在母亲掩面而泣的当儿孩子死了。所以他的死实在是一个游戏,美丽而悲哀。我当时读了把我的《打锣的故事》的空气渲染成功,就只差了没有写下来,故事是一定不差的。

　　我做小孩子喜欢打锣,在监狱一般的私塾里也总还有他的儿童的光线,我记得读《上论》读到"乡人傩"三个字,喜的不得了,以为孔子圣人也在那里看打锣了,大约以为"傩"就是"锣",而我们乡人却总是打锣,无论有什么举动都敲起那一面锣来,等于办公看手表,上课听打钟,何况"傩",敝乡人叫"放猖",本来是以打锣为唯一的场面,到了锣声一停止,一切都酒阑人散了,寂寞了,好像记得那先生曾把乡人傩三个字讲给我听了,乡人傩就是我们乡下放猖。所以我的想像里一时便热闹得不得了,打锣了,放猖了。我所喜欢的,便是单打这圆圆的一面锣,一般叫"大锣",一般说"打锣"也便是指单打这一面大锣说。打这一面大锣,直接了当,简单圆满,没有一点隔阂的地方,要打便打,一看便看见,一听也便听见,你给我我给你好了,世间还用得着费唇舌吗?要言语吗?有什么说不出的意思呢?难怪小孩子喜欢。我却总是退一步,看大人们互相授受,你给我我给你,仿佛不能给我小孩子了,我小孩子只能作旁观者了,真的,我这时的寂寞,应等于大人不能进天国。外家住在河边,夏间发山洪时,河坝有破裂之虞,便打起锣来,意思是叫大家都来抢救。这时能有我的分儿吗?当然没有。然而我偷偷地看打锣,锣声响彻天地,水之大,人之勇,我则寂静。我的欢喜从来没有向人说。"化笼"时,则是火光与金声。富贵人家,父母之丧,家中请了和尚或道士做法事,法事的最后一场便是化笼,即将阳世间为阴世间备的金银财宝装在纸笼子里一举而焚之。这个场合甚大，时间总在夜里，当其火光照耀天空时，一面大锣便大大的响起来，号召鬼众都来认领。而我每每在这时看见每个人的面孔，即是火边看热闹人的面孔，都是熟人，我一面欢喜一面有点奇怪，何以大家都看得见呢？我仿佛夜里不能看见了。连忙知道是在火光之下了。这个热闹，难得几回有，有则总不忘记了。在农村里，家家都是养猪的，猪养得愈大愈显得家事兴旺，若在城里住家，养猪则是家贫，本来没有什么可给猪吃的，每每是自己节食给猪吃，小孩子虽不知道这些，但对于城里养猪的人家我总替他寂寞。城里养猪，猪又总容易失了，失了猪便拿了一面锣沿街敲，沿城敲，俾拾得者知道物主是谁。这等于亡羊补牢而已，未必有何益处。我不知道这些，跟在敲锣者后面跑，觉得这是再新鲜不过的事，可喜悦的事。有时养猪失猪者是孤儿寡妇之流，便由其小孩子去敲锣，这个小孩子每每是我的朋友，我乃同他一路上城，（街上我则不敢同他去，给大人看见了要责备）东南西北城，我们都走过了，一面谈话，一面打锣，我却好容易设法将这锣移在我的手上打了一阵，对于朋友感激不尽。出殡时也总是打这一面锣的，这一面锣总在棺前行，故俗称出殡为"铛！瞥！"笑老而不死者便问，"你几时'铛瞥'呢？""铛"便指锣声，"瞥"则是随着锣声而要放一枚爆竹，这个爆竹之声微弱的可怜。无论贫富，都有此"铛瞥"，即是说这个仪式决不可少，是基本单位，再多则花样翻新，悉听尊便，只要你有钱，而我只同这"铛瞥"之声甚是亲切，无论谁家出殡，经过我家门前，我必出门而目送之，因为他必能让我知道，必有那一声锣响叫我出来也。有一回邻近有一个挑水的老头儿死了，他没有亲人，他出城时，是我打锣，这算是我小孩子好事的成功，其得意可知。我记得我这时小学已快毕业了，算是大孩子了。

　　说来说去，我的《打锣的故事》原是要描写一个小孩子的死，死的寂寞。因为我是一个爱打锣的孩子，而小孩子死独不打锣了，一切仪式到此都无有了，故我对于一个死的小孩子，在一个不讲究的匣子似的棺材里将他提携到野外坟地里去，甚是寂寞。我，一个小孩子，有多次看着死的小孩子埋在土里的经验。我是喜欢看陈死人的坟的，春草年年绿，仿佛是清新庾开府的诗了，而小孩子的坟何以只是一堆土呢？像垃圾似的。而且我喜欢的声音呢？"倘若我死了，独不要我打锣吗？"那时我真个这样想。所以后来读了梭罗古勃的《捉迷藏》，喜其将小孩子的死写得美丽。

放　　猖[①]

　　我在故乡避难时,教中小学生作文,我告诉学生作文的目的是要什么事情都能写,正如小儿学语是要什么话都能说一样。我这意思当然是最明白而且最正当的了,然而在我们这个国家里,一向作文的办法是什么事情都不能写,正如女子裹了脚便什么事情都不能做一样,所以我的一点明白而正当的意思反而不能被人接受,而被人痛恨。此事真应恸哭流涕。故我常想,要我爱国我便要教学生作文,我要他们什么事情都能写。我出的作文题,都根据于儿童的经验,从小在乡间所习见的风俗习惯,我都拿来出题目。"放猖"是故乡的一种风俗,我便教学生写放猖,在小学六年级里第一次交出一篇作文说太阳不说太阳要说"金乌"的学生后来居然写了一篇很好的《放猖》了,此事令我大喜。这个学生姓鲁,我现在还记得他的《放猖》,不知他记得我否。今天我自己来写一篇放猖。

[①] 载南昌《中国新报·文林》1947年2月26日第370号,署名废名。题下有编者按语:"作者废名即冯文炳先生,现执教于北大,著作甚丰。"

故乡到处有五猖庙,其规模比土地庙还要小得多,土地庙好比是一乘轿子,与之比例则五猖庙等于一个火柴匣子而已。猖神一共有五个,大约都是士兵阶级,在春秋佳日,常把他们放出去"猖"一下,所以驱疫也。"猖"的意思就是各处乱跑一阵,故做母亲的见了自己的孩子应归家时未归家,归家了乃责备他道:"你在那里'猖'了回来呢?"猖神例似〔以〕壮丁扮之,都是自愿的,不但自愿而已,还要拿出诚敬来"许愿",愿做三年猖兵,即接连要扮三年。有时又由小孩子扮之,这便等于额外兵,是父母替他许愿,当了猖兵便可以没有灾难,身体健康。我当时非常之羡慕这种小猖兵,心想我家大人何以不让我也来做一个呢?猖兵赤膊,着黄布背心,这算是制服,公备的。另外谁做猖谁自己得去借一件女裤穿着,而且必须是红的。我当时跟着已报名而尚未入伍的猖兵沿家逐户借裤,因为是红裤,故必借之于青年女子,我略略知道他和她在那里说笑话了,近于讲爱情了,不避我小孩子。装束好了以后,即是黄背心、红裤、扎裹腿、草鞋,然后再来"打脸"。打脸即是画花脸,这是我最感兴趣的,看着他们打脸,羡慕已极,其中有小猖兵,更觉得天下只有他们有地位了,可以自豪了,像我这天生的,本来如此的脸面,算什么呢?打脸之后,再来"练猖",即由道士率领着在神前(在乡各村,在城各门,各有其所祀之神,不一其名)画符念咒,然后便是猖神了,他们再没有人间的自由,即是不准他们说话,一说话便要肚子痛的。这也是我最感兴趣的,人间的自由本来莫过于说话,而现在不准他们说话,没有比这个更显得他们已经是神了。他们不说话,他们已经同我们隔得很远,他们显得是神,我们是人是小孩子,我们可以淘气,可以嘻笑着逗他们,逗得他们说话,而一看他们是花脸,这其间便无可奈何似的,我们只有退避三舍了,我们简直已经不认得他们了。何况他们这时手上已经拿着叉,拿着叉郎当郎当的响,真是天兵天将的模样了。说到叉,是我小时最喜欢的武器,叉上串有几个铁轮,拿着把柄一上一下郎当着,那个声音把小孩子的什么话都说出了,便是小孩子的欢喜。我最不会做手工,我记得我曾做过叉,以吃饭的筷子做把柄,其不讲究可知,然而是我的创作了。我的叉的铁轮是在城里一个高坡上(我家住在城里)拾得的洋铁屑片剪成的。在练猖一幕之后,才是名副其实的放猖,即由一个凡人(同我们一样别无打扮,又可以自由说话,故我认他是凡人)拿了一面大锣敲着,在前面率领着,拼命地跑着,五猖在后面跟着拼命地跑着,沿家逐户地跑着,每家都得升堂入室,被爆竹欢迎着,跑进去,又跑出来,不大的工夫在乡一村在城一门家家跑遍了。我则跟在后面喝采。其实是心里羡慕,这时是羡慕天地间唯一的自由似的。羡慕他们跑,羡慕他们的花脸,羡慕他们的叉响。不觉之间仿佛又替他们寂寞——他们不说话!其实我何尝说一句话呢?然而我的世界热闹极了。放猖的时间总在午后,到了夜间则是"游猖",这时不是跑,是抬出神来,由五猖护着,沿村或沿街巡视一遍,灯烛辉煌,打锣打鼓还要吹喇叭,我的心里却寂寞之至,正如过年到了元夜的寂寞,因为游猖接着就是"收猖"了,今年的已经完了。

到了第二天,遇见昨日的猖兵时,我每每把他从头至脚打量一番,仿佛一朵花已经谢了,他的奇迹都到那里去了呢?尤其是看着他说话,他说话的语言太是贫穷了,远不如不说话。

小时读书[1]

现在我常想写一篇文章,题目是"四书的意义",懂得"四书"的意义便真懂得孔孟程朱,也便真懂得中国学问的价值了。这是一回事。但"四书"我从小就读过的,初上学读完《三字经》便读"四书",那又是一回事。回想起来那件事何其太愚蠢、太无意义了,简直是残忍。战时在故乡避难,有一回到一亲戚家,其间壁为一私塾,学童正在那里读书,我听得一个孩子读道:"子谓南容!子谓南容!"我不禁打一个寒噤,怎么今日还有残害小孩子的教育呢?我当时对于那个声音觉得很熟,而且我觉得是冤声,但分辨不出是我自己在那里诵读呢,还是另外一个儿童学伴在那里诵读?我简直不暇理会那声音所代表的字句的意义,只深切地知道是小孩子的冤声罢了。再一想,是《论语》上的这一句:"子谓南容,邦有道不废,邦无道免于刑戮,以其兄之子妻之。"可怜的儿童乃读着:"子谓南容!子谓南容"了。要说我当时对于这件事愤怒的感情,应该便是"火其书"!别的事很难得激怒我,谈到中国的中小学教育,每每激怒我了。

---

[1] 载南昌《中国新报·新文艺》1947年5月5日第29期,署名废名。又载南京《生活杂志》1947年6月25日第2卷第2期,署名废名。又载重庆《新蜀夜报》1947年7月2日《夜潮》,署名废名。

我自己是能不受损害的,即是说教育加害于我,而我自己反能得到自由。但我决不原谅他。我们小时所受的教育确是等于有期徒刑。我想将我小时读"四书"的心理追记下来,算得儿童的狱中日记,难为他坐井观天到底还有他的阳光哩。

"子曰,视其所以,观其所由,察其所安,人焉廋哉!人焉廋哉!"我记得我读到这两句"人焉廋哉",很喜悦,其喜悦的原因有二,一是两句书等于一句,(即是一句抵两句的意思)我们讨了便宜;二是我们在书房里喜欢廋人家的东西,心想就是这个"廋"字罢?

读"大车无輗,小车无軏"很喜悦,因为我们乡音车猪同音,大"猪"小"猪"很是热闹了。

先读"林放问礼之本",后又读"曾谓泰山不如林放乎?"仿佛知道林放是一个人,这一个人两次见,觉得喜悦,其实孔子弟子的名字两次见的多得很。不知何以无感触,独喜林放两见。

读子入太庙章见两个"入太庙每事问"并写着,觉得喜悦,而且有讨便宜之意。

读"赐也尔爱其羊"觉得喜悦,心里便在那里爱羊。

读"一则以喜,一则以惧"觉得喜悦,不知何故?又读"是可忍也,孰不可忍也"亦觉喜悦,岂那时能赏识《论语》句子写得好乎?又读"左丘明耻之,丘亦耻之"亦觉喜悦。

先读"哀公问弟子孰为好学",后又读"季康子问弟子孰为好学",觉得喜悦,又是讨便宜之意。

读"暴虎冯河"觉得喜悦,因为有一个"冯"字,这是我的姓了。但偏不要我读"冯",又觉得寂寞了。

读"子钓而不纲"仿佛也懂得孔子钓鱼。

读"鸟之将死"觉得喜悦,因为我们捉着鸟总是死了。

读"乡人傩"喜悦,我已在别的文章里说过,联想到"打锣",于是很是热闹。

读"山梁雌雉子路共之"觉得喜悦,仿佛有一种戏剧的动作,自己在那里默默地做子路。

读"小子鸣鼓而攻之"觉得喜悦,那时我们的学校是设在一个庙里,庙里常常打鼓。

读"君子之德风,小人之德草,草上之风必偃"觉得喜悦,因为我们的学校面对着城墙,城外又是一大绿洲,城上有草,绿洲又是最好的草地,那上面又都最显得有风了,所以我读书时是在那里描画风景。

读"在邦必闻,在家必闻","在邦必达,在家必达",觉得好玩,又讨便宜,一句抵两句。

读樊迟问仁"子曰,举直错诸枉"句,觉得喜悦,大约以前读《上论》时读过"举直错诸枉"句。故而觉得便宜了一句。底下一章有两句"不仁者远矣",又便宜了一句。

读"其父攘羊而子证之"仿佛有一种不快的感觉,不知何故。

读"斗筲之人"觉得好玩,因为家里煮饭总用筲箕滤米。

读"子击磬于卫"觉得喜欢,因为家里祭祖总是击磬。又读"深则厉,浅则揭"喜欢,大约因为先生一时的高兴把意义讲给我听了,我常在城外看乡下人涉水进城,(城外有一条河)真是"深则厉,浅则揭"。

读"老而不死是为贼"喜欢。

读"子曰,不曰〔日〕如之何如之何者,吾未〔末〕如之何也已矣"觉得奇怪。又读《上论》"觚不觚,觚哉觚哉"亦觉奇怪。

读"某在斯某在斯"觉得好玩。

读"割鸡焉用牛刀"觉得好玩。

读"子路拱而立"觉得喜欢,大约以前曾有"子路共之"那个戏剧动作。底下"杀鸡为黍"更是亲切,因为家里常常杀鸡。

上下论读完读《大学》《中庸》,读《大学》读到"秦誓曰,若有一个臣……"很是喜欢,仿佛好容易读了"一个"这两个字了,我们平常说话总是说一个两个。我还记得我读"若有一个臣"时把手指向同位的朋友一指,表示"一个"了。读《中庸》"黿鼉蛟龍魚鼈生焉",觉得这么多的难字。

读《孟子》,似乎无可记忆的,大家对于《孟子》的感情很不好,"孟子孟,打一头的洞!告子告,打一头的疱"!是一般读《孟子》的警告。我记得我读《孟子》时也有过讨便宜的欢喜,如"五亩之宅树之以桑"那么一大段文章,有两次读到,到得第二次读时,大有胜任愉快之感了。

为黄裳题笺①

　　李义山咏月有一绝句："过水穿楼触处明,藏人带树远含清。初生欲缺虚惆怅,未必圆时即有情。"其第二句意甚晦涩,似指月中有一女子并有树,如小孩捉迷藏一样,藏在月里头,不给世人看见,所以我们只见明月。诗人想像美丽,感情溢露,莫此为甚。
　　民国三十六年六月十六日录呈
　　黄裳先生　雅正　　　　　　　　　　　　　　　　废名

---

① 手稿。题目和标点符号系本书编者所加。

小孩子对于抽象的观念[1]

小时听见大人们说"过考",心想"过考是怎么一回事呢?"那还是科举将废学校将兴的时期了。自己的舅父便是常出外过考的人,盼得他过考回家,我便喜的不得了,却更是思索过考究竟是怎么一回事。其实问一声舅父,请舅父解释给我听便得了,我却无论什么事情总不向大人发问,尽由自己幻想着。我苦思索之所得,以为过考大约是把一个人背靠着什么地方不许移动,考者靠也。可见过考不是一件愉快的事,我对于诸事有幻想,我的幻想总是美丽的,过考则类于乡间所谓诊驼背了。

再对于"在押"的观念我也苦思索,那时家里来了客人,有因为讼事来同祖父商量的,我在旁听着说某人"押了"的话,便很奇怪,什么叫做"押了"呢?大约因为习于看母亲压菜或腌菜的原故,把押联想到"压"或"腌"上面去了,所以押这件事根本上给我一个苦恼的印象。稍大时我偶然在县衙门监狱门前过,向着那栅栏里面望,见有许多人挤着栅栏向外面望,面色都苍白,眼光寂寞,有些人的神气却凶恶,我乃忽然了解什么叫做"押"了,不觉之间一个小孩子的人生观也多了一层意义了。不过我的意义

---

[1] 载北平《龙门杂志》月刊1947年7月15日第1卷第5期,署名废名。

仿佛是人生的光线,人生是黑暗的而人心是善的。换一句话说,狱是黑暗的,心是光明的。这是我的实感。

黄梅初级中学二四区毕业同学所办怀友录序[①]

有许多事情不能令我做诗作文,好比你要我做一篇别赋,我就不能交卷。这大概因为我本不是文人的缘故。然而我喜欢许多文章,好比说"别"罢,我喜欢陶渊明的别,他说形影有时也别离,"悲高树之多荫,慨有时而不同。"他却拿别来写了一个境界。别不好,当然就不别好,我喜欢"如花似叶长相见"这句诗,这却又是一个境界。人世间有几许"如花似叶长相见"之美丽乎?

那么"真善美"这三个字你是喜欢美的?是的,我是喜欢美的,记得从前写了一首诗,题曰"梦"——

> 我在男子的梦里写一个美字,
> 我在女子的梦里写一个善字,
> 厌世诗人我画一幅美丽的山水,
> 小孩子我替他画一个世界。

诸君是男子,是小孩子,不要谈什样惜别,我替诸君写一个

[①] 载北平《平明日报·星期艺文》1947年7月27日第14期,署名废名。黄梅县档案馆藏第十班部分同学所办"梅中怀友录",有废名之本《序》。

美字,我替诸君画一个世界,后日再来相见可也。中华民国三十四年一月十日冯文炳序。

立　　志[①]

我从前写了一些小说,最初写的集成为《竹林的故事》,自己后来简直不再看它,是可以见小说之如何写得不好了。它原是我当学生时的试作,写得不好是当然的。不但自己"试作"如此,即是说写得不好,我看一些作家的杰作也是写得不好的,是可以见写文章之难了。而古人的文章(包括诗在内)每每有到现在(这是说我现在的标准甚高)令我不厌读的,是可见古人如何写得好了。本来人生短而艺术长,文章是应该写,令它在人生当中不朽,古人能令我们现在人喜欢,我们现在人也应该令后来人喜欢,无奈现代的排印容易出板,而出板可以卖钱又更要出板,结果作家忘记自己的幼稚,(这是说你的年龄幼稚!)也忘记出板的意义,(古人出板不是卖钱的而是自己花钱刻的是为得不朽的)大家都是著作家了。我自己也是现代的著作家之一,我却是惭愧于我自己的著作了。我是责己重而待人轻的人,我决没有要别人惭愧的意思,我倒是爱惜任何人的任何作品,只是自己不大有工夫去看它罢了。这是我的实在心情,不大有工夫看今人的

[①] 载北平《华北日报·文学》1948年2月15日第8期,署名废名。又载南昌《中国新报·文林》1948年3月24日第618号,署名废名。又载杭州《天行报》1948年4月16日《万方》,署名废名。

著作。说老实话,我不急急乎要看的著作,则此著作必速朽矣,古人谓之灾梨祸枣。那么我本着立己立人的意思,还是劝人不要急急乎做著作家。

我有一个侄子,他常写文章,从前本来是我教他作文的,那是学生作文功课,是另一件事,现在他写文章是想"印出来"了,想做作家了,我虽然十分同情于他,因为我从前做学生时正是如此,但我心里甚不赞成他作文章,赞成他学孔夫子"志于学"。这话我同他谈过,把我自己对于从前的惭愧告诉他了,然而言者谆谆,听者藐藐,他还是喜欢写文章。做大人的总是拿自己的经验教孩子,而孩子总喜欢他的一套,故陶渊明亦曰"昔闻长者言,掩耳每不喜"了。我敢说一句绝对不错的话,少年人贪写文章,是不立志。原因是落在习气之中。

谈用典故[1]

作文用典故本来同用比喻一样,有他的心理学上的根据,任何国的文学皆然。在外国文学里头用典故这件事简直不成问题,只看典故用得好不好,正如同比喻用得好不好。他们的作家,在他们的作品里头,典故不常用,正如同比喻不常用,若用之则是有必要,这时文章的意思格外显豁,感人的效果格外大。中国的事情每不可以常理论,他没有文章而有典故!于是典故确乎应该在排斥之列。我说中国是因为没有文章而有典故,这话一点也不错,只看中国的文章里头没有比喻便可以知道。若用比喻则非有意思不可了,有意思才叫做文章。只看周秦的文章连篇累牍用的是比喻,而后来的文章则只有典故,中国确乎是从周秦以后没有文章了。有典故没有文章,这样的文学不应该排斥吗?那么照意义说起来,我们反对典故,并不是反对典故本身,乃是反对没有意思的典故罢了。因为反对典故的原故,我曾赞美宋儒的文章,我读朱子《四书集注》,文章都很能达意,在他许多文字里头只有两个典故,即"枉尺直寻"与"胶柱鼓瑟",实在这也不能算是典故,只是成语罢了。其解释"欲罢不能"云:"如

---

[1] 载《天津民国日报·文艺》1948年2月16日第115期,署名废名。

行者之赴家,食者之求饱。"这样有力量的文章要什么典故呢？二程子称大程子"盖自孟子之后,一人而已。然学者于道不知所向,则孰知斯人之为功；不知所至,则孰知斯名之称情也哉？"这是多么能达意的文章,何暇用典故？这样的文章,应该算是理想的"古文"。即是韩愈所提倡的古文的古文。那么我平常反对古文也只是反对他没有意思罢了。

我今天的本意是作典故赞的,开头却说了上面一段话无非是表示我很公平,我说话向来没有偏见。那么我来赞典故乃是典故真可赞了。

中国的坏文章,没有文章只有典故。在另一方面,中国的好文章,要有典故才有文章！这真是一件奇事。我所赞美的,便是这种要有典故才有文章的文章了。那么倘若没有典故岂不就没有文章了吗？是不然。是必有文章的,因此也必有典故,正如外国文章里必有风景,必有故事。换一句话说,中国的诗人是以典故写风景,以典故当故事了。中国文学里没有史诗,没有悲剧,也不大有小说,所有的只是外国文学里最后才发达的"散文"。于是中国的散文包括了一切,中国的诗也是散文。最显明的征象便是中国的文章里（包括诗）没有故事。没有故事故无须结构,他的起头同他的收尾是一样,他是世界上最自由的文章了。这正同中国的哲学一样,他是不需要方法的,一句话便是哲学。所以在中国文章里,有开门见山的话。其妙处全在典故。下面是庾信《谢滕王赍马启》的全文：

　　某启：奉教垂赍乌骝马一匹。柳谷未开,翻逢紫燕；陵源犹远,忽见桃花。流电争光,浮云连影。张敞画眉之暇,直走章台;王济饮酒之欢,长驱金埒。谨启。

第一句等于题目。接着是无头无尾的文章,同时也是完完全全的文章,不多不少的文章。所用的全是马的典故,而作者的想像随着奔流出来了。柳谷句,张掖之柳谷,有石自开,其文有马;紫燕是马名。接着两句,"流电""浮云"俱系马名,"争光"与"连影"则是想像,写马跑得快。争光犹可及,连影则非真有境界不可,仿佛马在太阳地下跑,自己的影子一个一个的连着了,跟着跑了。那么争光亦不可及,作者的笔下实有马的光彩了。我并不是附会其说,只看作者另外有这样一句文章,"一马之奔,无一毛而不动",他的句子确不是死文章了。画眉之暇,走马章台;饮酒之欢,长驱金埒,可不作解释。读者试看,这样一篇文章不是行云流水吗?不胜过我们现在一篇短篇小说吗?他没有结构而驰骋想像,所用典故,全是风景。他写马,而马的世界甚广,可谓杂花生树,群莺乱飞!时间与空间在这里都不成问题,连桃花源也做了马的背景了。在任何国的文学里没有这样的文章的。我们不能说他离开典故没有文章,乃是他有文章自然有典故了。外国的文章靠故事,我们不能说他离开故事没有文章,他是有文章自然有故事了。莎士比亚在他的剧本里写一个公爵给国王流放出去,舞台上自白道:

> Now no way can I stray;
> Save back to England, all the world's〔s〕
> my way,

这样的文章写得多容易。真是同庾信的文章一样容易！这样写"流放"是伟大的文章，借故事表现着作者的境界。中国的诗人则是借典故表现境界了。我这话也决不是附会，有时也有等于借故事表现境界的，也正是庾信的文章，如皇帝赐给他东西谢皇帝而这样写一个"谢"字："直以物受其生，于天不谢。"这完全是英国莎士比亚的写法了。不过这是偶然的，中国文章本来不以表现情节见长，而诗人伟大的怀抱却是可以以同样尺度去度量的了。我顶善〔喜〕欢庾信这两句写景的文章："龟言此地之寒，鹤讶今年之雪。"大约没有典故他不会写这样的美景，典故是为诗人天造地设的了。"草无忘忧之意，花无长乐之心"，"非夏日而可畏，异秋天而可悲"，都是以典故为辞藻，于辞藻见性情。是的，中国有一派诗人，辞藻是他的山川日月了。庾信的《象戏赋》有这样两句话，"昭日月之光景，乘风云之性灵"，正是他自己的文章。我最佩服这种文章，因为我自己的文章恰短于此，故我佩服他。我大约同陶渊明杜甫是属于白描一派。人说"文章是自己的好"，我确是懂得别人的好。说至此，我常常觉得我的幸运，我是于今人而见古人的。亡友秋心君是白话文学里头的庾信，只可惜死得太早了，我看他写文章总是乱写，并不加思索，我想庾信写文章也一定如此。他们用典故并不是抄书的，他们写文章比我们快得多。有一回我同秋心两人在东安市场定做皮鞋，一人一双，那时我住在西山，后来鞋子他替我取来了，写信告诉我，"鞋子已拿来，专等足下来穿到足上去。"他写文章有趣，他的有趣便在于快。庾信的《枯树赋》有这两句："秦则大夫受职，汉则将军坐焉。"我想他的将军坐焉同秋心的足下足上是一样写得好玩的，此他的文章所以生动之故。

我今天写这个题目,本来预备了好些"典故",但写至此已觉得可以成一短文,其余的只好暂不写,否则文章恐怕长了。然而这样又不能说典故之长于万一了。此决非夸大之辞,实乃缩小之论。

散　文[1]

　　我现在只喜欢事实，不喜欢想像。如果要我写文章，我只能写散文，决不会再写小说。所以有朋友要我写小说，可谓不知我者了，虽然我心里很感激他的诚意。

　　在《竹林的故事》里有一篇《浣衣母》，有一篇《河上柳》，都那么写得不值再看，换一句话说把事实都糟踏了。我现在很想做简短的笔记，把那些事实都追记下来。其实就现实说，我所谓的事实都已经是沧海桑田，我小时的环境现在完全变了，因为经历过许多大乱。

　　《浣衣母》与《河上柳》是一个背景，我拿来写了两篇文章。事实是，"浣衣母"是我族间的一位婶母，"河上柳"是她门前的一棵树，这棵树一个清明日我亲自看见它栽下去的，后来成为一棵很大的杨柳树了。我看着树常常觉得很奇怪，仿佛世间的事一点也不假，它本来是一个插枝，栽下去了便长大了，夏天里有许多人在它下面乘阴了，莫非梦也夫？我这位婶母的家是在城门之外。这城门之外单独有这一个贫家，茅草屋。这城门我们口中叫"小南门"，但刻在城门上的三个大字是"便民门"，那时我常

---

[1] 载北平《华北日报·文学》1948年2月22日第9期，署名废名。

想,明明是"小南门",何以叫"便民门"呢？是什么意思呢？所以世间上不懂的事情很多,不懂有时也没有关系,纳闷有时很有趣了。小时,自然与人事,对于我影响最深的,一是外家,一是这位婶母家,外家如是以其富有,婶母家是以其贫了,她的贫使得我富有。在现在想来,外家的印象已渐淡漠,婶母家的印象新鲜如故,此真不知是何故。大约这块地方现在无可考,只有一片沙砾,所以在我的记忆里格外新鲜。婶母的茅草屋临在城外的小河之上,门口是"便民"之路,这所谓"路"当然包含了桥,因为有河而可行,非有桥而何？这个桥是木桥,春夏间发山洪时常常冲倒了,于是行人涉水而过。农人进城舍不得花渡钱,则"深则厉,浅则揭"。到了秋冬以至春三月,则河里本来没有水,只是沙滩,桥徒有意了,大家都是走自由之路,即是走沙滩。县城共有六门,以小南门出进的人最多,婶母家形式虽孤单,其精神则最热闹,无论就这个地方说,无论就婶母的性格说,任何人走到这里都热闹了。我现在喜欢"关关雎鸠,在河之洲,窈窕淑女,君子好逑"这一章书,每每是回忆故乡小南门外的情景了。那里常常有"窈窕淑女",那里常常有"关关雎鸠在河之洲"。我还喜欢这一篇诗:

匏有苦叶,济有深涉,深则厉,浅则揭。
有弥济盈,有鷕雉鸣,济盈不濡轨,雉鸣求其牡。
雝雝鸣雁,旭日始旦。士如归妻,迨冰未泮。
招招舟子,人涉卬否。人涉卬否,卬须我友。

我读这篇诗,感得热闹极了,也便是记起小时故乡小南门外的情景。深则厉浅则揭已说过。有时车子渡河，或是货车，或女子回娘家坐的车，没有桥，水里过，我们小孩子在岸上看，唯恐把它濡了，又惟恐不把它濡了，因为小孩子总是淘气。把女子扎车的彩被濡了那更可惜了。沙岸上车子的辙迹印得很深也很有趣。冬天里看人家"报日"，（报日者，请期纳米，通俗以鸡和鹅代替古礼之雁者也）看人家抬花轿，都在这沙滩上，因为这时河里没有水。至于"招招舟子，人涉卬否"，我们小孩子则不觉得，这大约是寂寞的心事，小孩子隔膜了。诗真是写得热闹，是写实。或者是我的主观亦未可知。

再说婶母的性格，我认为她是神，不是人，这决不是我的主观，世间的人品实有伟大这一个形容词了。她贫无立锥之地，她的茅草屋不是她自己盖的，茅草屋也不能有历史，经不得风吹雨打，不是她的祖先遗给她的，我记得她的屋常给山洪冲倒了，于是来"邀会"，邀会者邀几个本族的人拿出资本来替婶母再盖一个茅草屋了。她年青孀居，有三个儿子，都养大成人了，但都是神秘人物，后来都无影无踪了，都在外面流亡死了。婶母替人洗衣，但不能说是以洗衣为职业，因为她不需要职业，她只是替人操劳，人家也给饭她吃罢了。那时城镇上也还没有洗衣的职业，要说有这个职业，"浣衣母"便是开山大师了。她每每替店铺里的学徒洗衣，学徒便像她的儿子一样了，他们当然也给报酬，但微乎其微，而浣衣母对于他们的抚爱则是母亲的伟大了。我家那时是大家庭，兄弟多人，谁都喜欢婶母，简直可以说我们兄弟谁都是婶母养大的，我们以为婶母最富，谁都喜欢吃婶母的饭了。实在她没有得吃时，祖父便分〔吩〕咐送米给她不是给她给我们吃，是给婶母的食粮，而婶母的食粮我们有份儿了。

我们小孩子只知道白天,不知道夜晚,知道白天城门外的热闹,即婶母家的热闹,从不知道夜晚是婶母一个人在她的城外茅草屋里了,也不知道那里有灯光没有。黄昏时在那里也是热闹的,我们每每关城门的时候才进城回到自己家里去,舍不得进城,巴不得晚一点儿关城门。"河上柳"我记得是一个黄昏时候婶母的大儿子将一枝柳条插在土里的,难怪以后"终古垂杨有暮鸦"!即是说黄昏时柳条可爱。清早起来,旭日东升,城门外便已热闹了,乡下人早已进城卖柴了,冬日里我们跟着祖父到婶母门前晒太阳了。

过年时,大哥因为字比谁都写得好,常替人写春联,我因为字写得不好则磨墨。我顶不耐磨墨,最羡慕挥毫,但也顶喜欢磨墨的时候到了,因为大哥写春联的时候到了。有一年大哥替婶母家写的是"东方朔日暖,柳下惠风和",红纸是婶母的大儿子买的。新年初一我们清早起来赶快跑去拜婶母年,红日之下一看大哥写的红对子,十分欢喜,我仿佛懂得"东方朔日暖,柳下惠风和"的意味了。

实在婶母的伟大无法形容的,穷可以形容她,神可以形容她,穷到这里真是神了。

后来我们长大了,到武昌上学去了,暑假回家时听母亲同自己的婶母谈城外婶母的闲话,说,"有人说她的闲话!"闲话是:有一后生,利用婶母的茅草屋开茶铺,这后生同婶母"相好"。我听了这话愈觉得婶母是神,她神圣不可侵犯。

再谈用典故[1]

今天我再来谈用典故罢。

上回我说庾信写文章写得非常之快,他用典故并不是翻书的,他是乱写,正同花一样乱开,萤火虫一样乱飞。而且我举出我的朋友秋心为证。我这话当然说得很切实,但反对者如反对我,"你究竟是乱说!人家的事情你怎么能知道呢?"那我只好学庄子诡辩,子非我,安知我不能知道呢?话不要游戏,我还是引杜甫的话,"文章千古事,得失寸心知,"是可以知道的。今天我再来说用典故比庾信稍为慢一点儿的,至少要慢五分钟。且听我慢慢道来。

我第一想起陶渊明。陶渊明作诗是很正经的,决没有乱写的句子,有一回用了一个太阳的典故,不说太阳而说"乌",却是写得好玩的。这首诗题作"怨诗",诗确是有点怨,然而因为这一只"乌"的原故,我觉得陶公非常之可爱了,他思索得这一个典故时,他一定自己笑了,觉得好玩,于是诗的空气缓和好些了。诗是这样的,"天道幽且远,鬼神茫昧然。结发念善事,僶俛六九年。弱冠逢世阻,始室丧其偏。炎火屡焚如,螟蜮恣中田。风雨

---

[1] 载《天津民国日报·文艺》1948年3月1日第117期,署名废名。

纵横至,收敛不盈廛,夏日长抱饥,寒夜无被眠。造夕思鸡鸣,及晨愿乌迁。……"造夕思鸡鸣当然是真的光景,老年人冬夜睡不着,巴不得鸡鸣,天便亮了,而"及晨愿乌迁"决然是一句文章,意思是说清早的日子也难过,巴不得太阳走快一点,因为写实的"鸡鸣"而来一个典故的"乌迁"对着,其时陶公的想像里必然有一只乌,忘记太阳了。这是很难得的,在悲苦的空气里,也还是有幽默的呼息,也便叫做"哀而不伤"。这样的用典故确是同庾信的用典故不同,乌是从作者的文思里飞出来的,不是自己飞出来的所以要来得慢,可以令我们读者看得出了。虽然慢这只乌确是活的不是死的,仿佛"犹带昭阳日影来"了。总之陶渊明偶尔用典故不是死典故,我想谁都不能否认我的话。到了后来的李商隐完全弄这个把戏,他比庾信慢一点,比陶渊明又要快一点,介乎二者之间。庾信不自觉,李商隐自觉,庾信是"乘风云之性灵",李商隐则是诗人的想像了。他写唐明皇杨贵妃"此日六军同驻马,当时七夕笑牵牛",六军驻马等于陶渊明的造夕思鸡,七夕牵牛则是及晨望乌了,是对出来的,是慢慢地想了一会儿的,是写得好玩的,虽是典故,而确是有牵牛的想像的。不知者每每说李诗纤巧,而陶渊明独不纤巧乎?不知诗人的想像便不能谈诗,谓陶句不纤巧者,是以乌迁为一死典故而已耳。

"于今腐草无萤火,终古垂杨有暮鸦",这是李商隐写隋宫的,上句是以典故写景,真是写得美丽,下一句则来得非常之快,真写得苍凉。上句貌似庾信,下句是神似。多一个自觉,故说貌似。来得不由己,故曰神似。没有典故便没有腐草没有萤火。没有腐草没有萤火也没有垂杨没有暮鸦,那时世界上也没有诗人。

杜甫的诗有感情有图画,是白描一派,无须乎用典故的。但杜甫有时也拿典故来写想像。他咏明妃诗句,"一去紫台连朔漠,独留青冢向黄昏",便很见工夫见想像。紫台是汉宫名,"一去紫台连朔漠"意思是由汉宫出发到匈奴那里去,这么大的距离给他一句写了,妙处便在紫台,由紫台连得起朔漠于是"一去紫台连朔漠",仿佛是对对子,读之觉其自然,事实却很不自然,比李白的"千里江陵一日还"还要快过多少倍了,比我们现在坐飞机还要快。一句还不自然,接着"独留青冢向黄昏"句则文章是天生的,非常之自然。而事实杜甫是"语不惊人死不休"的,他费了很大的气力。妙处在青冢这个故事,相传明妃冢草独青,而这个美的故事只当作一个典故用。"向黄昏"是诗人的想像,是文生情,也正是情生文,于是这两句真是活的了,而是从典故的死灰里复燃的。换一句话说,没有典故便没有诗。其余如咏宋玉"江山故宅空文藻,云雨荒台岂梦思",以及写他自己漂泊西南大地之间,"三峡楼台淹日月,五溪衣服共云山",俱是以典故写想像。五溪衣服句很费力,却能生动。五溪蛮的衣服是染色的,这是典故,我们在避难时也有此情景,同着当地土人遨游山水,尤其是过年过节看了他们男妇老幼穿着新衣服花花绿绿的,我们与之共天上的云眼前的山光水色了,热闹得很,故杜甫曰,"五溪衣服共云山。"有这一句则"三峡楼台淹日月"一点也不空,都是诗人的实景了。"云雨荒台岂梦思"这一句我最佩服,把朝云暮雨的梦真拿来写景,不愧是大诗人了。然而无论怎么说杜甫的典故是来得非常之慢的,较之庾信是小巫见大巫。

作文叙事抒情有时有很难写的地方,每每借助于典故。这样的用典故最见作者思想的高下,高就高,低就低,一点也不能撒谎的。陶渊明《命子诗》有云:"厉夜生子,遽而求火,凡百有心，奚特于我，既见其生，实欲其可。……"我很喜欢这个厉生子的典故。《庄子》，"厉之人，半夜生其子，遽取火而视之，汲汲然惟恐其似己也。"厉之人大概生得很寒伧，庄子的文章是幽默，陶公用来则真显出陶公的大雅与真情了。人谁不爱其子，谁不望自己的儿子好，但不能像陶公会说话了，因为陶公人品高。陶公在说他穷的时候也用了一个很好的典故。因为家贫没有酒渴〔喝〕他这样写："尘爵耻虚罍，寒华徒自荣。"这个诗题是"九日闲居"，寒华句是说菊花，当然写的好，尘爵句更佳。典故出自《诗经》"瓶之罄矣惟罍之耻。"《诗经》这两句文章也真是有趣，然而不是陶渊明告诉我，我未曾注意了。总而言之家里没有酒罢了，瓶子里是空的。瓶子说，"这不能怪我，是他可耻，是他里头没有酒。"瓶子指着一个更大的盛酒的家伙说。所以酒真是没有了，这里也是空的，那里也是空的。陶公连米也没有大的东西盛，故曰"瓶无储粟"，何况酒。他大约是望着空杯子，杯子说，"不怪我是酒瓶子里没有。"故诗曰"尘爵耻虚罍"。不懂得《诗经》，便不知陶诗之佳了。陶渊明真会读书。他说他好读书不求甚解，熟〔孰〕知他是神解。

有时有一种伟大的意思而很难表现。用典故有时又很容易表现。这种例子是偶尔有之，有之于李商隐的诗里头，便是我常称赞的这两句："我是梦中传彩笔，欲书花叶寄朝云。"这是写牡丹的诗，意思是说在黑夜里这些鲜花绿叶俱在，仿佛是诗人画的，寄给朝云，因为明天早晨太阳一出来便看见了。没有梦中五色笔的典故，这种意境实在无从下笔。朝云二字也来得非常之自然，而且具体。

有时用典故简直不是取典故里的意义，只是取字面。如李商隐,《华山题王母词〔祠〕绝句》云:"莲花峰下锁雕梁,此去瑶池地共长。好为麻姑到东海,劝栽黄竹莫栽桑。"诗写得很快,很美丽,很有悲情,他不喜欢沧海变桑田这一件事于是叫人家不要栽桑树好了。不栽桑栽什么呢?随便栽什么都可以,只要天地长不没!恰好穆天子有"黄竹"之诗,那么就栽你们的黄竹好了。是叫这个老太太。(我假设是老太太,其实照陶渊明"王母怡妙颜"的话未必是老太太)对那个老太太说的话。其实黄竹是个地名,作者乱借字面而已。庾信也常借字面,但感情没有李诗的重。李的感情重而诗美,庾信生平最萧瑟。用典故却不宜感情重,感情重愈生动愈晦涩。

我在上回的文章里说过,外国文学重故事,中国文学没有故事只有典故,一个表现方法是戏剧的,一个只是联想只是点缀。这是根本的区别,简直是东西文化的区别。中国文学里如有故事,则其故事性必不能表现得出,反不如其典故之生动了。因为有故事必有理想,有理想必要表演出来的,非用典故暗示所能行的。李商隐咏常娥有云:"常娥应悔偷灵药,碧海青天夜夜心。"这是作者的理想,跑到天上去是非常之寂寞的,而人间又不可以长生不老,而诗人天上的布景仍是海阔与天空,即咱们的地球,头上有青天,眼下有碧海,正同美人的镜子一样,当中有一个人儿了。中国没有戏剧,这个故事如编剧,一定很成功,当典故用真可惜了。李诗另有咏月绝句云,"过水穿楼触处明,藏人带树远含清……"这是说月亮里头有一女子而且有树,都藏在里头看不见了,而且光照一处明一处,只是藏了自己。这都是适宜于写故事,而作者是用典故,故晦涩了。总之典故好比是一面镜子,他只宜照出你来,你不宜去他照〔照他〕。

我怎样读论语[①]

我以前写了一篇《读论语》的小文,那时我还没有到三十岁,是刚刚登上孔子之堂,高兴作的,意义也确是很重要。民国二十四年,我懂得孟子的性善,于是跳出了现代唯物思想的樊笼,再来读《论语》,境界与写《读论语》时又大不同,从此年年有进益,到现在可以匡程朱之不逮,我真应该注《论语》了。今天我来谈谈我是怎样读《论语》的。

我还是从以前写《读论语》时的经验说起。那时我立志做艺术家,喜欢法国弗禄倍尔以几十年的光阴写几部小说,我也要把我的生命贡献给艺术,在北平香山一个贫家里租了屋子住着,专心致志写一部小说,便是后来并未写完的《桥》。我记得有一天我忽然有所得,替我的书斋起了一个名字,叫做"常出屋斋",自己很是喜悦。因为我总喜欢在外面走路,无论山上,无论泉边,无论僧伽蓝,都有我的足迹,合乎陶渊明的"怀良辰以孤往",或是"良辰入奇怀",不在家里伏案,而心里总是有所得了。而我的书斋也仿佛总有主人,因为那里有主人的"志",那里静得很,案上有两部书,一是英国的《莎士比亚全集》,一是俄国的《契诃夫

[①] 载《天津民国日报·文艺》1948年6月28日第132期,署名废名。

全集》英译本,都是我所喜欢读的。我觉得"常出屋斋"的斋名很有趣味,进城时并请沈尹默先生替我写了这四个字。后来我离开香山时,沈先生替我写的这四个字我忘记取下,仍然挂在那贫家的壁上,至今想起不免同情。我今天提起这件事,是与我读《论语》有关系。有一天我正在山上走路时,心里很有一种寂寞,同时又仿佛中国书上有一句话正是表现我这时的感情,油然记起孔子的"鸟兽不可与同群"的语句,于是我真是喜悦,只这一句话我感得孔子的伟大,同时我觉得中国没有第二个人能了解孔子这话的意义。不知是什么原故我当时竟能那样的肯定。是的,到现在我可以这样说,除孔子而外,中国没有第二个人有孔子的朴质与伟大的心情了。庄周所谓"空谷足音"的感情尚是文学的,不是生活的已经是很难得,孔子的"鸟兽不可与同群,吾非斯人之徒欤而谁欤"的话,则完全是生活的,同时也就是真理,令我感激欲泣,欢喜若狂。孔子这个人胸中没有一句话非吐出不可,他说话只是同我们走路一样自然要走路,开步便是在人生路上走路了,孔子说话也开口便是真理了,他看见长沮桀溺两个隐士,听了两人的话,便触动了他有话说,他觉得这些人未免狭隘了,不懂得道理了,你们在乡野之间住着难道不懂得与人为群的意思么?恐怕你们最容易有寂寞的感情罢?所以"鸟兽不可与同群,吾非斯人之徒欤而谁欤?"是山林隐逸触起孔子说话。我今问诸君,这些隐逸不应该做孔子的学生么?先生不恰恰是教给他们一个道理么?百世之下乃令我,那时正是五四运动之后,狂者之流,认孔子为不足观的,崇拜西洋艺术家的,令我忽然懂得了,懂得了孔子的一句话,仿佛也便懂得了孔子的一切,我知道他是一个圣人了。我记得我这回进北平城内时,曾请友人冯至君买何晏《论语集解》送我。可见我那时是完全不懂得中国学问的,虽然已经喜欢孔子而还是痛恶程朱的,故读《论语》而决不读朱子的注本。这是很可笑的。

民国二十四年,我懂得孟子的性善,乃是背道而驰而懂得的,因为我们都是现代人,现代人都是唯物思想,即是告子的"生之谓性",换一句话说以食色为性,本能为性,很以孟子的性善之说为可笑的。一日我懂得"性",懂得我们一向所说的性不是性是习,性是至善,故孟子说性善,这时我大喜,不但救了我自己,我还要觉世!世人都把人看得太小了,不懂得人生的意义,以为人生是为遗传与环境所决定的,简直是"外铄我也",换一句话说人不能胜天,而所谓天就是"自然"。现代人都在这个樊笼的人生观之中。同时现代人都容易有错处,有过也便不能再改,仿佛是命定了,无可如何的。当我觉得我自己的错处时,我很是难过,并不是以为自己不对,因为是"自然"有什么不对呢?西谚不说"过失就是人生"吗?但错总是错了,故难过。我苦闷甚久。因为写《桥》而又写了一部《莫须有先生传》,二十年《莫须有先生传》出版以后我便没有兴会写小说。我的苦闷正是我的"忧"。因为"忧",我乃忽然懂得道理了,道理便是性善。人的一生便是表现性善的,我们本来没有决定的错误的,不贰过便是善,学问之道便是不贰过。"人不能胜天",这个观念是错的,人就是天,天不是现代思想所谓"自然"(,)天反合乎俗情所谓"天理",天理岂有恶的吗?恶乃是过与不及,过与不及正是要你用功,要你达到"中"了。中便是至善。人懂得至善时,便懂得天,所谓人能弘道。这个关系真是太大。现代人的思想正是告子的"生之谓性",古代圣人是"天命之谓性"。天命之谓性,孟子便具体的说是性善。从此我觉得我可以没有错处了，我的快乐非言语所能形容。我仿佛想说一句话。再一想，这句话孔子已经说过，便是"朝闻道，夕死可矣。"我懂得孔子说这话是表示喜悦。这是我第二回读《论语》的经验。

我生平常常有一种喜不自胜的感情，便是我亲自得见一位道德家，一位推己及人的君子，他真有识见，他从不欺人，我常常爱他爱小孩子的态度，他同小孩子说话都有礼！我把话这样说，是我有一种实感，因为我们同小孩子说话总可以随便一点了，说错了总不要紧了，而知堂先生——大家或者已经猜得着我所说的是知堂先生了，他同小孩子说话也总是有礼，这真是给了我好大的修养，好大的欢喜，比"尚不愧于屋漏"要有趣得多。他够得上一个"信"字，中国人所缺少的一个字。他够得上一个"仁"字，存心总是想于人有益处。晚年不但是个人主义的存心，而是国家民族主义的存心，正是一个"信"字的扩大充实，一个"仁"字的扩大充实。因为国家的命运不好，他寂寞地忠于自己的见地，故与群众相反，这是信。敌寇当前，他还想救人，还想替国家有所保存，这是仁。这个人现在在狱中，他是如何的"忍辱"（这是他生平所喜欢的菩萨六度之一），他向着国家的法律说话是如何的有礼。我说知堂先生是一位道德家，是我最喜欢的一句话，意味无穷。但知堂先生是唯物论者，唯物论者的道德哲学是"义外"，至多也不过是陶渊明所说的"称心固为好"的意思。陶渊明恐怕还不及知堂先生是一位道德家，但"信"字是一样，又一样的是大雅君子。两人又都不能懂得孔子。此事令我觉得奇怪，不懂得道德标准来自本性，而自己偏是躬行君子，岂孔子所谓"盖有不知而作之者欤？"于是我大喜，《论语》这章书我今天懂得了！"子曰：盖有不知而作之者，我无是也。多闻择其善者而从之，多见而识之，知之次也。"我一向对于这章书不了解，朱注毫无意义，他说，"不知而作，不知其理而妄作也。孔子自言未尝妄作。盖亦谦辞。然亦可见其无所不知也。"孔子为什么拿自己与妄作者相提并论？如此"谦辞"，有何益处？孔子不如此立言也。是可见读书之难。我不是得见知堂先生这一位大人物，我不能懂得孔子的话了。我懂得了以后，再来反复读这章书，可谓学而时习之不亦悦乎。孔子这个人有时说话真是坚决得很，同时也委婉得很，这章书他是坚决的说他"知"，而对于"不知而作之者"言外又大有赞美与叹息之意也。其曰"盖有"，盖是很难得，伯夷柳下惠或者正是这一类的人了。孔子之所谓"知"，便是德性之全体，孔子的学问这章书的这一个"知"字足以尽之了，朱子无所不知云云完全是赘辞了。总之孔子是下学而上达的话，连朱子都不懂，何况其余。朱子不懂是因为朱子没有这个千载难遇的经验，或者宋儒也没有这个广大的识见，虽然他们是真懂得孔子的。我首先说我常常有一种喜不自胜的感情，是说我生平与知堂先生亲近，关于做人的方面常常觉得学如不及，真有意义。及至悟得孔子"不知而作"的话，又真到了信仰的地位，孔子口中总是说"天"，他是确实知之为知之的。儒家本来是宗教，这个宗教又就是哲学，这个哲学不靠知识，重在德行。你要知"天"，知识怎么知呢？不靠德行去经验之吗？我讲《论语》讲到这里，有无上的喜悦，生平得以知堂先生大德为师了。

抗战期间我在故乡黄梅做小学教师，做初级中学教师，卞之琳君有一回从四川写信问我怎么样，我觉得很难答复，总不能以做小学教员中学教员回答朋友问我的意思，连忙想起《论语》学而一章，觉得有了，可以回答朋友了，于是我告诉他我在乡间的生活可以学而一章尽之，有时是"不亦悦乎"，有时是"不亦乐乎"，有时是"不亦君子乎"。"有朋自远方来"的事实当然没有，但想着有朋自远方来应该是如何的快乐，便可见孔子的话如何是经验之谈了，便是"不亦乐乎"了。总之我在乡间八九年的生活是寂寞的辛苦的。我确实不觉得寂寞不觉得辛苦，总是快乐的时候多。有一年暑假，我在县中学住着教学生补习功课，校址是黄梅县南山寺，算是很深的山中了，而从百里外水乡来了一位小时的同学胡君，他现在已是四十以上的一位绅士了，他带了他的外甥同来，要我答应收留做学生。我当然答应了，而且很感激他，他这样远道而来。我那里还辞辛苦。要说辛苦也确是辛苦的，学生人数在三十名左右，有补习小学功课的，有补习初中各年级功课的。友人之甥年龄过十五岁，却是失学的孩子，国语不识字不能造句，算术能做简单加减法，天资是下愚。慢慢地我教他算乘法，教他读九九歌诀，他读不熟。战时山中没有教本可买，学生之中也没有读九九歌诀的，只此友人之甥一人如此，故我拿了一张纸抄了一份九九歌诀教给他读。我一面抄，一面教时，便有点迁怒于朋友，他不该送这个学生来磨难我了。这个学生确是难教。我看他一眼，我觉得他倒是诚心要学算术的。连忙我觉得我不对，我有恼这个学生的意思，我不应该恼他。连忙我想起《论语》一章书："子曰：有教无类。"我欢喜赞叹，我知道圣人之所以为圣人了。这章书给了我很大的安慰。我们不从生活是不能懂得圣人了。朱子对于这章书的了解是万不能及我了，因为他没有这个经验。朱注曰，"人性皆善，而其类有善恶之殊者，气习之染也。故君子有教，则人皆可以复于善，而不当复论其类之恶矣。"这些话都是守着原则说的,也便是无话想出话来说,近于做题目,因为要注,便不得不注了,《论语》的生命无有矣。

读朱注[①]

我以前读《论语》总没有读注解，也并不拿着《论语》的书读，因为小时在私塾读熟了，现在都还记得，本着生活的经验有所触发，便记起《论语》来，便是我的读《论语》了。十年以来，佩服程朱，乃常读朱注。在故乡避难时期，有两回读《论语》朱子注解，给了我甚大的喜悦，至今印象不忘，而且感激不尽。一是朱子注"季文子三思而后行"章，他引程子之言曰："为恶之人未尝知有思，有思则为善矣。然至于再则已审，三则私意起而反惑矣，故夫子讥之"。程子的话差不多做了我作事的标准，我阅历了许多大人物，我觉得他们都不及我了，因为他们都是"私意起而反惑矣"，我则像勇士，又像小孩，作起事来快得很，毫不犹疑，因之常能心安理得了，都是程子教给我的，也就是我读《论语》的心得了。我记得避难时有一穷亲戚的孩子到我家里来，我想筹点钱给他，连忙又想，这不怕他养成倚赖性吗？连忙我想起程子的话，我第一个想头是对的，应该筹点钱给穷孩子，第二个想头，其实就是"三思"，是自己舍不得了。我不知怎样喜欢程子的话哩。孔子也就真是圣人，"季文子三思而后行，子闻之曰：'再，斯可

[①] 载《天津民国日报·文艺》第1948年8月30日141期，署名废名。

矣,'"你看这个神气多可爱,然而不是程子给我们一讲,我们恐怕不懂得了,这是朱注给我的一回喜悦,还要〔有〕一回是朱子注这一章书:"子曰,不仁者不可以久处约,不可以长处乐,仁者安仁,知者利仁",朱注有云,"约,穷困也,利犹贪也,盖深知笃好而必欲得之也",我读之大喜,给了我好大的安慰,好大的修养了,那是民国三十四年春,我本来在黄梅县中学当教员,新来的校长令我不能不辞职,我失业闲居,一心想把已经动手而未完成的《阿赖耶识论》完成,正是朱子所谓"贪也",一日我读到这个注解,像小学生见了先生的面,一句话也没得说了,我们原来都是知者好学,较之颜回"一箪食,一瓢饮,在陋巷,人不堪其忧,回也不改其乐",愧不如了,因此我很喜欢孔子"仁者安仁,知者利仁"的话,然而利仁毕竟是仁,知者也终于安仁了,大约世间终于还是有两种人格,一种是不忧,一种是不惑,故孔子曰"仁者不忧,知者不惑",又曰"好学近乎知,力行近乎仁"。

今年暑假,看《朱子语类》,关于《论语》子使漆雕开仕章第一条是:

"陈仲卿问子使漆雕开仕章。曰,此章当于斯字上看,斯是指个甚么,未之能信者,便是于这个道理见得未甚透彻,故信未及,看他意思便把个仕都轻看了"。

这话我乍看颇出乎意外,因为这章书我向来没有看朱注,也不十分注意这章书,只是觉得漆雕开这个人对于出去作官的事情不敢相信罢了(,)"吾斯之未能信"的"斯"字便是指上面的"仕"字。今朱子曰,"此章当于斯字上看,斯是指个什么,"可见朱子的意思要深一层了,连忙我觉得朱子的话大概是对的,于是我再打开《论语》看:

"子使漆雕开仕,对曰,'吾斯之未能信。'子说。"("说"同"学而时习之不亦说乎"的"说"字是一样,就是"悦"字)

这一来我很喜欢这章书,诚如朱子所说,"此章当于斯字上看,斯是指个什么。"我还不是就意义说,我是就文章说,《论语》的文章真是好文章,令我读着不亦说乎了。懂得《论语》的文章,《论语》的意义也就懂得了。这章书,把先生的神气,把学生的神气,表现得真是可爱。先生的神气在"子说"二字传神。学生的神气便是这个"斯"字传神。好像漆雕开正在那里好学,手上捧一个什么东西的样子,所谓得一善则拳拳服膺,故曰"吾斯之未能信"了。你看他的话答得多快,好像不暇顾及的样子。你看先生看着这个学生该是多高兴,故"子说"(。)我记得我小时在私塾里读书读到这里的"子说",很觉奇怪,为什么忽然两个字就完了?好像小孩子不能住口似的。今日乃懂得《论语》文章之佳了。这真是一件有趣味的事。因为这章书的一个"斯"字,我乃想起《论语》里面好几个斯字,都是善于传神。我们先看这一章:

"或问禘之说。子曰:'不知也。知其说者之于天下也,其如示诸斯乎?'指其掌。"

这个"斯"字是指孔子自己的手掌,孔子说话时把自己的手掌一指了,故记者接着说明"指其掌"。这里不加说明千秋万世之后便不知道"斯是指个甚么"了。

又如这章书:

"子在川上曰,'逝者如斯夫,不舍昼夜。'"

记者要传孔子说话的神情,故先说明"子在川上",其实孔子当时只说着"逝者如斯",是他自己眼前有所指罢了。所以漆雕开之"斯"也必是当下实有所指,显得他正在那里用功了。

又如这一章：

"子谓子贱，'君子哉若人！鲁无君子者，斯焉取斯？'"

朱注，"上斯，斯此人；下斯，斯此德。"此下斯同朱子注"吾斯之未能信"之斯徒在句子里头找都找不着何所指了(。)

此外孔子说话，常常前无所指，而直呼曰"斯道"，曰"斯文"，我们读着都觉其自然。"子曰：'谁能出话〔不〕由户，何莫由斯道也！'"这或者是孔子站在门前说，——不〔一〕面指着门说"谁能出不由户"，一面指着门口的路说："何莫由斯道也"亦未可知，总之神情非常之亲切可爱。至于"斯文"二字，自从孔子说话之后，我们大家现在都习用了，如说你是"斯文中人"。

殖民地的时期已经过去了[1]

我本着我的认识,我说殖民地的时期已经过去了。过去资本主义的国家要拿产业落后的国家做商场,以几只兵舰几尊大炮作本钱,隔着岸把大炮一轰,落后的国家给吓坏了,屈服了,签订不平等条约了,帝国主义侵略的目的达到了,把人家的国家由半殖民地慢慢地变成殖民地了。这真是如意算盘。帝国主义者他不但不认为自己可耻,他还自居为文明,把别的国家的人民认为野蛮。中国是世界上最讲道理的国家,向来不侵略别人,科学虽不发达,但人民有最坚强的力量,这个力量如今在中国共产党领导之下完全发生作用了,日本帝国主义首先在中国吃了苦头,现在又轮到了美帝国主义吃苦头。事情再也没有什么便宜的。觉悟了的人民是吓唬不了的。你要打硬仗吗?我便跟你打。美帝国主义最怕的是这个,因为他没有人民,没有正义,他是机器,是纸老虎。他长期占领日本,玩弄联合国的把戏,发动侵略朝鲜的战争,很明显的是要侵略中国,走日本的老路,而他还要骗人,说他会"适可而止",要知道殖民地的时期已经过去了,现在正是

---

[1] 载《光明日报》1950年12月8日第3版,署名冯文炳。又载香港《大公报》1950年12月22日第2张第6版,署名冯文炳。

中国多难兴邦的日子了。

中国民间流行着一种经验谈:"官怕洋人,洋人怕百姓,百姓怕官。"帝国主义怕人民,中国的老百姓早已看穿了的。现在是人民政府,"官"的阶级已经消灭了,政府领导人民与帝国主义作斗争,这是今日中国的伟大!

光荣而艰巨的任务必须完成[1]

我读了周总理和郭沫若院长关于知识分子问题的报告，真是再思三思。我感到在新时代工作的意义，工作的快乐，和重大的责任。

我是一个教育工作者，从1931年起就在北京大学中文系当讲师，后来有两次失业。失业的痛苦经常在纠缠着。暑假期间天天怕失业，怕下学年的"聘书"到不了手。那时的问题完全在"聘书"到不到手，至于讲堂上讲什么课，那是随你的便，你高兴开什么课就是什么课，什么课的内容是什么，也全无一定。我有一位最熟识的朋友，有名的老教授，他讲杜诗，从来不准备，每次上讲堂只拿一本《杜诗镜诠》去就百事大吉了。学生的问题也只在乎"学分"，不管到底学了什么。非常惭愧，1949年北京刚解放时，我是北京大学的副教授，我还借自己开了一门功课的名目，怕自己没有书教。不久我开的这门课精简了。事实教育了我们，但是我非常安心，因为中国解放使得我们在精神上首先解放了暑假"等聘书"的痛苦。我认为这是一件大事。没有经过旧社会，完全在新时代工作的青年同志，是幸福的，而且应该是骄

---

[1] 载《吉林日报》1956年2月18日第3版，署名冯文炳。

傲的,工作着就表现着是"人"。我常常有这个感想。这是一件事。再一件事,解放前,在北京大学里,我常常自己思想:大学的中文系应该教些什么课?但是作不出答案来。现在,在新中国,经过思想改造,经过几年的多方面的学习,虽然学习得还很不够,必须继续努力,但是说老实话,我开始体会到什么叫做科学体系,用一句老话,"升堂矣,未入于室也。"我每一次对着我们现在的汉语言文学专业的教学计划,就非常喜悦,认识到这是理论联系实际的体现,这个计划本身就是科学。这是独立国家的、伟大人民的教学计划,中国好容易脱离了封建的殖民地的教育课程!这是学习苏联先进经验所取得的成绩!

上面两个感想,是我经常有的真实感。

今天我是开始担任着东北人民大学中文系主任的工作。上面所说的第二个感想,想起来,是"一则以喜,一则以惧",我们的任务太光荣了,我们的责任也太重大了。我们参考了苏联的先进经验制定了我们的教学计划,就汉语言文学专业的计划说,原则和方向同苏联是一样的,然而材料则正如一个是俄语,一个是汉语,都要自己搞,说俄语的人不能替你讲汉语。我们的汉语言文学专业将怎样于十二年内达到国际先进水平呢?虽然,目前我们在这方面还没大有基础,可以说只有教学计划。但是,有了教学计划,便等于工程有了图表,困难是胜利当中的困难,我们要克服困难,创造条件,毛主席向我们发出号召,我们是有信心完成任务的。或者语文科学方面还比较易于十二年内迎头赶上也未可知哩。最主要的事情还是虚心、用心,集合大家的力量学习苏联在这方面的经验。好比关于中国文学史方面的工作,完全可以参考苏尔科夫同志去年到中国来在中国作家协会召开的欢迎会上所说的话。苏尔科夫同志说：我们在文学史方面的工作，有了显著的进展。集体编写的多部的《俄罗斯文学史》开始出版了。……从马克思主义立场上分析世界的和俄罗斯的伟大文豪们的著作也在陆续付印。苏尔科夫同志指出一些书籍的主要缺点是：作者不能通过当代的整个文学的具体发展来分析某一位作家的创作。从马克思主义对形式与内容统一的论断上分析一个作家的艺术创作上的优缺点，做得也不够。苏尔科夫又说：苏联文学史家们的主要任务是摆脱重述作品内容的毛病，找出正确划分文学发展阶段的原则，并通过文学的总的发展及每个作家的创作揭示社会主义现实主义的创作方法的日益茁长的因素。这些话的深刻的内容值得我们思考。有了教学计划，有了苏联先进经验，十二年的时间肯定地能作出成绩来。

下面我再谈谈我对十二年规划和开展科学研究工作的浓厚兴趣。

在统一的教学计划之中，有一项是专门化课程，将根据各大学的条件先后设置。就东北人民大学汉语言文学专业说，应该怎样创造条件，及早开设专门化课程，而且要开哪些专门化课程，这是我们在制定十二年规划的时候一件重要的事情，关系到开展科学研究的方向，提高和培养师资的具体步骤。我有兴趣组织专门化课程的设计工作。个人保证在十二年内开设四个到六个专门化课程，逐步提高质量，达到国际先进水平。在提高自己的同时，愿培养青年教师，能培养多少人就培养多少人，决不认为是负担。

开展科学研究工作，又是一切工作的内容，等于从播种到收获。老教师和青年教师都要当仁不让。我，作为一个老教师说，去年李希凡、蓝翎就给了我很大的鼓舞,是他们增加了我对中国小说的兴趣,是他们的研究方法给我开辟了许多途径。中国的文学遗产,到了我们马克思主义者手里,将都有正确的评价。在汉语言方面,我们的研究工作又应该是丰富的,生动的,有趣的,而且非做不可的,人民目前需要我们做这项工作,我们完全有把握,因为有理论联系实际的伟大原则,只要刻苦钻研。好比我们读毛主席《〈中国农村的社会主义高潮〉序言》,读到第二句:"本来在9月间就给这本书写好了一篇序言。"这句话就表现着汉语的一条规律,就是:汉语的主词常常是不拿出来的,但一个句子里头并不是没有主词的地位。根据这样的调查研究,我们可以得出其他的汉语的规律。我们何愁英雄无用武之地!能说十二年内赶不上国际先进水平吗?有信心赶得上!因为我们有马克思主义作指导,文学语言的材料我们自己完全可以掌握。时乎时乎不再来,我们要从1956年起认真地做科学研究工作。

歌　　颂[①]

我平日看报，——看《人民日报》，常常默默地动了歌颂的感情。歌颂共产党，歌颂人民政府，歌颂人民政府的政策，总括一句就是歌颂革命，仿佛到现在我也真懂得革命似的。我又要求我怎样把我的感情表达出来，换句话说，取什么体裁写成文学作品？这却是一直没有决定的事。因此日子默默地过去了。

好比简体字在报上试用的时候，碰到一个简体字，令我非常之喜悦，我替今日的儿童感到幸福。这件事我就感到真是人民政府做的事。我记起我自己从小起，就是后来成了小说家的时候也是如此，怕写一个非简体的"灶"字。我又最怕非简体的"龟"字，简直不能把它写在格子内。我记得有一位老前辈曾经当我的面夸状元陈宝琛的字，就是他写得笔画多的字很容易装得下，我当时很佩服这句话得要领。我现在想起来，这也正是我的思想落后的证据，凡事不能有革命的意识。小时读书，有一喜一惧的事，至今犹如昨日，就是对着习字的印本"一去二三里，烟村四五家，楼台六七座，八九十枝花"，一面喜"一"、"二"、"三"、"四"、"五"、"六"、"七"、"八"、"九"、"十"好写，一面就怕"樓臺六

---

① 载《人民日报》1956年8月15日第8版，署名冯文炳。

七座"的"樓臺",因为那时没有简化。现在的儿童,尤其是将来的儿童,他们将有许许多多的幸福,我们对着他们也将有我们的欢喜,就是我们懂得他们幸福!

我并没有学好理论,但我确实能体会"理论联系实际"的精义。这也因为我对半殖民地的教育是过来人。因此,学习马克思列宁主义,常常引起我的歌颂的感情。我且谈语法的事情。我在报纸和杂志上,很注意连接词"和"字,有许多场合对这"和"字不照汉语语法用而欧化之,结果意义不明确。还有人更荒唐,引用鲁迅的一篇文章的题目,鲁迅的题目是"聪明人和傻子和奴才",而引用的人改为"聪明人、傻子和奴才",乍看之下我不懂是什么意思!是的,我们如果向老百姓不说"马、牛、羊"而说"马、牛和羊",老百姓一定是听不懂的。斯大林在他的《马克思主义与语言学问题》里面告诉我们说:"语言有巨大的稳固性和对强迫同化的极大的抵抗性。"奇怪,我们在语法方面,为什么有引起强迫同化的事实呢?这件事我耿耿在心。最近我重读鲁迅的文章,因为久不读的原故,读起来我感得鲁迅的文章最顺口——另一方面,岂不表示我们写的文章有些不顺口么?鲁迅文章里的连接词就吸引了我。就因为它念起来顺口。好比《准风月谈》里有一篇《推》,他说,"我们在上海路上走,时常会遇见两种横冲直撞,对于对面或前面的行人,决不稍让的人物。一种是不用两手,却只将直直的长脚,如入无人之境似的踏过来,倘不让开,他就会踏在你的肚子或肩膀上。……一种就是弯上他两条臂膊手掌向外,像蝎子的两个钳一样,一路推过去,不管被推的人是跌在泥塘或火坑里。"鲁迅还说前一种是"洋大人",后一种是半殖民地时代"我们的同胞"。我被他的话吸引的是一连三个"或"

字。"对面或前面的行人"里面有一个,它是连接"对面"和"前面"以便共下面的一个"的"字。"他就会踏在你的肚子或肩膀上"里面有一个,它是连接"肚子"和"肩膀"以便共下面的一个"上"字,"不管被推的人是跌在泥塘或火坑里"里面有一个,它是连接"泥塘"和"火坑"以便共下面的一个"里"字。这才见汉语连接词的功用。因此我记起毛主席的文章,毛主席在《论联合政府》里有这样一句话:"到达这一天,决不是很快和很容易的,但是必然要到达这一天。"这里面有一个"和"字,连接"很快"和"很容易"以便共一个"的"字。"和"和"或"怎样用法,"的"字加在哪里,在口语里本不成问题,在汉字拼音上恐将有问题,如果不把它们弄清楚。我们作革命干部的人,一切问题要联系实际,要解决问题,建立汉语语法正是一件革命工作。

纪念鲁迅[1]

今年是党号召"百家争鸣"之年,鲁迅逝世二十周年纪念也恰好在今年,我趁此伟大的纪念日作一家之鸣,用以纪念鲁迅。

我提出一个问题,就是,鲁迅的第一篇创作《狂人日记》是不是在十月革命的影响之下写的?许多在大学里讲中国现代文学史的老师们都说是的,鲁迅的《狂人日记》是在十月革命的影响之下写的。我的意见相反,认为不是的。我还认为这个问题本不成一个问题,事实上问题既已存在,就应该提出来解决罢了。

毛主席在《论人民民主专政》里面告诉我们说:"十月革命一声炮响,给我们送来了马克思列宁主义。十月革命帮助了全世界的也帮助了中国的先进分子,用无产阶级的宇宙观作为观察国家命运的工具,重新考虑自己的问题。"中国的先进分子,是以毛主席为首的中国共产党人,首先在中国接受了无产阶级的宇宙观重新考虑自己的问题。鲁迅不属于这一种人,他是小资产阶级革命知识分子;孙中山也不属于这一种人,他代表资产阶级民主革命。孙中山、鲁迅都是因为中国共产党人的帮助而欢迎

---

[1] 载《长春》月刊1956年10月1日创刊号"鲁迅先生逝世二十周年纪念"栏,署名冯文炳。

十月革命,而接受马克思列宁主义的。毛主席说得很明白,"重新考虑自己的问题",我们要注意这里的"重新"两个字,就是"打破了中国人学西方的迷梦",而重新用另一个方法考虑问题。这个迷梦,中国共产党人打破得最早,是因为十月革命送来了马克思列宁主义。鲁迅的重新考虑,那就比较地晚了,的确如他自己一九三二年在《二心集》序言里说的:"后来又由于事实的教训,以为惟新兴的无产者才有将来,却是的确的。"若他写《狂人日记》的时候是一九一八年四月(四月写成五月发表),那不是"后来",那是太早,连最早的中国共产党人都还没有开始"重新考虑自己的问题"哩。鲁迅是伟大的,在写《狂人日记》的时候,他是"先进的中国人"。其所以为"先进的中国人",是马克思列宁主义还没有送到中国来,而在辛亥革命之后,在五四运动之前,他以革命的热情高呼封建历史是吃人的历史,当时的进步知识分子,包括最早的共产党人在内,谁都读了《狂人日记》,谁都受了影响。所以鲁迅是中国反封建运动的启蒙者,是空前的民族英雄。而马克思列宁主义一送到中国来,中国发生了五四运动,中国共产党成立与劳动运动真正开始,鲁迅的《狂人日记》的思想马上退到舞台后面去了,往下的问题是小资产阶级知识分子鲁迅自己的思想改造问题哩。这只表示中国的事情变化得快,马克思列宁主义的力量大,中国共产党的使命大,而鲁迅,同孙中山一样,是伟大的"先进的中国人"。这些事情,本来属于常识范围,而好心的朋友们,生怕减低了鲁迅的价值,把鲁迅一开始写小说(刚好在十月革命后几个月)就同十月革命联系起来,其实从这里不能发生任何教育作用,相反地只好形成教条主义。

　　好心的朋友们认为《狂人日记》是在十月革命影响之下写的

唯一的旁证材料,是《热风》里的一篇杂感《圣武》。其实《圣武》这篇文章,内容不用说,就连字面上与十月革命也丝毫没有关系。关系在于《圣武》是紧跟着另一篇杂感《来了》写的,是《来了》的续篇,在《来了》里面明明提到"过激主义来了"(,)那么《圣武》里面虽然没有"过激主义来了",也就等于"过激主义来了",有"过激主义来了"就可见鲁迅的文章是在十月革命影响之下写的,内容如何在所不问。这两篇杂感都是一九一九年五月发表的,而《狂人日记》只不过早一年,《狂人日记》里面虽然没有"过激主义来了",也等于有"过激主义来了",所以《狂人日记》是鲁迅在十月革命影响之下写的,内容如何在所不问。所谓证据就是如此。其实在鲁迅写《来了》、写《圣武》的时候,共产党人李大钊同志,倒已经在中国歌颂十月革命,宣传马克思主义——而鲁迅不与焉。而提前一年鲁迅写《狂人日记》的时候十月革命的炮声是不是传到了中国?最好是说没有。因为最早的中国共产党人还没有响应。到了中国共产党人大声疾呼歌颂起十月革命来,鲁迅"却并未留心他的文章",有鲁迅的《〈守常全集〉题记》为证。正在这个时候鲁迅写的杂感,虽说上面有"过激主义来了",那是他说他"近来时常听得人说",听得人说这一句话,因而引起了他的感想。他的感想主要写在《圣武》里面。

《圣武》的主题思想是希望中国人看见"新世纪的曙光","曙光在头上,不抬起头,便永远只能看见物质的闪光。"鲁迅这种思想,在他那时写的《我之节烈观》里也有表现,都是对当时中国的事情发生叹惜。《我之节烈观》里面说,"时候已是二十世纪了;人类眼前,早已闪出曙光。"而在中国当时,"将时代和事实,对照起来,怎能不叫人寒心而且害怕?"所以我们说他是叹惜。在他更早写的《文化偏至论》里更充分地表现他的"新世纪的曙光"的思想,他认为二十世纪不同于十九世纪,他概括为二事,"日〔曰〕非物质,日〔曰〕重个人。"所以在《圣武》里也有"不抬起头,便永远只能看见物质的闪光"的话。总之他认为新世纪的曙光是个人求得解放。好心的朋友们,一看见鲁迅的"新世纪的曙光"的字面,便指为十月革命的光辉所照,不然就不能算是鲁迅似的。鲁迅倒真是鲁迅,他要求个人解放,以这个思想为基础,乃在辛亥革命之后,五四运动之前,为中国人民写了声讨封建文化的檄文《狂人日记》。

一九一九年中国发生了五四运动,一九二一年中国共产党成立。鲁迅由"呐喊"而转为"彷徨"。到了一九二七年,大革命之后,他自己首先说现在倘再发《狂人日记》似的议论"连我自己听去,也得觉〔觉得〕空空洞洞了。"往下鲁迅在自我改造上所用的功夫真值得我们学习!往下鲁迅对反抗反革命的文化"围剿"所树立的伟大功勋真值得我们纪念!我们去读从《二心集》起一连八个杂文集,我们想一想毛主席说的"共产主义者的鲁迅,却正在这一'围剿'中成了中国文化革命的伟人"这句话!

鲁迅的学习理论与自我改造决不是简单容易的事。他自己动手翻译马克思主义文艺理论的书,他喻为"从别国里窃得火来,本意却在煮自己的肉"。又说他翻译的情形:"打着我的伤处了的时候我就忍疼,却决不肯有所增减"。这就是说学习理论同时自己作思想改造,是痛苦的事,同时是痛快的事,决心要做。他在《〈守常全集〉题记》里说:"在《新青年》时代,我虽以他为站在同一战线上的伙伴,却并未留心他的文章,譬如骑马不必注意于造桥,炮兵无须分神于驭马,那时自以为尚非错误。"可见后来以为是不对的。在《我们要批评家》里他说:"这回的读书界的趋向社会科学,是一个好的、正当的转机,不惟有益于别方面,即对于文艺,也可以催促它向正确,前进的路。"这些话对我们有极大的教育意义,等于鲁迅的自我批评,他早期的个人解放思想就是因为不趋向社会科学,离开阶级斗争而求个人解放。

如果说鲁迅在一九一八年开始创作就是因为在十月革命的影响之下,则鲁迅的价值我们完全认识不清,教条主义是把人愈弄愈糊涂的。伟大的鲁迅,你是五四前夕反封建运动的第一个旗手!你是中国人民反文化"围剿"的唯一的功臣!我们学习你学习理论!我们学习你自我改造!你永远是我们的榜样!

感谢和喜悦[1]

我常常怀着感谢同时有极大的喜悦的感情,原因就是我从中国共产党受了教育。在解放以前我万万想不到在文学方面我还有这么多的工作可做,我以为我已经走进死胡同里面去了的。关键在于思想改造。1952年以后,我感到我的业务范围扩大了,同时仿佛水平也提高了,我跃跃欲试!一方面知道个人的能力有限,一方面确是前途大有可为。所以我于感谢共产党之外,又喜于自己有补过的勇气和信心。

我过去对中国古代的一些杰作,杜诗、《水浒》、《红楼梦》,甚至对现代鲁迅的著作,都不懂得,想起来真是可怕的事!我说不懂得,不是不懂得它的语言,语言我倒是很懂得,就是不懂得它的意义。1952年10月以后,我开始想到孔夫子一句话,"温故而知新,可以为师矣"。那意思大约是说重读旧日读的书,而了解大不同了,能够有新的了解。我首先重读鲁迅的著作。我读到《华盖集》里面的一篇《并非闲话》(二),真是掩卷深思,我懂得什么叫做立场问题了,过去我就不能懂得这个,鲁迅先生的伟大就因为他的立场总站在人民方面。那是1925年北京的事,两个美

---

[1] 载《人民日报》1956年10月15日第7版,署名冯文炳。

国兵打了中国的车夫和巡警,中国人民聚了百余人要打这两个美国兵,美国兵逃进东交民巷(半殖民地中国的外国使馆区域,驻有外国兵!)里面去了,中国人民当然就不能进去打,进去打就要惹出祸事来。中国的反动知识分子乃用"闲话"做题目讥笑中国人民:"打!打!宣战!宣战!这样的中国人,呸!"鲁迅先生的《并非闲话》(二)就是痛骂反动知识分子,我注意到里面这两句话:"他们为什么不打的呢,虽然打了也许又有人说是'拳匪'"。鲁迅先生这时还没有接受马克思列宁主义,对义和团反帝国主义的性质还认识不清楚,在自己的文章里叙到义和团的事情还总是用"拳匪事件"字样,而一参加实际斗争,就站在义和团——人民的立场上来了!我读到这里,仿佛鲁迅先生今天教育了我,要懂得什么叫做立场,——其实是中国共产党教育了我!

重读杜诗,处处有新的问题,好比向来有名的《赠卫八处士》,我想,这首诗明明是同三"吏"、三"别"在同一年春天诗人在同一旅途当中写的,在《新安吏》里,"县小更无丁","次选中男行","肥男有母送,瘦男独伶俜",何以"处士"家庭男女成行迎接来客很像《桃花源记》里面的世界呢?这却是真实的历史,是地主阶级,"生常免租税,名不隶征伐"的历史。

我过去读《水浒》很不佩服武松,现在丝毫也不是假装今日之我同昨日之我战,思想感情自然地变了,我真爱武松这个人物,《水浒传》写了武松报仇雪恨火一般的愤怒之后,特地来一场十字坡同孙二娘打架的描写,庄严诙谐,顶天立地,好一个英雄本色。不懂得这种文章之美者,无目者也。我过去就是"无目",所以然还是立场的关系,感情不能站在武松这一面,就很容易受外国的资产阶级文学观点的毒。我现在想把《水浒》好好地分析一番,把它的好处告诉青年读者。

当我最初读到批评俞平伯先生《红楼梦简论》的文章,受的启发真不小,那时我正在害眼病,禁不住托人买了《红楼梦》重新读了一遍。我笑我过去真是渺小。我记得我从前在北京大学做学生时不很看重《红楼梦》,原因是以为曹雪芹不懂得李商隐的诗,《红楼梦》里面说李商隐的诗只有"留得枯荷听雨声"一句好。这表现我的兴趣多么狭隘,那么佩服李商隐。我至少也写了十年的小说,正因为对于《红楼梦》的现实主义的精神望尘莫及,所以自己一事无成。

我还没有来得及系统地作文艺理论的研究,但个人的科学水平从几年来看报跟着大家一路提高了,我觉得我们现在一般的文艺爱好者比五四初期北京大学执教鞭的人要高一层。我自己现在说话能够不玄妙(过去就是玄妙,玄妙就是唯心!),能够说得具体,说得明白,仔细一想原来就不外"语言","形象","典型"几个范畴在那里发生作用,解决问题,多么真实,多么有趣啊!周扬同志在《建设社会主义文学的任务》的报告里提出建设我国的马克思主义的文艺理论的任务,我很想做一名志愿兵。

鲁迅先生给我的教育[①]

　　鲁迅先生给我的教育,不是鲁迅先生生前给我的,是鲁迅先生死后,是中国已经解放了,有一天我感得我受了鲁迅先生很大的教育。说起来是我的痛苦的经验,我想告诉爱好文学的青年同志们。
　　学习文学的人,如果不热心政治,那是没有什么前途的,简直是一个危险的道路,我的痛苦的经验告诉我是如此。在"五四"后,我对文学发生兴趣,想把毕生的精力放在文学事业上面。起初我并不脱离政治,对政治是热心的,我最早写的一篇小说就是写自己同北京大学的同学们向那时的北洋政府请愿挨打的事情。不久就一天一天地逃避现实了,自己以为自己的小说越写越好,其实是受了欧洲资产阶级文学观点的影响,把中国的宝贵的现实主义传统一下子给扔了。那时鲁迅先生的《彷徨》正出版,我对它就不如《呐喊》初出版时那么热心,《呐喊》我是预约买的,如饥如渴地盼望它出版,一出版就去取书,拿在手上就看那一篇《自序》,非常受其吸引地读下去。《彷徨》也买了一本,翻开

　　[①] 载《吉林日报》1956年10月19日第3版"纪念鲁迅逝世二十周年"专栏,署名冯文炳。

一看,没有著者自序之类的东西,只在卷头引了屈原《离骚》里面的几个句子,"朝发轫于苍梧兮,夕余至乎县圃;欲少留此灵琐兮,日忽忽其将暮。吾令羲和弭节兮,望崦嵫而勿迫;路漫漫其修远兮,吾将上下而求索。"我看了之后就很不懂了,也没有求懂的兴趣,扔了。这一扔,不但扔了鲁迅,也扔了屈原,也扔了司马迁等等。我自己的文学活动也继续了几年罢,几年之后就停止了,因为走进死胡同里面去了。直到解放后,我在北京大学中文系教课,因为受了时事的教育,受了中国共产党的教育,有一天我体会到现实主义的意义,很自然地我记起《彷徨》的题辞,我当时真要流泪,我受的教育太大了!从此我对鲁迅,对屈原,有所懂得,爱他们。我过去,因为经过自己的劳动的缘故,对祖国的语言是真爱好,可是到现在才懂得什么叫做"形象思维"。不说别的,鲁迅用了"彷徨"两个字做了他的小说集的名字,这就表示鲁迅的"思维",而做了鲁迅小说的题辞的屈原的诗句又是多么美丽的爱国者的形象呵!我过去以为我懂得中国文学,其实很不懂得,不懂得屈原,不懂得鲁迅,怎么配说懂得中国文学呢?要懂得屈原,懂得鲁迅,就必须有高度的政治热情,政治与业务不是分离的。我现在对中国文学研究的兴趣非常大,感得前途无限似的。

高潮到来了[1]

我这几天一天天地变个样儿,真像春天里欲开未开的花一样,现在快要开了,——就说开了吧!是的,应该当家作主,再也不要迟疑,有困难再克服。我说出"开了"二字,便表示我要订计划,订两个五年计划,第一个五年写一部长篇小说,第二个五年写又一部长篇小说。中国古人造一个信实的"信"字道:"人言为信。"造吉祥的"吉"字道:"士口为吉。"我是一个守信的人,我又是一个知识分子,向来说话谨慎,何况在社会主义竞赛当中我又懂得什么叫做纪律,不是满心欢喜,而又确有信心,不会像今天一样报告一枝花开的消息的。

我说信心,是我相信我国的文化建设高潮到来了。

我又确实感谢毛主席"百花齐放,百家争鸣"的号召,毛主席好像知道我的心事似的,我这几年来也好像合作化高潮以前一户贫农要加入合作社一样,很想搞创作,但得不到鼓励,今天毛主席的号召鼓励我了。

我的信心又确实从我个人的体会来的。几年以来,我常常有一个疑问,"五四"新文学运动时,一时做新诗写小说如雨后春

---

[1] 载《吉林日报》1957年5月8日第3版,署名冯文炳。

笋,很有着朝气,那还不过是一点自发势力,并没有得到社会的支持,我们现在党和政府,还有广大的读者群众,都那么地爱护作家,希望作家,鼓励作家,而我们的文艺,在毛主席《在延安文艺座谈会上的讲话》以后,呈一时之盛,打开了划时代的方向和道路,全国解放后则作家创作远远落后于社会现实的发展,真真令人气闷,是什么原故呢?现在知道教条主义和宗派主义有一定的阻碍作用。又知道这种阻碍是暂时的,性急的人正是不懂得规律,在敌我矛盾基本上解决了的今天,矛盾是上层建筑和(经济)基础之间存在着,"百花齐放,百家争鸣"的雨露就从天而降了,这就是在社会主义经济基础之上培植起上层建筑来,这是千载难逢的喜事,什么力量将都发挥起来了,我们看吧!

读古书①

我写这篇小文的意思,是表示我极其坚决地反对今天的右派。为什么用"读古书"这三个字做题目呢?是因为我在报纸上看见的揭发的材料右派头儿章伯钧主张读古书,如孔子的《论语》等。我今天谈的读古书,是读《孟子》。

如果我们以无产阶级的宇宙观武装我们的头脑,则孔孟之书到今天是值得一读的,它首先能够教育右派分子要有是非之心。

下面我就读《孟子》。

孟子对着齐宣王说:"王之不王,不为也,非不能也。"就是说要把国家搞好,哪里有什么能不能的问题呢?只怕不努力。然而在近代,也就是说从鸦片战争失败那时起,我们总觉得中国问题是"不能"的成分多,赶不上列强,爱国者谁都有苦闷。到今天,我们要建设社会主义社会,不是"不能",只怕"不为",又决不许"不为"!这不很明白吗?共产党领导的人民政府团结一切力量,五年计划,社会主义改造。……如果说工作当中有缺点或错误,那是当然的,在这样大的国做这么大的事业而能不有缺点或错误,那不是说神话吗?当然,成绩是主要的,美帝国主义者天

---

① 载《人民日报》1957年8月3日第8版,署名冯文炳。

天咒骂我们就因为我们有令他们发抖的成绩。然而右派分子却看不见自己国家几年工夫得到的前无古人的成绩，强调缺点，这就合了孟子的话："明足以察秋毫之末，而不见舆薪！"这证明他们没有是非之心！用科学的话说，他们的立场同人民不一样，他们是反动的立场。

中国现在何以能够不是"不能"？察秋毫之末的右派分子看得见这个大原故吗？"发展重工业"在过去，我们谈得上这一句话吗？那真叫做梦。近百年来，先进的中国人都在做这个梦，一心想学外国，羡慕西方国家的科学技术。我们现在知道，这叫做单纯技术观点。毛主席曾经严肃地然而很有风趣地问过我们："很奇怪，为什么先生老是侵略学生呢？"这就是告诉我们这些死脑筋，马克思列宁主义才真是半殖民地中国的先生！是的，马克思列宁主义指导我们农业合作化了，中国有发展重工业的条件了，这叫做翻天复〔覆〕地的大事，这是政治大事，就是共产党领导的中国革命，就是阶级斗争。可笑的是我们过去单纯技术观点的学西方的迷梦！把落后的农业国变为工业国，在今天只是一个计划问题——而计划是一定要实现的，这靠全国人民的努力。所以今天中国建设社会主义社会，"非不能也"，只怕"不为"。"不为"就是右派分子要开倒车，人民允许吗？

孟子是唯心论者，唯心论者对剥削阶级也有他的深刻的认识："不仁者，可与言哉？安其危而利其灾，乐其所以亡者！不仁而可与言，则何亡国败家之有？"我认为这番话足以说明剥削阶级的本质。中国的右派，时至今日，他们所"安"所"利"，所"乐"，都是同人民处于极端相反的地位，真是危险。

中国人民一定要在中国共产党领导之下建设社会主义社会！

必须党领导文艺[①]

必须党领导文艺,我写着这一句话,就想起鲁迅说他的《呐喊》是"遵命文学"的话。鲁迅还解释他遵命是遵革命者的命令。时代前进了,今天党领导文艺,内容丰富得多,都是科学上的具体项目,而鲁迅在五四初期跟着当时的革命者而"呐喊"的感情太值得我们追念。起初他还是自发愿望,后来他就接受中国共产党的领导。他的才能到他的晚年发挥的淋漓尽致,不妨说前无古人,后无来者的鲁迅杂文是中国新民主主义革命时代的诗史。"遵命文学"四个字,把鲁迅可爱的个性完全表现出来了,这里面包含着丰富的经验,伟大的思想感情。在鲁迅最初写小说的时候,我还年青,不懂得鲁迅的思想感情。自己没有主导思想,不懂得关于国家民族命运的大事,脱离政治拼命地搞文艺,妄自尊大,不知那正是受了资产阶级文艺思想的毒。到了解放后,时事教育了我,马克思列宁主义的学习唤醒了我,回头来我认识鲁迅,他是懂得中国新文学应该服务于中国革命的第一个人。今天的中国比起鲁迅所处的中国是光明与黑暗两幅完全不同的图画,中国共产党领导的中国革命成功了,中国人民在中国

[①] 载《吉林日报》1957年8月10日第3版,署名冯文炳。

共产党领导之下建设社会主义社会。今天却又令我有一个极可惊惧的事,像我这样五十以上的人重新发奋,跃跃欲试,无论科学研究,或者文艺创作,是真真觉得有前途,大家共同努力创造社会主义的民族的文化,而就在此时忽然掀起了一股逆流,仿佛要讨论一下党究竟能不能领导科学,能不能领导文学艺术——哎呀!这完全出乎我的意外!我的心思完全没有用在这个上面!这给我敲了一下警钟。这还是一个革命问题,是阶级斗争问题。资产阶级思想的经济基础在我国虽然已经基本上消灭了,但抱有资产阶级思想的人对新的社会还很不习惯,他们还很有野心,他们还梦想在社会主义经济基础之上搞剥削阶级的一套,甚至要资本主义在中国复辟,揭穿了就是如此。就文艺说,共产党领导文艺,无非是帮助作家逐步树立共产主义的世界观,进行思想改造,组织作家下乡下厂,同工人农民打成一片,大量创造出为新时代的人民所喜闻乐见的作品来,——这是起码的工作,共产党一定要领导我们做的工作,有什么共产党能不能领导文艺的问题呢?是我们文艺工作者愿意不愿意为劳动人民服务的问题,愿意不愿意为创造社会主义的民族的文学艺术而尽忠的问题。

是的,我们文艺工作者必须回答这一问题,我们愿意不愿意为劳动人民服务?愿意不愿意为创造社会主义的民族的文学艺术而尽忠?我们如果从思想上、感情上肯定了这个问题,那末我们就有我们共同的要求:必须党领导文艺。

不是党能不能领导文艺的问题,是文艺工作者自己的思想改造问题!

首先我就说过,今天党领导文艺,都是科学上的具体项目,我想把我的体会稍为谈一些。失败是成功之母,我现在还谈不上成功,(我正在追求!)我确实在失败之中吸取了许多经验,所以我的话决不是搬教条,应该算是老生常谈。下面我就五件事说:

一、作家的世界观

我喜欢谈中国的事情。在古代,任何作家都有他的世界观的。成就愈大的作家他的世界观就愈显著。我们现在叫世界观,从前的人叫儒家、道家、佛教等派别的思想。真是一件有趣的事,从前作家的意识形态,就不出乎儒家、道家、佛教三派的思想,简直没有例外,这可以表明他们是替他们的经济基础服务了。屈原是儒家的世界观,所以在他的《离骚》里推崇尧、舜、三后,他的行动以"前圣"、"前修"为标准。陶渊明也是儒家,但在他的世界观里儒家与道家平分秋色。杜甫与陶渊明相似而又相反,在他的世界观里有儒家成分,有道家成分,而他的行径是积极的儒家,称"陶潜避俗翁,未必能达道。"杜诗里也有关于佛教的,不过那完全是表面的感想,对他未起任何作用。陶渊明是著名的不同和尚来往的人。曹雪芹对庄子、对佛教的"空",当然都是受了影响的。中国古代作家的世界观就是儒、佛、道三教,确乎因为他们的世界观而形成他们的艺术特点。我们再说我们的导师鲁迅吧,鲁迅早期是生物进化论的世界观,后期觉悟到"只信进化论的偏颇",所以在《二心集》里《我们要批评家》里面说:"这回的读书界的趋向社会科学,是一个好的,正当的转机,不惟有益于别方面,即对于文艺,也可以催促它向正确,前进的路。"这就是要我们学习社会科学树立马克思主义的世界观。作家的世界观也有影响于他对形象的刻划,在外国的小说、戏剧里这种例子非常多,我们只举我们的鲁迅的一个例子。鲁迅早期因为相信进化论,在《头发的故事》里曾提到"造物的皮鞭",在《药》里便这样刻划一群市民看刽子手杀人的形象:"老栓也向那边看,却只见一堆人的后背;颈项都伸得很长,仿佛许多鸭,被无形的手捏住了的,向上提着。"这个形象是多么生动,作者的思想是多么沉痛。"无形的手"就是"造物",就是"自然"的意思,就表现着鲁迅早期生物进化论的世界观。所以说到作家的世界观,是千真万确的事。我们今日当然不能有儒、佛、道教的世界观,鲁迅后来也纠正了"只信进化论的偏颇",我们要正确地反映我们的现实,没有共产主义的世界观行吗?这是第一件事,我们要好好地学习!否则就如孔夫子劝他的儿子学《诗经》的话:"人而不为《周南》、《召南》,其犹正墙面而立也欤!"这意思就是说,你不学习那你对社会是什么也看不见!

二、作家的政治标准

作家的政治标准是从他的世界观来的。屈原的标准是"及前王之踵武"。陶渊明《饮酒》诗最后一首是他的政治标准,在这首诗里他特别向往诗书礼乐。杜甫《昼梦》一诗里说着"安得务农息战斗,普天无吏横索钱",可说是他的政治标准。吴敬梓、曹雪芹都有政治标准。在古典文学,要说哪一个作家,哪一部作品没有政治标准,那才是怪事哩。我们一些人有时头脑胡涂了,强调什么艺术标准,不知道这正是属于资产阶级思想范畴的艺术标准,在中国古代文学里是没有的。而在近百年来半殖地的中国单纯提倡什么艺术标准,那是非常危险的,因为它对帝国主义有利。

三、深入生活的程度

　　世界观与政治标准任何作家都有的。还要看作家深入生活的程度。深入生活，就是说作家要投到社会现实中去。作家对社会现实接触得浅，是他的作品带有局限性的原因。好比陶渊明，在他的作品里并不能令读者看出他所处的社会的面貌到底怎么样，因为没有什么反映，而在他稍后的鲍照的诗里却有"岁暮井赋讫，程课相追寻。田租送函谷，兽藁输上林。河渭冰未开，关陇雪正深。笞击官有罚，呵辱吏见侵"的抒写。陶渊明对时代的感触当然是有的，但以"不知有汉，无论魏晋"的声一出之，就近乎逃避了。在这里所引的鲍照的诗最后还有两句："不谓乘轩意，伏枥还至今。"比起陶渊明来，鲍照还想做官，世界观要庸俗一些，然而在诗里反映了社会面貌到底可贵。陶渊明如果深入到社会现实中去，那他的成就无疑就更大了。杜甫的价值就在他对社会的深入，因之他的诗成为诗史，他的诗写了典型人物，他对祖国能有"北极朝廷终不改，西山寇盗莫相侵"的信念。今天党号召作家深入工农兵，向工农兵学习，这是因为我们是处在人民的时代，有前人所未有的工程等待我们做。深入生活，向劳动人民学习，我们的共产主义的世界观也就渐渐树立了，我相信我们的文艺必定面目一新，光芒万丈。

四、现实主义传统

　　在五四初期搞新文学运动的人，除鲁迅而外，都受了欧洲资产阶级文艺思想的影响，并不懂得中国文学的现实主义传统，所以当时他们瞧不起元曲,瞧不起《三国演义》和《水浒》。马克思主义的文艺理论告诉我们要写典型,要写正面人物,而我们古典文学的戏曲小说正是如此。我们古典文学的人物都是妇女,都是乡民,都是坚持正义胜利的,这又证明马克思主义的文艺理论并不是空想,在中国的土壤里早已生长了这些东西。举一个有趣的例子,在王昭君的故事里,在文人咏王昭君的诗里,王昭君嫁到匈奴去了,而元曲《汉宫秋》,王昭君走到番汉交界的江边,叫道:"大王,借一杯酒,望南浇奠,辞了汉家长行去罢。"于是她假装奠酒就跳了江。番王救之不及,叹道:"昭君不肯入番,投江而死。罢,罢,罢,就葬在此江边,号为青冢者。"这是多么美丽的故事,这是人民的愿望,人民总要正义胜利。其他著名的正面典型人物就不必多说了。而中国古典文学这个宝贵传统为五四初期受欧洲资产阶级文艺思想影响的少数人所不理解,反而加以歪曲。今天是马克思主义的文艺理论替我们把传统又发扬起来了!可笑有一些人不懂得这个道理,说什么正面人物写不好,写不真实,要知道这正是作家自己的立场问题!党领导文艺,就是以马克思主义的立场、观点、方法领导文艺!

五、社会主义现实主义

我对文艺理论学习得很不够,但我对社会主义现实主义有一些体会。我强调学习政策的重要。我相信,在每次运动的时候,掌握政策,又参加运动,你如果是作家的话,就能够把这个运动源源本本写下来,而且写得有声有色,而且有教育意义,就是社会主义现实主义的作品。我记得在土改当中,还没有下去,先学习政策,政策交代我们要依靠贫农,团结中农,最初是不能了若指掌的。下去后,对于访贫问苦也束手束脚,显得被动。等工作完了,领导上做了总结,我才明白起来,中农贫农以及地主富农的形象跟着实际人物的姓名都在我的脑中活跃了,我觉得我可以写一部小说,我又觉得这部小说就体现土改的政策,再一想,在文学上描写土改运动的不是社会主义现实主义的作品吗?它是马克思列宁主义领导的,它包含着丰富的社会各阶层的形象。再如人民政府稳定物价吧,粮食政策吧,我们只要掌握了政策,参加到实际工作里去,都可以写得出拍案惊奇的小说来,(我过去是写小说的,所以总记得小说!)都是社会主义现实主义作品。作家掌握政策是头等重要的事情,再是参加实际运动。第三步才是写作。作家的写作相当于领导同志的工作总结,一个是理论,一个是形象罢了。社会主义现实主义的杰作是层出不穷的,在于作家努力。又在于党的领导。党所领导的本来就是社会主义的现实。作家你另外加上你作家的本领好了,本领越大越有用。列宁说得明白:"在这个事业上绝对必须保证个人创造性、个人爱好的广大的空间,思想和幻想、形式和内容的广大的空间。"

你说党不能领导文艺,是你不很懂得文艺。在共产党领导的中国,必须党领导文艺。

必须做左派①

我相信党,相信群众。我相信这回农村中展开大辩论其结果必是好得很。中国的社会主义一旦在农村中生起根来,中国的社会主义将在世界的舞台上大放光彩,然后全世界的目光都集中到这一朵花,只有帝国主义者发抖。党所领导的每一个运动都提高了我,这回的反右派斗争把我又推进了一步,有一句话我觉得应该用很大的声音说出来,就是,所有我们文艺工作者必须做左派!我说这一句话,确是费了准备,然而话是很平常的,因为几亿农民将都是左派,二千几百万工人不用说都是左派,难道我们真是"斯文中人"居然例外?左派云者,无非是相信党的领导,走社会主义的路。就是今天的资本家,听了李维汉同志的话,"在社会主义革命已经在生产资料所有制方面取得了决定性的胜利以后,……人们如果继续坚持资本主义立场,企图恢复资本主义经济,那就是企图使历史倒退,那就是一种反动的立场",除了向左转也没有出路。总之我们国家现在是社会主义的经济基础了,社会主义应该是全中国人民共同的灵魂了,作为灵魂工程师的文艺工作者决不能落在后面,感觉应该格外敏锐些,处处

---

① 载《长春》月刊 1957 年 10 月 1 日 10 月号,署名冯文炳。

看得见新鲜事物,然后真是大块文章,百花齐放,提高和普及并不相妨,内容对形式推陈出新!

是的,我完全相信,从我们这个社会生长起来的新一代的人,等他们做起作家来,在他们的笔下,我一个老作家,一定象刘姥姥(其经验不能不算丰富)走进大观园,应接不暇!我记得在我小时看见十来二十个人合伙"打山"(山乡里秋收后把山上松树伐下来作次年燃料之用),欢喜欲狂,小孩子那么地爱好大人们的集体劳动,后来读《诗经》见其形容快乐的语言有"我心写兮"一句,而作为"我心写兮"的比兴的形象就是"陟彼高冈,析其柞薪",把我小时"我心写兮"的情状都唤起来了,我想这也决不是我个人一时的联想,《诗经》形象的取得是有相似的集体劳动生活的经验的。我在五四初期写小说,与我的儿童生活最有关系,而我们那时的儿童生活是贫弱的。去年我接到故乡一个初中学生来信,他告诉我乡下修水库的盛况,白日是千千万万的人,夜里是千千万万的灯,我连忙就想,后一代的文艺创作将超过历史上任何一个时期,陶渊明、李白、杜甫、曹雪芹,将都成了刘姥姥,在新世界的面前显得没有见过世面。我完全这样相信。在新的社会制度、新的经济基础之上长大的小孩,将是新的人,将有新的文艺。今日的小孩,与我们从前比较起来,确实处在两个不同的世界。我再举一个例子,我小时与农村一部分生活密切,后来在北京,常常看见北京的小孩子模仿警察拿绳子拴人牵着他走的动作,这是大城市里特有的,乡村里无有,而1951年我在江西农村参加土改,看见贫雇农的小孩子学习斗地主的场面,真是可观,其中戏剧性比起北京小孩子伟大多了,我看着真是羡慕,我想我如果在这一群人物中长大,我的小说要超过历史上任何作家,我决不欺人。我们未来的文艺的繁荣将与我们新中国的繁荣成比例,是可以断言的。我们有一些人,仿佛杞人忧天似的,叹息今天没有杜甫、没有曹雪芹等等的杰作出世,他们完全忘记了我们现在是处在过渡时代。有一些人口称古人,他们并不是学习古人,也并不是懂得古人,他们举出杜甫、曹雪芹的名字,是因为马克思主义文艺理论发掘了古典文学的现实主义的传统,他们乃鹦鹉学舌,故意长古人的声价来灭今天新生力量的威风,实在他们所留恋的是资产阶级个人主义的腐朽的灵魂,他们是右派!他们反对社会主义文艺路线,他们反对党对文艺的领导。看吴祖光的话:"谁能告诉我,过去是谁领导屈原的?谁领导李白、杜甫、关汉卿、鲁迅?"这是瞎说,这是猖狂到了极点。鲁迅之所以为鲁迅,就因为他是新文学的伟大创始人,而鲁迅自觉地接受党的领导。屈原的时代怎么会有党的领导呢?杜甫的时代怎么会有党的领导呢?我们今天有党的领导而右派分子就反对党的领导!这就叫做右派!党领导中国革命取得了胜利,党正在领导全国人民建设社会主义社会,连工商业者都必须接受改造,由剥削者逐渐变为自食其力者,参加社会主义建设,谁不如此谁就在热火朝天的生活当中没有事做,难道文艺工作者独能不接受党的领导有何个人营生吗?现在并不是有没有你的市场的问题,现在是没有这种货色存在的余地!这是基础与建筑的关系。毛主席以前告诫我们不与工农结合则将一事无成,我看时间又已前进了,现在不是有成无成的问题,现在不与工农打成一片,则我们将是化外人!工农不允许我们。

灵魂工程师若与劳动人民没有共同的语言,不可的。我们必须觉悟,必须做左派。未来中国的文艺花园,将是社会主义时代的大观园,过去的《红楼梦》比得上吗？很明显,鲁迅的《祝福》在我们电影上出现已经改换了一些场面了,这就反映了今天的群众对艺术的要求超过鲁迅当时。我们许多人,都是新旧时代的过渡者,但我们有信心,也有条件(比如我们的经验丰富)跨进新的花园,主要是接受党的领导,学习马克思列宁主义,进行思想改造,深入生活,体会政策。毛主席《在延安文艺座谈会上的讲话》本来早就是告诉我们这些事,到今天,至少我这个迟钝的人是如此,才真感到大事临头,非急起直追不可！

刺恶篇[1]

中国优良传统之一是具有正义感的人一定要同坏分子斗争，那怕彼此是最熟的人。三国时代管宁不肯同华歆一块儿坐，因此向来就流传管宁割席的典故，我憎恶你这个坏人，就说我同你"割席"！这些时我们吉林省、长春市文艺界开反右派斗争大会，我真真地厌恶蒋锡金的面孔。蒋锡金从前我并不认识，今年四月里在一个会场上我才认识他。这些时我在斗争会上特别憎恶他，我对他的面孔非常熟悉，他总坐在我的对面！我所以憎恶他是憎恶他的丑恶的灵魂，所以我一望见他我就生气了。今天我把我憎恶他的理由说出来，我相信我的这篇小文章是人民时代的美文，因为它是贬丑，它也相当于古代诗经的刺恶篇。

蒋锡金自己有一句话，"这是开玩笑，开党的玩笑"，我把蒋锡金在各个座谈会上的发言都看了，我看蒋锡金就是同党开玩笑！蒋锡金的面孔就是同党开玩笑的面孔，所以我憎恶他！中国共产党是什么样的党？它关系国家民族的命运，它还关系亚洲非洲争取民族独立的光明前途，它还关系世界和平，它是革命的集体，它是人民的先锋，它和它所领导的政府有铁一般的纪

---

[1] 载吉林人民出版社 1957 年 11 月版《刺恶集》，署名冯文炳。

律,它作傅作保,无论对每个党员,或对国家机关工作干部,我是国家机关工作干部之一,我有亲切的体会,而蒋锡金是一副同党开玩笑的面孔,所以望见他我就生气!

蒋锡金是大学教授。蒋锡金在各个座谈会上的发言,用诗经上形容旧社会坏妇人的话是"为枭为鸱",是"妇有长舌"!好比他说,"到今年十二月,我在东北师大就已经十年了,对长春对师大都产生了深挚的感情",接着却是一句"然而我却不愿意再留在这个学校,厌倦了这个学校"。你不愿意留在这个学校,厌倦了这个学校,说什么对它"产生了深挚的感情"?这就是蒋锡金的"长舌"!他骂东北师大怎样怎样,他说:"这里我没有丝毫的夸张",接着就这样夸张:"要说成'天下老鸦一般黑',我是受不住的。"多么恶毒的"长舌"!这是大学教授!我是一个大学教授,我用古人的感情表示我同这样的大学教授割席!他在市委宣传工作会议上第二次发言里说:"十年来,我头一次这样高兴过,因为我看到我们党的事业是在更快的发展了。"党的一切巨大成就蒋锡金都视而不见,这回在庄严的会议上让这个"长舌"有机会撒野,他就"十年来我头一次这样高兴过"!他心里还有什么"我们党的事业"?蒋锡金这个大学教授,是把我们当作三尺童子!他这也叫作"胜利冲昏头脑",他以为他在"整"党了。我本是不认识蒋锡金的人,我对蒋锡金"如见其肺肝然"。所有蒋锡金的话都是语无伦次,下句打上句的嘴巴,我再举一个例子,他说:"我对党什么都可以谈,但很怕师大的党",——我写出蒋锡金这样的话来,(他的话的作用就是大家所说的抽象的拥护具体的反对),心里很难过,如果是一个学生,这样无思想,无感情,说乱话,我就替这个学生着急,要想法怎样教育他,而蒋锡金是一个大学教授,跟他有什么可谈的呢?蒋锡金只有向人民投降,人民要缴蒋锡金的械!

下面我谈两个大问题。

一个问题是关于知识分子思想改造。我自己对共产党领导的思想改造运动常常想写一本专著,我认为孔夫子、孙中山如果生在今天都将自愿地投入这个洪炉,鲁迅更是现身说法了,他动手翻译马克思主义文艺理论的书,喻为"从别国里窃得火来,本意却在煮自己的肉"。思想改造经过群众提意见最能发生效力,鲁迅当时没有这个机会,然而他已知道这是一个"煮肉"的事。我个人在1952年确实尝了这个味道,想起来真有意思。在抗日战争当中,我在家里参禅打坐;在解放战争当中我第二次在北京大学混饭吃,讲李商隐,讲庾信,我自己知道是混饭吃。北京解放了,我感到我无知、无耻。无知是我不知道中国新民主主义革命;无耻是如我的女儿说的抗战当中我在家乡教书是替地主阶级服务。说来还有些抽象,到底怎样的无耻、无知我自己知道得最亲切,就是煮自己的肉的味道。给我用了很好的火候的是思想改造运动中北京大学的几个同事同几个学生,我从群众的意见里懂得唯心哲学是怎么一回事,我再一反省就确实得了结论,没有共产党就没有新中国。只有劳动人民当家作主才能治国平天下。而辩证唯物主义是劳动人民当家作主治国平天下之大道。我当时的体会说不尽,我当时也没有同人说。而学校领导上还怕我当时有情绪(因为好几次检讨稿都要改写),有心派我所相信的人、同我感情好的人来看我,所以我说共产党作傅作保,是我真正感激共产党的话。国家需要知识分子,而知识分子不经过思想改造就没有前途。中国不革命中国就由本殖民地变为殖民地,思想改造就是中国共产党对中国知识分子起革命的作用,这是伟大无比的事,对知识分子说也是极大的光荣。而右派分子蒋锡金污蔑思想改造"是一场滑稽戏",这证明蒋锡金不堪造就! 蒋锡金在市委宣传工作会议上关于思想改造问题的话,令每一个人,每一个革命干部气愤!

  第二个大问题是今天教师的人格问题。这同思想改造问题一样,是我们做教师的人应该认识的,我想我们都认识的。我常想做诗,总题目叫做"新诗三百篇",内容都是歌颂共产党的,其中有一篇就是"人民时代的教育工作者"。我过去在北京大学中文系当讲师,当了七年革了一次职,中间还减了一次薪。每年暑假发一次聘书,这就是说每年暑假有失业的恐慌。那时胡适是文学院长,你得常上他的家里去捧他,去巴结他,他的门房就是衙门的门房。过年你还得持着名片去拜年。我想起那时当教员来,是最痛苦的生活。自从解放后,我真是海阔天空了,安居乐业了,这话我想也用不着我多说,都是我们自己的日常生活,是工人阶级领导的教育工作者的生活。歌颂这种新的生活,将是我的"新诗三百篇"的一篇。然而蒋锡金说他所在的大学"行政领导与教员的关系上,存在着奴隶主与奴隶的关系",我真不愿再多说话,我希望蒋锡金反省!

《废名小说选》序[①]

解放后我受了中国共产党的教育。是的,可以说是中国共产党使得我"顽夫廉,懦夫有立志"。在去年中国人民支援埃及抵抗英法侵略的时候,我忘记我是一个病人(右眼网膜脱离),我在一个大会上发言,我要到埃及去做一名志愿军。我不知道各国的思想家、文艺家的情况到底怎么样,我感得大家应该作狮子吼,目前第一件事是制止世界上再有一次战争发生,反对殖民主义。

我本来是替这本小说选集作一篇序,提起笔来不可遏止地写了上面一段话,这就表示我年纪大了,而能懂得人民的力量,勇气倍加。

我这回重新看一看自己的旧作,五个小说集,《竹林的故事》、《桃园》、《枣》、《桥》、《莫须有先生传》,乃又记得自己原来是很热心政治的人,好比这里选的《讲究的信封》、《追悼会》,都可以看得出一些来。即《莫须有先生传》里也还留有我对国民党的"清党"政策屠杀共产党人的愤怒,这个愤怒至今提起犹如昨日事!然而我的政治热情没有取得作用,终于是逃避现实,对历史

---

① 载人民文学出版社1957年11月版《废名小说选》,题为《序》。

上屈原、杜甫的传统都看不见了,我最后躲起来写小说乃很象古代陶潜、李商隐写诗,——这个判断是真实的,不过从我今天的思想感情说,我一点没有肯定我有成绩的意思。从一九三二年《莫须有先生传》出版以后,我压根儿没有再读一遍我自己的小说,我把它都抛弃了。我那时也说不出所以然来,只感到我写的东西没有用。解放后,大家提出现实主义的口号,我很有所反省,我衷心地拥护,我认为现实主义就是反映现实,能够反映现实,自己的政治觉悟就一定逐渐提高,提高到共产党人一样。而我所写的东西主要的是个人的主观,确乎微不足道。不但不足道,而且可羞,因为中国解放了,在这个翻天复〔覆〕地的大事业之中,没有自己的血和汗,——说起来我就汗颜!这回人民文学出版社要出我的选集,约我自己编选,我初接信时是感得很困难的,我没有勇气去翻阅那些东西。但又知道这是一个任务,于是硬着头皮把五个小说集都看一遍。看一遍之后,乃又不能不再看,以至多次看,因为我要负责。一面看时,一面自己好笑,难怪从前人家说我的文章难懂,现在我自己读着有许多也不懂了。道理很简单,里面反映了生活的就容易懂,个人的脑海深处就不容易懂。我笑着对自己说,主观是渺小的,客观现实是艺术的泉源。这么明白的道理我当初为什么不懂得呀!这就叫做经验教训。另外有些经验也应该认真地说出来。就表现的手法说,我分明地受了中国诗词的影响,我写小说同唐人写绝句一样,绝句二十个字,或二十八个字,成功一首诗,我的一篇小说,篇幅当然长得多,实是用写绝句的方法写的,不肯浪费语言。这有没有可取的地方呢?我认为有。运用语言不是轻易的劳动,我当时付的劳动实在是顽强。读者看我的《浣衣母》,那是最早期写的,一枝笔简直就拿不动,吃力的痕迹可以看得出来了。到了《桃园》,就写得熟些了。到了《菱荡》,真有唐人绝句的特点,虽然它是五四以后的小说。在《枣》里我选了《小五放牛》,《毛儿的爸爸》,《四火》,《文公庙》,这些短篇小说的语言我今天看来很有些惊异,认为难得,也表现了生活,一个角落的生活。我记得我当时很爱契诃夫的短篇小说,我的这些小说,尤其是《毛儿的爸爸》,是读了契诃夫写的俄国的生活因而写我对中国生活的观察。我重读这些小说,在读了几遍之后,觉得能够选出这几篇来,自己才算是有些高兴,多少年来我确实不高兴。《桥》里选了十九篇,《莫须有先生传》选了三篇,都很经过选择,取其有反映生活的,取其有青春朝气的,取其内容不太沓杂的,取其语言方面有可供借鉴的。当时有人笑我十年造《桥》,同时又有《莫须有先生传》的副产物,其实《桥》写了一半还不足,《莫须有先生传》计划很长也忽然搁笔,这都表示我的苦闷,我的思想的波动。我当时确实不知道我是处在大时代里,自己是一个落伍者,现在我知道了。在艺术上我吸收了外国文学的一些长处,又变化了中国古典文学的诗,那是很显然的。就《桥》与《莫须有先生传》说,英国的哈代,艾略特,尤其是莎士比亚,都是我的老师,西班牙的伟大小说《吉诃德先生》我也呼吸了它的空气。总括一句,我从外国文学学会了写小说,我爱好美丽的祖国的语言,这算是我的经验。陶潜饮酒诗云:"但恨多谬误,君当恕醉人!"我丝毫没有求原谅的意思,我确实恨我过去五十年躲避了伟大的时代。在前进的伟大的时代里,我希望我能有贡献。要符合人民的利益才算贡献,要对创造社会主义文化有贡献才算贡献,我很有这番良心。

1957年4月4日,废名记。

腐朽的资产阶级文艺思想，伟大的工农兵方向[①]

我最近因为参加了作协长春分会的工作，对省市文艺界的情况有一些了解，感觉到资产阶级文艺思想确实在一部分人的脑子里作怪，而且表现得很顽强，我认为这很可怕，特别这些人有许多是青年。我是从五四新文学初期开始搞文艺的，到现在才懂得工农兵文艺方向，准备自己以全力来实践。我真真想不到现在的青年，处在这么好的时代，受党的教育，还有这么多的资产阶级文艺思想！我从这些人的话所表现的资产阶级文艺思想，才真正明白这就叫做资产阶级文艺思想！这些人，有许多是学生，并没有写出什么"文艺"作品，然而他们有顽强的资产阶级文艺思想！这就使我们明白什么叫做意识形态，什么叫做阶级本能。走社会主义道路的新中国，而居然有一小撮人猖狂进攻，喊着要走资本主义的死路，这正合了"螳臂挡车"的古语，所以我说，这对他们自己是很可怕的。我过去脱离政治，中了资产阶级文艺思想的毒，但我们那时到底还有一些朝气，向资产阶级文艺的死胡同里走，毕竟也还只是走了一段路，是因为认不清伟大的时代，当时并没有可耻的名利思想。今天的一小撮人在社会主

[①] 载《吉林日报》1957年12月28日第3版，署名冯文炳。

义社会里拼命地表现商人气，令我格外地看得出他们是腐朽的资产阶级的残余，我对这些人真有"人皆掩鼻而过之"的感觉。好比东北师大的李景隆对"一本书主义"大感兴趣，说什么"写出一本书就是脚底下垫了一块砖"，师大的学生袁庆望公开提出"现在要为一千元而奋斗"，这些人怎么对得起勤劳勇敢的工人农民！怎么对得起革命先烈！怎么对得起祖国文学的优良传统！中国文学史上没有一个作家是满足于自己的"一本书"的，我个人在自己的一本书出版之后总是感觉惭愧。稿费对五四初期作家来说，完全没有这件事，鲁迅写《狂人日记》向新青年杂志社要过稿费吗？古人刻书还要自己花钱哩。我敢替中国古代所有的作家说，稿费的事"于我如浮云"。所以眼巴巴地望着稿费，就充分地反映着资产阶级的利润观点。还有长影的导演公开追求什么"票房价值"，还有什么"作者"追求什么"读者市场"，还有的人建议《人民画报》上应该有大腿，因为许多读者愿意看大腿。"这都是美国的玩艺，是半殖民地旧中国上海的货色，新中国的老百姓如果真正看见了这些东西不给他们以耳光，我才不相信哩。而这种思想居然反映在今天一部分所谓文艺工作者的头脑里面，成了他们的强烈的要求，好像世上真有"逐臭之夫"，"嗜痂之癖"，这不是旧社会的残余是什么？像这样追求名利色情的情况，属于最下流，完全是商人的行情，我在这里只想提一提，希望某些青年人不要朝堕落路上走。

我所说的可怕的事情，还是指我自己从前也有的资产阶级文艺思想的几种形态，在省市文艺界一些青年人的头脑里又出现了。如吉林日报社的万忆萱和一些大学生们，他们的某些话我从前虽没有放在口里说，实际却是服从那些观念在那里干，意识形态完全相同。今天的青年替我——三十年前一个时代的落伍者,归纳为下面的三条:1、要求什么"创作自由";2、要求什么"永恒的主题——爱情";3、要求什么"艺术标准第一",也就是坚决反对文艺服从政治。这样的三条,就是反动的资产阶级文艺思想顽强的表现。三十年前就是它替我撑腰叫我埋头写小说的,不到十年工夫"创作"也不自由了,因为没有得写;因此,"永恒的主题"也夭折了;最危险的,要求"艺术标准第一",结果对艺术持虚无主义的态度,对政治也抱出世思想。当日本帝国主义向中国进攻的时候,我以为中国同历史上亡于辽金元清一样,又要亡一次国!所以解放后拥护共产党,我是以我整个的灵魂来拥护的,"没有共产党就没有新中国"。我是懂得二十四史乃懂得这句话。因此,党所领导的各种学习,我无一不是认真地学,我对文艺回转头来发生更大的兴趣,处处同政治、同国家民族的命运联系得起来,一句话,文艺学是社会科学。下面我试着批判前面所举的资产阶级文艺思想的三条。

我现在是这么想的,所谓"创作自由"、"永恒的主题"、"艺术标准第一",表面上是资产阶级的脱离政治的文艺观点,实质上是因为资产阶级有驾乎政治之上的政治作用,并不是他们"高超",不问政治。资本主义社会里资本家的势力在官僚之上,资产阶级的文艺作家要求"创作自由",也无非像资本家要求经济自由那样罢了。所以"艺术标准第一",正反映着他们的政治标准,他们根据他们的标准是可以获得"资本"的,是可以享受"自由"的。"永恒的主题——爱情",便是最容易达到他们的标准的主题。这样的意识形态,"创作自由"、"永恒的主题"、"艺术标准第一",是在有了阶级斗争的理论以后,在共产党登上了政治舞台以后,才形成的,是资产阶级的文艺作家抵抗阶级斗争的,抵抗共产党的。我回忆我自己当时就是抱着这种观点反对左翼文学运动,虽然我并没有明目张胆地写出文章来反对,只是自己关起门来写"永恒的主题",追求"艺术标准第一"。最令我想起难过的,在当时反动政权之下我并没有勇气争取言论自由,却闷在心里争取"创作自由",这不是阶级本能是什么?不是反对共产党所领导的革命文学道路是什么?较早些时,胡适公开地提出"多谈问题,少谈主义",我现在知道他是反对李大钊同志当时讲共产主义,我现在也确切地知道我当时主张"创作自由"等等也是一个反动的家伙罢了。在半殖民地中国的文艺作家要求"创作自由",比民族资本家要求经济自由还要滑稽,帝国主义者是欢迎你"创作自由"的,因为他欢迎你做他的奴隶。在今天人民当家作主时代,居然有什么青年人嚷着要"创作自由",不知道这正是帝国主义欢迎你要的东西,蒋介石原来也给你的——你不是奴隶的思想是什么!你不是剥削阶级肮脏的灵魂是什么!

我们把文学史上的现象考察一下,当资产阶级开始是一个进步的社会力量时期,如欧洲文艺复兴时代的作家,他们创作就是创作,他们创作就表示他们反封建,反宗教黑暗,他们没有背离他们的时代的进步势力而要求"创作自由"。他们写爱情故事就是他们反封建,反宗教黑暗,他们不是为了写"永恒的主题"。他们的作品到今天还勃勃有生气,是人类文化的宝贵遗产,是因其时代意义赋予的艺术生命,没有什么叫做"艺术标准第一"。中国文学又最有值得我们骄傲的优良传统,中国的伟大作家、伟大作品产之于封建社会,都是反映当时的政治斗争的,作家都是站在人民一边,作家的生活都是政治斗争的历史,作家的作品就是作家的生活,屈原不是如此吗?杜甫不是如此吗?有什么叫做离开政治的"创作自由"呢?更有趣的,中国的伟大作家都写爱情,屈原就写得不少,陶渊明也有《闲情》一赋,他们的时代气息到今天还多么动人啊,他们不懂得什么叫做"永恒的主题"!我现在一见了"永恒的主题"这几个字就讨厌,这是亡国之音!解放以前,我不懂得《西厢记》反封建的意义,同样也就不懂得《孔雀东南飞》的价值,反而觉得这些作品艺术性不够,不及李商隐的诗的艺术标准高。现在我知道我有很大的错误,我的感觉完全变了,我极爱《孔雀东南飞》这一类的诗,它表现了封建压迫下的男子,更表现了封建压迫下的女子,总之它写了典型人物。李商隐的诗写了什么呀?他写了主观的"美人",是男子当权社会的附属品,是剥削阶级的产物!所以事情是很明白的,没有什么离开政治标准的艺术标准。至于对于作品的艺术性的要求,那当然是应该严格的,那完全是另外一回事。杜甫说,"文章千古事,得失寸心知",就是说要用心写,作家对自己的作品要有严格的要求,他的三"吏"、三"别"就是他的属于"千古事"的文章。

更重要的我要说一说我对文艺工农兵方向的体会。

我是在北京解放后才读到毛主席《在延安文艺座谈会上的讲话》的。我自恨我闻道太晚。我因为我自己的痛苦的经验,更因为受了时事的教育,马克思列宁主义的学习,八九年来每读一次《讲话》都提高了我的觉悟。到了今年两条道路的斗争的问题提出来以后,我对《讲话》的科学体系格外明白了。我深信不疑,工农兵方向之于文艺,正如人民民主专政、共产党领导之于中国革命,五四初期新文学运动的鲁迅相当于政治上旧民主革命的孙中山,五四新文学运动相当于辛亥革命。孙中山本着他的经验最后要以俄为师,鲁迅也由于事实的教训自觉地接受共产党的领导。毛主席《在延安文艺座谈会上的讲话》才真是中国现代文学的行动的纲领。以前有资产阶级的文学(胡适、徐志摩是其代表),更主要的是小资产阶级的东西,所谓汪洋大海,毛主席指出工农兵方向,真是现代文学的一只巨大的手掌,任何"齐天大圣"(小资产阶级作家最容易妄自尊大,艾青就是一个!)都逃不脱这一关,必须经过锻炼不可了。工农兵方向是十月革命时代的方向,是人类共同的方向,是无产阶级的旗帜。伟大的毛主席才能以通俗的话为我们树立一个科学的标准。这个标准一立起来,剥削阶级就感到头痛。他们或者瞧不起这个标准,因为剥削阶级瞧不起工农兵;或者讨厌这个标准,因为他们讨厌工农兵。但无论如何他们知道他们搞不了,他们混不进。所以这个方向伟大,它是照妖镜。这个方向伟大更在于它的教育意义,它是试金石,它是我们的灯塔,行动的指南,我们如果是英雄好汉,首先得改造自己,向工农兵学习,同工农兵打成一片。在1942年抗日战争时期是如此,在今天,在第一个五年计划已经完成了的社会主义建设的日子更是如此,我们要为社会主义经济基础努力创造它的上层建筑,就文艺方面说,除了工农兵方向还有别的方向吗?我们看不清打五四运动一开始中国的路就是共产党领导的路,文艺也就是马克思主义指导的文艺,就是工农兵方向,毛主席看得清而我们看不清,那是情有可原。到1942年就该是行动的时候了,已经有许多同志响应党的号召行动得很好。到今天则不是一部份人的事,是全国文艺工作者的事,是具有国际意义的文艺事业的事。未来的文化是社会主义的文化,一切是工农兵方向,科学技术方面像苏联人造卫星是劳动人民的贡献,文学艺术的社会主义黄金时代也将为期不远,——这还用得着怀疑吗?今天则要全国文艺工作者全心全意地开步走。社会主义兄弟国家也将鉴于文艺这项事业的复杂性,文艺工作者思想改造的重要性,因而注意毛主席《在延安文艺座谈会上的讲话》的创造价值。说至此,我记起我们长春右派分子蒋锡金来了,蒋锡金说:"《讲话》是没有科学体系的东西,它只适合于过去的农村,不能指导今天的文艺。工农兵的方向不是唯一的方向,还应有其它的方向。"这个人该是多么的大胆,因为无知才大胆!他懂得什么叫做"科学体系"!除了工农兵的方向不就是剥削阶级的方向吗?多肮脏的灵魂!蒋锡金又说:"党是不懂文艺的。党对文艺的领导都是庸俗社会学、教条主义的。"要知道,蒋锡金是不懂文艺的,他无论如何不懂得工农兵方向是马克思主义对文艺的具体的领导。蒋锡金像一个恶劣的学童,拾了老师的片言只语拿来在背后扔石头,他拾的"庸俗社会学","教条主义",不都是马克思主义者给我们指出的病症吗?我的话说得乱杂,但我很感得言有尽而意无穷,请同志们指教。

百十五回本"水浒"替我们解决了一个问题①

我认为百十五回本《水浒》替我们解决了一个问题。这个问题就是,《水浒传》的著者应该不成问题,我们简单地说它是民间文学好了。对于民间文学,我们如果追问它的著者,那是一点意义没有的。施耐庵很可能是最有名的一个编写人,他的本子就成为后来最流行的本子,而《水浒传》决不是施耐庵"著"的。这件事是中国文学史上一件有趣的事,关系很大的事。这件事百十五回本《水浒》亲切地告诉了我们。

鲁迅《中国小说史略》就说百十五回本《水浒》"虽非原本,盖近之矣。"最近何心《水浒研究》把这个意思又发挥了一些。我对于这些事向来少研究,但觉得何心的话(关于百十五回本《水浒》)有道理。适逢有人给我送来《英雄谱》,我就打开百十五回本《水浒》翻阅,结果引起我很大的注意,增加我学习的兴趣。下面简单地说明几点。

百十五回本《水浒》第三回写鲁达给金老父女盘缠回东京,自己"取出三两银子,放在桌上。对史进曰,'你有银子,借些与洒家,洒家就还。'史进便去包裹内取出十两银子,放在桌上。又

---

① 手稿,约作于1957年,署名冯文炳。

对李忠曰,'你也借些。'李忠只有二两。鲁达就将这十五两银子与金老儿。"这同我们平常所熟悉的情节不一样,我们平常所熟悉的,这十五两银子里面,没有李忠的二两,因为鲁达嫌李忠出得少,说李忠"是个不爽利的人",把他的二两银子退还了他。鲁达自己是从身边摸出五两银子。因为这个不同,我就有心去查花和尚大闹桃花山的情节。我们平常所熟悉的,是李忠在桃花山做大王,他是一个不爽利的人,鲁达来山,他舍不得现有金银送与鲁达作路费,必得下山去打劫,所以鲁达笑他"是把官路当人情,只苦别人。洒家且教这厮吃俺一惊。"结果有趣的花和尚把桃花山的东西拿走了,自己从后山滚下去。百十五回本《水浒》果然没有这个细节的描写(因为它本来不刻划李忠的悭吝),鲁智深不肯落草,李忠曰,"'哥哥要去时,难以强留。'将出白金十两,送别去了。"百十五回本《水浒》同我们一般所熟悉的《水浒》,像这样细节的不同,很多,而主题思想,典型人物,倒都是一样的。我们再举一例,还是鲁达的故事,鲁达到了代州雁门县,遇见金老,金老引他到家,就是赵员外之家,因为金女嫁给了赵,没有回东京,就住在这里。我们平常知道接着有一场厮打,因为赵员外以为金老"引什么郎君子弟在楼上吃酒,因此引庄客来厮打。"百十五回本便没有这个细节,只是鲁达同金老父女"三人饮酒,至晚,只见丫环来报曰,'官人回来了。'金老便下楼来,请官人上楼,说道,'此位官人便是鲁提辖。'那官人便拜曰,'闻名不如见面!'鲁达回礼曰,'这位官人就是令婿么?'金老曰,'然。'再备酒食相待。"这倒是很合理的。我们平常所读的,有那场厮打,实在并无必要。这说明民间文学,故事流传,是由说话人兴之所好,或迎合听话人的心理,随意增添一些细节。这同著作家著作的性质是不一样的。所以《水浒传》的著作权决不归施耐庵所有，它不属于作家创作一类的东西。

我们再就林冲的故事举一例。林冲在柴进庄上同洪教头比武，我们所熟悉的，是两人已交手了四五合，然后林冲忽然跳出圈子外来，而且说道，"小人输了。"因为他多了一具枷。然后柴进才拿出十两银子给两个公人，"相烦二位下顾，权把林教头枷开了。"这样当然把故事说得很有趣，其实如果真要比武，柴进的十两银子一定早给了公人，应该先把林冲枷开了。百十五回本《水浒》就是如此，柴进先叫且把酒来吃，"吃过了五七杯，明月正上，照见厅堂里如同白昼。柴进便叫庄客取十两银子来，与公人曰，'相烦二位，权把林教头枷开了。'"开枷在先，比武在后。

大家已经知道的"移置阎婆事"且不谈，一一谈起来就太多，而且阎婆事到底是移置的合理还是原来面貌（便是百十五回本的次序）更合理，我的意见同施耐庵并不一致，——假设施耐庵属于移置一派。今天我想说明的，《水浒传》是民间文学，这是中国文学史上最光荣的事情，它是由人民来记录了人民的思想感情。它的"著者"问题并不成什么问题，过去我也受了胡适的迷惑，以为《水浒传》究竟是谁做的？这一来便不懂得《水浒》的真价值了。

结合自己学习汉语言文学的经验谈谈综合大学汉语言文学专业的教学计划[①]

一

我因为一向在大学中文系作教学工作,而且自己在五四后在北京大学作学生,颇知道那里面中文系的情形,所以一直到解放初常常考虑到中文系的教学计划的问题。那时我简单地这样想:中文系到底应该开些什么课?可见我总不以旧大学的中文系课程为然的。人民政府高教部参考苏联大学的教学计划,订出了汉语言文学专业教学计划,记得那时我正在病中,有一天我看到这个计划,大喜,很有"踏破铁鞋无觅处,得来全不费工夫"之感。我认为这个教学计划是针对着一定的内容订出的,是系统的,是向前发展的,是理论联系实际的,一句话,是科学的。这个汉语言文学专业教学计划,根据1955年颁发的,在专业的基础课项下,有"语言学引论","古代汉语","现代汉语","汉语方言学","汉语史","文艺学引论","中国人民口头创作","中国文

[①] 手稿,约作于1957年,署名冯文炳。

学史",共八个科目,其中"中国文学史"的分量极大,包括作品选读。八个科目之外,还有一门"外国文学"。基础课之外有选修课程(或专门化课程),选修课程分语言与文学两个方面,学生在学了基础课之后,可分开专业发展,以语言为专业者选修语言方面的选修课程,以文学为专业者选修文学方面的选修课程。我于爱好(我对它确实有个人的爱好!)这个教学计划的科学性之外,心里又承认一个事实,就是,中国的历史太长,文学遗产的分量过多,目前各项东西还没有研究出合乎标准的教材出来,这是一方面;另一方面,从实际出发感得汉语这方面的科学的迫切需要还是解放以后的事情,现在只算有了这方面的科学的方向,谈不上科学的成果!那么过多的文学分量,汉语这方面的科学建立有待〔有待建立〕,事实上汉语言文学要分开为两个专业。所以我赞成我们的汉语言文学专业教学计划,从实际出发我又主张语言文学分为两个专业,语言专业可在有条件的大学里开设,赶快把这方面的科学建立起来。

  我是教文学的,为文学专业设想,我认为在部颁的汉语言文学专业教学计划里减掉"语言学引论"和"汉语方言学"两门课程便是理想的文学专业教学计划。其中选修课程(或专门化课程)与基础课程有同等的重要性,在汉文学里有许多许多东西需要专题讲授。我不赞成游国恩和王瑶两位先生"走回头路"的主张(见1957年3月5日《光明日报》《目前综合大学中文系几个需要解决的问题》),尤其不赞成在分开设立的文学专业里"增设音韵、训诂的课程"为文学课程服务的话。我认为在汉文学专业里应该有"古代汉语"、"现代汉语"、"汉语史"三门课程。

二

我可以谈一谈旧日北京大学中文系的情形。旧北大中文系是有音韵、训诂的课程的,但它并不是为文学课程服务,它是代表章太炎一派的"小学"在北大传授,不过这种传授的结果是好的,结果趋向于中国文字要改革。认真说起来,旧北大中文系谈不上有文学课程,我不记得有谁讲过《诗经》,有谁讲过楚辞,新文学运动起来了,外面闹得很凶,说什么《水浒》、《红楼》都上了大学的讲台,实际上北大中文系没有讲过中国的小说!鲁迅先生虽有两点钟中国小说史的课,听课的偏是外系外校的学生多,中文系的学生是最占少数的。如果说当时北大中文系算不得文学专叶〔业〕,不是怎么冤枉的话。北大中文系学生搞文学的,像游国恩先生搞楚辞,陆侃如先生搞诗史,都是在课外搞的,是他们自己离开课程搞的。北大中文系没有认真地从头至尾讲一遍中国文学史。有一位老先生讲谢灵运等的诗,课程的名目就叫做汉魏六朝诗;有一位不很老的先生拿着《昭明文选》讲,课程的名目好像叫做汉魏六朝文。我都听过他们的讲,我觉得他们都像私塾先生教书,当然,私塾先生教书也是很有好处的。有一位老先生讲词,有一位老先生讲曲,都是古色古香,道貌岸然。讲诗呀,讲词呀,讲曲呀,都不是北大中文系的主人翁,主人翁是章太炎一派讲"小学"的人物,课程名目是文字学音韵部分和文字学形义部分,就是所谓音韵、训诂的课程。所以旧日大学中文系音韵、训诂的课程不是为文学课程服务,是很明显的,从那里出来的人自己就很明白。

我们今天的文学专业是不是可以开设音韵、训诂的课程让它来为文学课程服务呢？按照游、王二先生的意思，增设音韵、训诂的课程为文学课程服务，解释起来就是"给学生以这一方面的基本知识，作为阅读古书的工具"，那么音韵、训诂的课程就是音韵、训诂的课程，它只能叫学生把前人音韵、训诂的学问稍稍懂得一些，未必能"阅读古书"，因为前人是"阅读古书"之后再搞音韵、训诂的，"这一方面的基本知识"对学生只是增加负担，不能有"作为阅读古书的工具"的方便。就文学专业的学生说，他如果要读《诗经》某一篇代表作品，则前人关于这一篇的音韵、训诂的成果，都可以利用，用不着先搞音韵、训诂，读楚辞也是一样，这是极省事的，也是基本工夫。如果以为前人的音韵、训诂不可靠，要自己来搞，如闻一多先生搞《诗经·新台》篇的"鸿"字一样，那学生就要大搞而特搞，不是"给学生以这一方面的基本知识"所能行的，在今天这种做法也不是应该提倡的，并没有什么意义。游、王二先生"阅读古书"的概念本来就含糊得很，对今天大学里文学专业的学生说，应该是研究和学习祖国的文学遗产。要达到这个目的，当然要靠文学课程，而汉语方面的课程，于它本身的意义之外，又确实可以为文学课程服务，它应不是音韵、训诂的课程，而是"古代汉语"、"现代汉语"、"汉语史"的课程。党和政府号召向科学进军，十二年内要达到先进水平，那时"古代汉语"、"现代汉语"、"汉语史"的标准教科书一定建立起来了，再加上标准的"阅读古书"的词典，我想伟大祖国的青年文学者对"阅读古书"是不会有什么困难的。重要的还有对古书的选择。对古书的选择，也是有实事求是的标准的，那是文学课程的任务。

游、王二先生提出"走回头路"四个字来还不是指主张增设音韵、训诂的课程说的,是指照旧日大学一样把现在的教学计划里"中国文学史"一门课改为文学史和作品选两门课,因此二位先生说,"可能会有同志批评这个方案是走回头路,开倒车。"我认为这一条回头路并没有那么严重,居然就是"开倒车",但增设音韵、训诂课程的话,我认为有开倒车的危险,因为这显然是以前人的音韵学、训诂学代替汉语史了,汉语这方面的科学将不是向前看而是向后看!我仔细读游、王二先生的文章,确是处处感得二位先生有向后看的危险,因而看不见前途。好比二位先生认为应该引起严重注意,因为听得"有人说,大学中文系的同学有三不:读不懂古书,写不通文章,用不了工具书。"所谓工具书,二位先生在下文又指出来了,"毕业同学中能运用《佩文韵府》、《经籍籑诂》这一类工具书的,几乎寥若晨星,大部分同学连那些书名都没有听说过,甚至还有少数同学不会用《辞海》、《辞源》"。我看把《佩文韵府》、《经籍籑诂》这一类书忘却了,并不算什么可忧的现象,可忧的是没有进步的代替这类工具书的工具书。在旧日商人经营的书店也居然能出版《辞海》、《辞源》来适应需要了,今天是人民的时代,工作虽然是艰巨的,但所有语文学者,一定要在国家领导下,迎头赶上去,消灭语言科学方面的落后状况,分期编著出进步的汉语词汇的书来。甚至重要的作家以及重要的著作都有相关的词汇专书。如果说这个工作困难,还是往老一套的"工具书使用法"课程上着想,我想今日的大学生是厌恶的,我们不要叹惜我们自己在旧时代习用的东西他们连"书名都没有听说过"。再说"三不",就是"读不懂古书,写不通文章,用不了工具书。"我看旧时代的读书人很容易有二不,就是"读不懂古书,写不通文章",他们倒都是会使用工具书的。今日的大学生,是"工具书"对他们成问题,好像旧武器一样,太落后了,他们不高兴使用,并不是使用起来有什么克服不了的困难。今日的大学生,读起《诗经》来,读起屈原来,读起杜甫来,读起《水浒》、《红楼》来,比我们从前懂得多多,——李希凡、蓝翎不是今日的大学生吗?他们就比我们会读《红楼梦》!我也亲自看见大学三年级、四年级的学生会读《诗经》,会读杜诗,他们写起关于《诗经》、关于杜诗的论文来,是很有价值的文章哩。大学生写不通文章的现象确乎有,这是有原因的,或者工农干部调来的学生,或者目前高级中学语文教育没有达到应有的水准,总之这是暂时的现象,与教学计划的问题连不起来。

对于现在的教学计划里"中国文学史"这门课程实际上是包括过去文学史和作品选两门课的设置,游、王二先生提出了许多意见,主张"走回头路",照过去一样,一方面有"中国文学史"的科目,一方面另设"中国诗选"、"中国散文选"、"中国戏曲选"、"中国现代文学名著选"等科目。我看这个回头路也并不"回得对",我前面已经说过,也不至于是开倒车,但有不求进步之嫌。过去大学中文系里,有值得推荐的"中国文学史"教材吗?有认真的"中国诗选"、"中国散文选"等教材吗?在那个社会里,上讲堂塞责的东西则有余,对学生负责的东西本来就谈不上!何况我们今天对"负责"的意义更有严格的要求,要对祖国的文学遗产负责,要对建设社会主义文化负责!我看我们还是前进,前进有一条大路。我们只要发挥教研室的作用,发挥"百家争鸣"的作用,我们是可以搞好现在的教学计划里"中国文学史"这一门课程的。在基础课里容纳不下的东西,只要是真正有价值的东西,我们还设有选修课程。举个例来说,我很想努力一番,将来开一门选修课,就是中国诗选(包括词和新诗)。

三

我想谈一谈我自己学习汉语言文学的经验,我为什么爱好我们现在大学里汉语言文学教学计划,与我个人过去学习汉语言文学的情况有关。

在我进大学以前,在一个旧制师范学校里学习了五年,更前又在私塾里读过《诗经》,读过《左传》,能做得没有内容而有腔调的古文,就是熟读《古文观止》的结果。五四新文学运动起来了,忽然爱好新文学,到北京大学去学习。在北大预科两年,知道了本科中文系的情形,它是提倡"国故"的中文系,不是学文学的中文系,入本科时我就进英文学系。就文学说,慢慢我懂得了英国诗歌、戏剧、小说、散文的价值;就运用语言能力说,我能写得中国的白话文。另外我还爱好英文法。这是我的资本。我对中国古典文学一点没有基础。过去学的讲腔调的古文,我痛切地知道对我只有坏处,没有好处,我非得把它洗刷掉不可。我开始自己学习中国古典文学。比如《诗经》,小孩时虽读过,只是塾师叫我"读熟了,背!"一句也不懂得,其中的难字也都不认得,现在拿在手上,完全不是旧相识,是新相知。我靠古人的注解(主要是关于词汇),也靠有名的工具书(如《经传释词》),靠从英文法学习来的文法观点,更重要的是我懂得《诗经》是什么东西(如《诗经》有许多是民间文学),这样我就懂得《诗经》了。我相信我之懂得《诗经》,同今天我们本着教学计划的精神要求学生懂得古典文学的《诗经》是一样的,主要是"中国文学史"课程,与之有联系的有"文艺学引论"、"人民口头创作"、"古代汉语"等。我曾把我从前读《召南·行露》篇的经验同今天的大学生谈,我说我先不看注解,把《诗经》的原文读一遍,已经懂得了一些,知道它写的是什么,我感得它同西洋的短篇小说一样写得非常经济,通过人物自己的说话把诗的环境同情节都告诉读者了,在我们现在的歌谣里也有这种体裁。我再看朱熹对这首诗怎么解释,知道他解释错了,我认为这首诗是写一个乡下女子半夜起来走路,要去打官司,因为一个男子控告了她。我再查一查一两种有名的注疏,把词汇确定了。有一个字,就是"岂不夙夜?谓行多露!"的"谓"字,我认为注的都不是。因为女子说的话是这样的意思:"我本来是半夜起来走路的,无奈道不好走,露太大!"那么"谓"字照一般的讲法讲不通。于是我翻王引之的《经传释词》,他说"谓犹奈也",他引了许多证据。这样"谓行多露"就是"奈行(路)多露",我认为全诗照我的意思都无疑问。我再查一查姚际恒的《诗经通论》,他说"或谓蚤夜往诉,亦非",可见有人说这首诗是写赴诉的,"亦非"倒是姚际恒的武断。我后来读了河北流行的一个唱本,名字叫做《王定保借当》,里面写两姊妹赴县衙鸣冤,有云:"二人打伴到县衙,夜晚登梯过墙走,背着爹娘私离家。姊妹俩,行路难,天明见人面羞惭,一直找到衙门口。"于是我对《召南·行露》的解释有十分的把握了。我向来想谈而不敢谈个人读书的经验,谈起来不能令人相信,但在今天的大学生面前我禁不住介绍我从前是这样懂得《诗经》的,目的是表示我对今天我们从苏联学习来的教学计划的爱好,——根据我在这里所谈的,我懂得《诗经》,不就是取得了"文艺学引论"的帮助(我那时是通过外国文学)、"人民口头创作"的帮助,"古代汉语"的帮助吗?

何况我们今天的教学计划更是系统地联系着各项课程,是有马克思主义作为我们的指导思想的。

或者有人认为我在进大学以前对汉语已经有了基础,原来读过了《诗经》、《左传》究竟未必是白读的,同今天初进大学的学生不可同日而语。这话我不承认。我可以举一个一句文言也没有读过的旧日的初中学生跟我学习汉语言文学的事情来说明。这个学生是我的侄子,在抗日战争期间,我们住在一个山区里,他初中毕了业,就在家跟我学习。我看他的作文,确实能写得通顺的白话文,达到初中学生很好的水平,此外他完全是一个小孩子,等于一张白纸,什么旧东西也没有装进去。我慢慢地教他读了一些较长的白话文,如鲁迅的小说,冰心的散文等。我注重语法的训练,词汇的训练。我自己的语法知识是从英文来的,但我最不高兴把汉语法欧化起来讲,我知道汉语法有其特点,如汉语的主语通常不摆出来,在几个词连在一起的时候汉语里不要连接词,而主语是有主语的位置的,连接词是有连接词的功用的,古代汉语和现代汉语都是如此。我慢慢也教这个学生读古典文学。方法也就是我自己学习中国古典文学的方法。有一回这个小孩子向我说:"《论语》的文章好。"我知道他是很不爱说话的,为什么说这一句令我吃惊的话呢?我反问他。他回答道:"'有朋自远方来',这一句写得好。"我知道他懂得语言的好了。有一回他又向我说:"古人选择词汇,很巧妙,好比曹丕《与吴质书》,'岁月易得,别来行复四年',其实是岁月易'失'的意思,他的'得'字用得好!"我听了他的话之后,我心里想:"现在的小孩子学了白话文再读古书,是很容易的,重要的还是逻辑的训练,语法的训练,词汇的训练。"我发现这个小孩子不怕古书难懂,他对

363

它很有兴趣,不认得的字他查。我确实惭愧我自己像他这个年龄不及他,原因是学做有腔调的古文,一点也不懂得"岁月易得,别来行复四年"的好处。因为我说汉语通常不用连接词,他接着道:"因为这个原故,用了连接词又觉得新鲜,陶渊明的'结庐在人境,而无车马喧'读起来格外爽口,是用了一个'而'字。"因为我说汉语的主语通常不摆出来,摆出来时又格外好听,我并举了"吾日三省吾省〔身〕"一句为例,他接着道:"陶渊明的'吾亦爱吾庐'也好。"他这些话对我的印象极深,使我对青年读古书的事很抱乐观。他已经知道中国新诗的事情了,有一回我向他笑道:"中国旧诗也是分行的,七言诗就是七个字一行,五言诗就是五个字一行,《诗经》也就是四个字一行。"他听了我这话有点惊讶,我乃写下面的《诗经》的句子给他看:

　　瞻乌爱止
　　于谁之屋

他看了之后有些思索。我叫他注意这里面的语法,并说这八个字里只有"爱"这个词汇我们现在不用了,涂掉这个字,剩下七个字是什么意义?就是说看那乌集在谁家屋上。他就说《诗经》的句子写得好。我又写下面的《诗经》的句子给他看:

　　树之榛栗
　　椅桐梓漆
　　爱伐琴瑟

这个等于我给他的练习题,要他自己去解答。他拿了朱熹的注解看，他承认我说的《诗经》应该是分行的话了。重要的是他对古书感兴趣，他懂得这一十二个字分作三行的四言诗写得好，种着榛、栗、椅、桐、梓、漆六样树，将来又于椅、桐、梓、漆四样树上取为琴瑟之材。我从这个学生身上，看出了古书对青年不是负担，害怕的是我们老一辈的人拿古书去吓唬他们。

四

上面我的话说得极其浅近，所谓读书经验也极其狭隘，只是表示我对后一代学习汉语言文学的事的关心。在解放前以及解放初我长期思索大学中文系的课程。1952年我们开始教学改革时，我听了一位苏联专家的报告，他说过去中国大学的课程是半封建半殖民地性质，这话深深打动了我，我感得是诤友、益友之言。现在的综合大学教学计划，就汉语言文学教学计划说，也是学习苏联先进经验而订的，科学的教学计划，其中语言、文学和〔合〕而又分，我认为是必需的。中国在这方面正有一个缺点，搞文学的人不理会语言，搞语言的人也并不怎么理会文学，造成的损失太大。这个损失一时还弥补不起来。因为实际有困难，我们大学里语言和文学暂时以分开设专业为可行。等12年规划后，语言和文学两方面的教材都建立起来了，达到先进的科学水平了，我的意见还是主张合设汉语言文学专业。不说别的，那时选修课程就更丰富起来了，可以有文学语言史、作家语言风格等等。今天我写这篇文章，是读了游国恩、王瑶二位先生的文章之后，一直想把个人的意见写出来，病中勉强写出来了，表示我对这件事感得迫切。

伟大的文艺工农兵方向[①]

我到现在才真正懂得了文艺工农兵方向。我说懂得,是我的整个灵魂已经同它发生了感情,爱它,相信它,准备自己怎样以全力来实践。在1957年春天里,我还不能如此,在那个春天里我响应"百花齐放"的号召时我还给了"阳春白雪"一点地位。在反右派斗争当中,我认识到我所给的这一点地位就是我的资产阶级文艺思想的残余。我是有良心的,是能分清敌我的,我一发现我的灵魂里边确实有一股资产阶级思想没有肃清时,我并不很费力地就把它扫干净了。从此我认为我真是丢掉了包袱,自己感到很高兴。在文艺方面我也可以说是用功了几十年,最后全心全意地走伟大的工农兵方向的路。说起来也真是话长。我很想同青年们谈谈。我感觉到今天二十岁以上的青年有不少人的脑子里对工农兵文艺方向反而发生疑问,刘绍棠是其代表,这真是危险!他们认为文艺的工农兵方向是缩小了创作范围,减低了文艺的价值,说得更明白些,他们认为文艺工农兵方向是普及的文艺,不是提高的文艺。他们完全是反动的立场!因此他们不可能理解毛主席所阐明的普及与提高的关系。这些青年

---

① 载《长春》月刊1958年1月1日1月号,署名冯文炳。

人实在同美国国务卿杜勒斯是一样的头脑,便是资产阶级的思想。资产阶级的思想便是瞧不起工农兵。今天,当伟大的苏联人民把自己造的第一个小月亮、第二个小月亮送到天上去了,所有全世界的劳动人民感到骄傲,劳动创造世界一点也不虚,文化是咱们的!杜勒斯,你说他不惊慌吗?他是惊慌的。他惊慌也是白惊慌的。资产阶级一直到灭亡的日子还是自己莫名其妙,还是自高自大。资产阶级思想不经过改造,是不可能瞧得起工农兵的。我们提起"工农兵"三个字他就不高兴。他当然知道人造卫星的科学的价值,它开辟了人类征服自然界的新纪元,但要把这个价值同"工农兵"联在一起,(苏联现在明明是工农兵的苏联,也就是劳动人民的苏联)他的感情上是不喜欢,他的理智也确实不起作用,因为对着事实不肯承认,或者不敢承认。不管怎么样,事实总归是事实。工人阶级的科学家首先在人类历史上创造了人造卫星。换句话说,没有了地主和资产阶级的苏联,才有了现今世界上最新的科学成就。请问昏头昏脑的家伙们,这种科学的成就,是属于你们所谓"提高",还是属于你们所谓"普及"呢?文学艺术同科学技术一样是人类的文化,指导文学艺术的理论更属于阶级斗争、建设社会主义上层建筑的行动的指南,我看他们做梦也梦不见什么是毛主席所说的提高,什么是毛主席所说的普及,因为他们的灵魂深处是瞧不起工农兵。他们必须根本改变立场,认清楚今日的中国是工农兵的天下,普及是工农兵的事,提高也是工农兵的事,否则在伟大的工农兵方向的文艺的时代里,他们就同地主和资产阶级一样在社会主义社会里是丧家之犬!我的眼睛确乎是在反右派斗争中擦亮了,从前看不清楚的事情现在看得非常亲切,好比毛主席《在延安文艺座谈会上的讲话》里曾经这样告诉过我们:"到了革命根据地,就是到了中国历史几千年来空前未有的人民大众当权的时代。我们周围的人物,我们宣传的对象,完全不同了。过去的时代,已经一去不复返了。因此,我们必须和新的群众相结合,不能有任何迟疑。如果同志们在新的群众中间,还是象我上次说的'不熟,不懂,英雄无用武之地',那末,不但下乡要发生困难,不下乡,就在延安,也要发生困难的。'大后方'也是要变的,'大后方'的读者,不需要从革命根据地的作家听那些早已听厌了的故事,他们希望革命根据地的作家告诉他们新的人物,新的世界。所以愈是为革命根据地的群众而写的作品,才愈有全国意义。法捷耶夫的《毁灭》,只写了一支很小的游击队,它并没有想去投合旧世界读者的口味,但是却产生了全世界的影响,至少在中国,象大家所知道的,产生了很大的影响。中国是向前的,不是向后的,领导中国前进的是革命的根据地,不是任何落后倒退的地方。同志们在整风中间,首先要认识这一个根本问题。"这些话在当时延安是多么亲切的指示,对解放后的中国又完全是预言!我以前读了也不是不懂,但今天再读才一个一个的字令我惊心动魄,自恨闻道太晚,也就是阶级觉悟迟了,要到事实摆在面前,看清楚了完成了第一个五年计划的咱们国家的迫切任务是上层建筑赶不上它的基础,乃颇有老当益壮的雄心,要为建设社会主义上层建筑贡献出自己的一份力量,——就文艺工作者说,除了工农兵方向这一个根本前提能解决问题吗?工农兵方向就是社会主义的方向,就是共产主义的方向。毛主席当时这样提出来,对汪洋大海的小资产阶级作家是指南针,令他们有切实的道路可走,有伟大的前程可奔。同时也是他们的试金石,因为这条道路要好汉才能走,不是破铜烂铁都能走的,知道未来世界是劳动人民的世界才能决心与工农兵结合。到今天文艺工农兵方向又是照妖镜,小东西如刘绍棠给照出来了,他认为毛主席的讲话有"策略性"!我们长春的青年也有人说"'讲话'已经过时了"!这样的青年叫做井底蛙,他们完全不知道毛主席的方向永远是叫我们向前的。普及与提高的辩证关系是今天与昨天的事,工农兵方向总是新的,是属于明天的。

在这里我也想谈谈我个人过去写作的经验教训。在中国文学史上,差不多有一个共同的偏向,就是由生活的反映而钻到文字的安排。一种文体在开始创造时是表现生活的,到了末期就玩弄文字了。韵文系统是如此,散文系统也是如此。大诗人杜甫也不免如此。杜甫在写人民疾苦的时候有三"吏"、三"别",到了晚年,便是他自己说的,"晚节渐于诗律细",选词造句每每不是按照客观实际,而是削足适履,开了晚唐诗人一条路。象《秋兴》里这样的句子:"关塞极天惟鸟道,江湖满地一渔翁",不能不说是老杜苦吟得来的,得来之后自己又一定非常满足,满足的是文字陶醉,其中有多少生活就很难说了。我自己懂得这个,是吃了许多苦的。我最初写小说,还有一定的生活作底子,虽然生活的圈子很小。生活是客观的,你要表现它,你得依照它的逻辑,你必须向社会学习,向群众学习。而我那时是向主观发展,向书本上学习。结果我后来写的现代小说可以说象晚唐诗,象南宋词,其意识形态则是追求什么"永恒的主题",什么"艺术标准第一",不过十年工夫我成了一个参禅的老道,什么都没有得写了。时代是伟大的中国新民主主义革命时代,而我象一个干瘪的臭虫一样一点血液没有。北京解放了我才觉悟。当我在没有得写的时候,已经懂得两件事,一是人民大众的语言,一是中国的民族形式,都是属于民间文学范围的。我因为掌握了作家的一种语言,知道它是削足适履的,是贫乏的,转而爱好人民大众的语言生动、丰富,并搜集了许多材料。我因为学习了外国的小说形式,知道这种形式有时不够亲切,不够自然,中国的戏剧小说所采取的一种列传体的形式转而觉得是亲切自然的,鲁迅晚年谈连环图书的时候有同样的意见。到了解放后,在思想改造运动当中,我读了方志敏烈士的《可爱的中国》,我惭愧无地了,我感激欲泣了,什么叫做伟大的共产党人,什么是渺小的我!同时我也懂得什么叫做现实主义。方志敏烈士在半殖民地中国所经过的,他写在《可爱的中国》里,我差不多是一样地经过了,我那时从家乡出门也总是由九江坐轮船。我,一个五四后的小说作家,为什么不能用小说反映"可爱的中国"的现实呢?就因为我没有马克思主义的世界观!在思想改造运动以后我真是想,社会主义现实主义多么丰富啊,我们五十岁以上的人应该各尽所能写得许多东西出来。我这时很有重做小说作家的勇气,知道客观世界的广阔。因此我又格外注意人民大众的语言。我曾在《人民日报》上读到一个站在帕米尔上面的人民解放军的话:"不管帕米尔多么高,高不过我的脚跟。不管困难多么大,大不过我的决心。"作家坐在书斋里哪能有这样的语言!又好比农业合作化后当涂县有这样的歌:

玻璃窗,
热水瓶,
烟囱灶,

新大门。
个个穿新衣，
户户住新房，
人人有饭吃，
家家有余粮。

我真真爱这样的好语言，这是人民的语言，它是表现生活的，不象作家的语言是要生活迁就它。所以根据上面所说，我所得的经验教训是由主观到客观，由作家语言到大众语言，由外国形式到民族形式。这时我对文艺工农兵方向还距离很远，不过下决心向那里走，我想那正是我的理想。但自己没有主动地下这一番决心。有时反而有"阳春白雪"的死灰复燃的状态，这同鸦片烟瘾一样，要克服它反而有点痛苦的。就在1957年春天我还如此。现在我已经说过，我没有任何迟疑，我全心全意地走伟大的文艺工农兵方向的路。我不能说空话，要用事实来证明的。我今天的话是想说给某些青年人听，要懂得毛主席《在延安文艺座谈会上的讲话》，不容易呀！我是不很能说出所以然来的。总也算说了些个人的真实情况。

贺新年①

我祝贺1958年的新年！为进步的人类祝贺,为我国的青年祝贺,我也为我自己祝贺。

解放全人类的真理共产党人早已发现了的,象我这一个为旧社会、旧习惯、旧文化所束缚了的旧知识分子到了1957年眼光也确实明亮了,这一年我行年五十六岁而感到新生,一点也不含糊,真的新生。1957年苏联的人造卫星在天空运行,这表明社会主义制度的优越性,表明人类科学技术的最高成就不是资产阶级取得的,是劳动人民取得的,那么人类的前途不是社会主义是什么？不是共产主义是什么？这是日月经天的一件事。另一件事,我们国家经过反右派斗争,广大群众对党,对人民政府的伟大、光荣、正确完全明白了,——因为自己受了教育而完全明白！好比就文艺界说,在长春召开的我省文艺界整风学习会上,许许多多同志热热烈烈地发言,人人都迫切地要求到工农群众中去改造自己,对毛主席《在延安文艺座谈会上的讲话》象母亲怀抱里的孩子张嘴要奶吃似的,今天格外地知道这是我们唯一要求的东西了,要求重新学习,同时就要求立刻行动。劳动创

---

① 载《江城》月刊1958年1月1日第1期,署名冯文炳。

造世界,一点也不虚,全国人民必须从各自岗位上去实践。就文艺说,未来的作家首先还是一个劳动人民。从我说,一方面我感得我新生得晚,在我前面的岁月,不及青年同志长久,一方面我的喜悦又大得不能比拟,我确实感得我重过新的日子,我有这个幸运赶得上做社会主义时代的作家了,我愿同青年同志们竞赛!

我是五四新文学运动初期开始搞文学的,对中国古典文学,对外国文学,都懂得一些,自己也付出了一些劳动,现在知道当时走的是资产阶级的道路。在半殖民地半封建的中国,无论哪一方面的事情,不以无产阶级的思想为领导都是行不通的,所以我个人当时的文学活动不久就会走到死胡同里去了,自己碰了壁自己不知道原因,解放后才知道。解放后,读了毛主席为刘胡兰题的八个字:"生得〔的〕伟大,死的光荣",真正感得劳动人民是伟大的阶级,所以是革命的先锋,象我,一个士大夫家庭出身的人,就太渺小了,在伟大的中国人民解放事业当中没有我的一滴血、一滴汗,我惭愧已极。接着我虽然知道思想改造的重要,也要求立功,但毕竟毫无"新生"之感,认为自己是旧时代的人,企图替新时代做一部分工作吧。这只能表明我政治上有觉悟,而思想上并没有得到真正的改造。1957年春天,我极其高兴地响应"百花齐放"的号召,同时我又知道不妙,因为我旧日的嗜好,也就是剥削阶级"阳春白雪"的文艺观点,在我的思想里现出一角阴影来了,——自己的不光明之处自己是有感觉的。等到反右派斗争运动起来,党提出了两条道路的生死斗争,我负责地说,我把我脑子里资产阶级思想的残余肃清了。丢了包袱之后我真有活力,这就是我说的我的"新生"。这说明阶级觉悟是一切。在文艺工农兵方向这条伟大的道路上今天我感得我前途无限。未来的文艺是社会主义时代的文艺。苏联的人造卫星上天，是劳动人民的科学技术的成就，文学艺术的黄金时代在各个社会主义国家也将为期不远，我国文学有长期的优良传统，在社会主义经济基础之上将蓬勃发展，开出新的花朵，我完全相信。我好久好久没有感得过新年这回事，一说迎接 1958 年的新年，我快乐极了，我完全有一颗过新年的童心！我很想同伟大时代有志于文艺的青年同志们谈一谈心，你们知道我，一个懂得过去文学的老年人，对你们的羡慕否？对未来文学的响往否？也就是对社会主义社会的响往，对共产主义社会的响往，对进步人类的响往，文艺工作者首先有劳动人民的光荣！

大家一起祝贺新的新年！

谈谈新诗[①]

谈谈新诗的问题，对我是非常欢喜的事，因为我喜欢新诗，相信它有光明的前途。可是回溯一下我省的诗歌创作情况，又令我非常害怕，为什么我们这里青年诗人写出的东西与我心里所想写的竟有天渊之别？我负责地说，我想写新诗三百篇，以歌颂中国共产党为内容，我有很大很大的诗的气候，只需要写作的时间。而长春的青年诗人所写的"新诗"，（辜负了这个光荣的称号呀！），小部分是右派的毒草，相当一部分是色情的东西，绝大部分不痛不痒、丝毫没有时代气息。这怎么能行！青年们，我们是处在这样的时代，不前进就要被淘汰！

我从前也是写过新诗的，在一九三〇年写得很不少，足足有二百首，还准备出集子，并向许多诗人请教过，他们并且恭维我。有一次林庚提议出一人一首集，他并替我选了一首，我记得是什么"妆台歌"。从这一首的题目就可以看出我写的新诗的内容了。我今天提这件事，是表明我确是写过诗，有人证物证。然而我的诗我后来都毁了，我凭我的良心认为它毫无价值。到了一九五二年思想改造运动后，我更有觉悟，我曾明白地向林庚说，

[①] 载《吉林日报》1958年1月26日第3版，署名冯文炳。又载《长春》月刊1958年2月1日2月号，署名冯文炳。

我过去所喜欢的东西，包括自己写的在内，都是主观的，非现实主义的。而我们长春青年诗人今天写的一些诗，确是令人生气，他们一点也不懂得什么叫做节制（古代诗人以及五四后汪静之的《蕙的风》里面的爱情诗都是懂得节制的），他们就是发泄，无论就感情说，无论就写作的语言说。要知道，发泄是顶不好的毛病，等于随地吐痰！我过去写的新诗，比起随地吐痰来，是惜墨如金哩。我本着爱青年的心劝青年诗人们听党的话，赶快参加劳动，无条件地参加劳动，赶上伟大的时代要紧，同劳动人民一条心要紧！要改造！

　　我相信新诗的光明的前途。我多年不写诗了。打一九四九年十月一日中华人民共和国成立那一天，我抑不住要写一首伟大的新诗，题目是"天安门"。那天我在天安门广场上第一次听见毛主席的声音，中国劳动人民的领袖的声音："中国人民站起来了！"我要写一首《天安门》！懂得我的人，懂得我是懂新诗的人，相信我不会说谎话，迟早要交卷。我第二次又要写新诗，是一九五二年到长春之后，在电车上看见女司机员雄赳赳地在那里开车（我在北京的时候还没有看见过女司机），而在她的旁边站着一位小脚的乡下老太太，很神气地注视着女司机的动作，这个形象使我极受感动，我对着女司机同志，仿佛看见了伟大时代的无限的前途，我要写一首新诗！写新诗是极费气力的，我因为教课忙，还留着没有交卷。一九五三年全国选举的时候，我的爱人，家庭妇女，五十多岁，居民小组发给她一张选举票，她拿在手上——真令我感动，我从来没有看见她这样欢喜过，她不认得字而极其认真地懂得她的神圣的公民权！我当下有一个极大的责任感，要写一首新诗表现这一位妇女对人民民主衷心的喜悦，在她的身上我一生没有见过这样的喜悦,我真正懂得其中的意义,一个不识字的老太太在共产党领导之下有了政治觉悟。在这次选举的这几天里,我真是诗人,我欢喜若狂。一天在东朝阳胡同电车站上电车,人多极了,我挤了进去。我对这挤格外高兴,心里的第一句话是:"这里面没有敌人!"我以为我们国家里今天实行全民选举一定都是自己人。其实到一九五七年还有一场尖锐的反右派斗争。然而这无损于一九五三年全国选举时我的政治热情。我当时在电车上挨挤左顾右盼昂着头要写一首诗,歌颂我们的选举。这首诗回去就写了,给我们教研室的同志看了,题目是"在电车上"。以后常常要写诗,诗题都记下来了。比如我读了毛主席《中国社会各阶级的分析》我就觉得我要写一首诗。读了《湖南农民运动考察报告》我觉得要写一首诗。读了《人民日报》一篇社论《人人都要节约棉布》也赶忙记下来要写一首诗,这篇社论多么令人感动,多么富有教育意义呀!我还没有下到工厂里去,没有到农村里去,就凭我把新社会同旧社会对比,我相信我也不只写出三百篇来。右派笑我们是"歌德派",他们真是可耻的可怜虫,我敢说,凡属爱国的知识分子,尤其是懂得中国旧文化,到今天受到教育具有阶级觉悟的人,都应该歌颂共产党,从而教育青年。我如果写不出新诗三百篇来,我自己就惭愧。我相信新诗是表现伟大时代的最好的体裁。

　　第一步是到劳动中去改造自己。社会主义时代的新诗人一定是在劳动中生长起来。我在去年十一月十九日的《中国青年报》上读了《有文化的庄稼人》四首诗,很令我感动,有一股新生之气,其第一首《俺像不像农村姑娘》我全抄下来:

中学生来到俺庄，
全庄老少蜂拥而上，
小孩们围着新来的客人，
高兴得像过年一样。

姑娘放下背包，
刚换下学生装，
就拿着锄头问老乡：
"俺像不像农村姑娘？"

社长咧着嘴直笑，
仔细打量姑娘的模样：
"像不像咱还不敢说呀，
明天下地咱再讲……"

我认为这首诗把下乡学生的朝气,同老乡们深厚的感情都写出来了。第四首《新算盘的主人》我抄四句：

我双手抱着新发的算盘，
高兴的一连看了几遍，
粮食钱财都得从这上过呀，
每个算盘珠是我亲密的伙伴。

这就叫做同农民一条心。这是社会主义的歌声。这是初下乡的青年学生写的,这不叫做"后生可畏"吗？

个人规划[①]

政治方面：

1. 我早已同自己的爱人和儿女表明了心，把我的生命献给党。工作目标是为党培养青年，教育青年，做诗写文章（包括写长篇小说）歌颂党。但没有下决心，争取入党。这是暮气的表现。这是惰性的表现。伟大的双反运动促进了我，我的第一步奋斗目标是争取光荣地加入共产党。
2. 我的致命伤是生活习惯落后，考虑问题片面，与先进的工人阶级不相称。从今以后一定把自己投到群众的洪炉里去改造。

业务方面：

1. 原定计划1958年完成《鲁迅的小说》一书和两篇论文。现决心把《杜甫的诗》一书也提前于1958年完成。1959年完成《鲁迅的杂文》（选篇和分析）。上述鲁迅两种和杜甫一种，是中文系专门化课程的教材。此外本人的科学研究还有下列四个总题目：一、鲁迅作品的语言和艺术风

[①] 载《作家通讯》1958年6月10日第2期，署名冯文炳。收于"作家的创作规划"总题下。

格;二、作家、作品和作品的语言(小说重点放在《水浒》上面,另一个重点是历代诗词);三、中国文学上的问题(企图把马克思主义的文学理论应用到中国文学实际);四、中国诗的问题(从三百篇到新诗)。视工作需要定研究的先后,三年内(1960—1962年)完成两种,切合学生的实际,作专门化课程的教学之用。

2. 我现在是东北人民大学中文系文学理论教研室(包括现代文学)的成员,决心把个人投到教研室的集体里去,体会"厚今薄古,边干边学"的精神,大有作为一番。在现代文学方面,愿对青年教师起指导作用。在文学理论方面,结合个人的科学研究,学习"再批判"的有效办法,愿作出一定贡献。

3. 响应改进文风的号召,一年要写二十篇短文(包括新诗)。热心完成省市交给的任务。对省市青年写作,愿尽力帮助。

(1958年3月20日)

语言学课程整改笔谈[①]

厚今薄古,理论联系实际,这是我们在教学和科学研究上的指导原则。大学里的语言教学,恰恰同这个原则相反,是厚古薄今,理论脱离实际,这是我们今天必须要正视的!

首先我想谈谈,"今"对我们提出了什么要求?我认为有以下几方面:1)在汉语拼音方案制定以后,在实践上语法有重大的指导作用。举一个例子,《人民日报》社论《把总路线的红旗插遍全国》里面有个带有附加语的名词"解放了的、觉悟了的、团结起来和组织起来的六亿多人口",其中"团结起来和组织起来的"等于一个形容词,把"团结起来"和"组织起来"联在一起,后面共一个"的",故中间用"和"这一个连结词来连结,那么拼起音来这个"的"就不单属于"组织起来"。这里我们首先要认识汉语连结词的功用,它同外国语的连结词的功用绝不一样,外国语的连结词的功用在汉语里是没有的,如说马、牛、羊三件东西就说"马牛羊",不说"马牛和羊",而我们在讲语法的时候不认清这个实质,现在碰到实际问题,"理论"就脱离实际了。2)青年读古书,认为古书难懂。其实古书并不是神秘的,就文学遗产说,如果是好的

[①] 载《中国语文》月刊1958年7月22日7月号,署名冯文炳。

东西,有被我们接受的价值,它一定不难懂,在于老师教给学生以语法和词汇的知识,让他们熟练地认识到古代汉语和现代汉语基本上是一致的。举一个例,我曾经把下面的《诗经》的句子分作三行写给学生看:

树之榛栗
椅桐梓漆
爰伐琴瑟

告诉他们这三句四言诗是说种着榛、栗、椅、桐、梓、漆六样树,将来又于椅、桐、梓、漆四样树上取为琴、瑟之材。并让他们注意汉语里同性质的许多东西(这里是许多名词)连结在一起不需要连结词。学生听了很高兴,而且有胆量去接触《诗经》。3)在写普通话时,要注意老百姓一般口头上不用而文言中用的某些词,依然是属于规范化的汉语的范围的,如"其"字。请看毛主席《在延安文艺座谈会上的讲话》里面的这一句:"既然文艺工作的对象是工农兵及其干部,就发生一个了解他们熟悉他们的问题。"这里面的"其"字是非常有必要的,如果把这个"其"字改为"他们",那就不行了;那"了解他们熟悉他们"里面的"他们"就混乱了!现在因为前面用的是一个"其"字,所以"了解他们熟悉他们"里面的"他们",很明确的是指"工农兵及其干部"。可见"其"字在汉语里的作用,在普通话里要把它肯定下来。像这样要肯定的文言里的字应该作具体的研究。我们在这里所引的毛主席的话里就还有一个"及"字。另外"置之不理"的"之"字出在周总理的口里,也非常引起我的研究兴趣,通过这些,可以使我们从而知道古今汉语的一贯性。4)五四以来欧化在汉语里的作用是很好的,我们应该作一个总结,把这个成绩肯定下来,对汉语规范化的工作极有必要。举一个例子,我们现在习惯了这样的话:"学习和宣传总路线。"两个动词用一个连结词连结,后面共一个宾语。这样的话分明是欧化,说起来极好听,极响亮。所以好听,所以响亮,是因为欧化而合乎汉语的规律,合乎汉语为什么要用连结词的规律。这样的话毛主席的文章里最多,是推陈出新的范例。我因为毛主席的这样的句子,才想到孔夫子"信而好古"是说他信古而又好古,"信"和"好"用"而"来连结,后面共一个"古"字的宾语,我从前确实误解了孔夫子这句话,因为不懂得语法。在汉语发展史里必须注意欧化这个问题,如加标点符号,如提行、分段的格式,等等,对中国文体起了极大的改变,起了极好的进步作用。当然,这已经说到书面语言的范围,不是口头语上面的事。以上说的四项,是我一时想到的,都是"今"对我们提出的实际问题。难道我们不应该"厚"吗?同时也很分明,要解决这些实际问题,同"古"是割不断的,其中都有理论。研究这些理论,从而又知道理论本来是解决实际的,离开解决问题就是资产阶级的伪理论。中国的"古",倒也是解决古的实际的,如前人搞音韵学、训诂学就是为得他们读经、子、史这类的书。把他们的一套搬到大学的教学里来,便成了不应该有的厚古薄今的现象。更奇怪的是我们公然有"工具书使用法"这种课程,太为今日的青年替古耽忧了!我们倒是应该为青年多做些今天必要的工具书。

其次我想谈一谈对具体课程的意见。我认为我们参照苏联教学计划订的语言课程是好的,只是"语言学引论"不如改为"语言引论"更切合实际些。它的内容,就我所想到的,有五方面的东西:1)语言不是上层建筑。2)语言发展与社会发展。3)文言与白话。这个问题我们应该好好地讲一讲,斯大林《马克思主义与语言学问题》上面的理论我认为完全可以联系到中国这方面来。简直可以说白话里只多了"你的""我的"的"这个东西,(这个"的"怎么形成的,以及与这个"的"相关联的一些东西,音韵学、方言学正应该替我们指明出来。这样搞,我们就一点也不嫌这些课程枯燥,就不是厚古薄今!)在其余的方面,文言和白话几乎不能说有差别。我们只看今年的采风运动,该采出多少"古风"来!然而都是今天的劳动人民的伟大的歌谣。我说它们是"古风",是从语言的规律说的,它们的一大部分是五言诗、七言诗的形式,而词汇则是我们今天的,因为内容是我们今天的。这帮助我们说明一个什么问题呢?这说明语言是全民的,是古人和今人一起创造的,它当然又是发展的。过去文言与白话的提法,是抽象的提法,什么问题也没有解决。4)文学与语言,这个问题我们也应该好好地讲一讲,过去我们就简直没有讲。这里面要讲的实际问题很多,比方对于骈文和古文,我们今天应该怎么看法?从语言的角度来看,二者都是合乎汉语的规律的,不这样看就不公平。从语言的角度来看反而看出六朝文的优点,好比庾信对他逃难的描写:"逢赴洛之陆机,见离家之王粲,莫不闻陇水而掩泣,向关山而长叹。"这里充分显得汉语的长处,它的主语通常不写出来,它的句与句之间不需要连结词,它的动词没有时和语气的变化。今日的青年太不讲究文学语言,就因为大学里没有讲过文学语言。老百姓倒是真真懂得文学语言,因为他们懂得语言,因为汉语是咱们自己的。我引合作化后当涂某一首民歌:"玻璃窗,热水瓶,烟窗灶,新大门。个个穿新衣,户户住新房,人人有饭吃,家家有余粮。"这里把几个名词唱成一个句子,合乎汉语的规律,我们把它同元人的"枯藤、老树、昏鸦,小桥、流水、人家,古道、西风、瘦马,夕阳西下,断肠人在天涯"对比,就可以看出古今是一样的生动。在鲁迅的小说里也就有这样的句子:"庵和春天时节一样静,白的墙壁和漆黑的门。"中文系的"语言引论"课程里如果把这类的实际问题讲得好,很可能引起学生学习这个专业的兴趣;我主张把"语言学引论"改为"语言引论",这里也正看得出理由,就是从实际出发。5)"语言引论"的内容还应包括汉语规范化这个问题,但不应把这个问题的各方面都讲到,那要留到"现代汉语"里去讲。现在只向学生提出"普通话"是怎么一回事,让他们知道这是一件重大的事。写普通话是从鲁迅写小说开始的,到今天《人民日报》的社论都是标准的普通话的好文章了。教学方法最好是举例子,例如举出《红楼梦》的叙述句给学生看,学生便知道鲁迅的叙述句才是规范化的汉语。以上是我认为应该开的"语言引论"课程内容的五个方面。教者必须深入浅出,切合学生的要求,引起学生的兴趣,使他们欲罢不能地进一步学习其他语言课程,同时又知道语言与文学的血肉关系。其他语言课程便是"古代汉语"、"现代汉语"、"汉语史"等。"汉语史"这门课程我认为分量无须过多,但必须把古今汉语的规律拿出来,它本身的规律,社会发展促进它发展的规律。"现代汉语"必须包括训练写作。旧日读书人有看、读、写、作四件事,我们今日也要有三件事,就是看、读,再加上一个"写作"。语言这个东西离不开"读",朗诵会之类也属于读。

关于专门化的课程我不能谈。我建议开设下例〔列〕的选修课程："文学语言史"，"历代作家语言与民间文学语言的比较"，"从语言角度比较周秦文、六朝文、唐宋古文、明清小品文"，"诗赋词曲的语言"，"新诗的语言"，"毛主席著作的语言"，"鲁迅的语言"，"五四以来小说和散文的语言"，"新民歌的语言"。

关于新民歌[①]

吉林大学中文系教授冯文炳委员的发言(摘要)

一年以来,新民歌的量之多,是举世皆知的事实。优秀的新民歌的成就到底应该怎样估价,似乎还没有取得一致的认识。一般的意见,仿佛新民歌是普及有余而提高尚有待。我个人的看法不如此。我认为万万千千的新民歌之中,就已经有欧洲资产阶级文学所不可能赶上的优秀作品。在党所领导的伟大的整风运动之下,出现了劳动人民自己歌颂的文学,如果我们只见量不见质,抽象地谈普及和提高,无论如何不能解决问题。我认为新民歌至少要我们考虑下面三个问题:

一、文学的主流问题。《伐檀》是《诗经》三百篇时代的杰作,《孔雀东南飞》是汉代的杰作,都是民间文学,它们的思想性不用说,它们的艺术成就我认为也不是作家文学所能赶得上的。杰出的作家无不是同民间文学发生极其深刻的关系。杜甫、关汉卿、曹雪芹都是证明。那末什么是文学的主流呢?我们能为表面的现象所迷惑吗?

[①] 载《吉林日报》1959年6月23日第3版"在省第二届人民代表大会第二次会议政协吉林省第二届委员会第一次全体会议上的发言"专栏。

二、语言规律问题。语言是全民创造的,是长期历史形成的。中国诗过去有四言、五言、六言、七言,词里又有三字令。在三、四、五、六、七当中,以五、七言最普遍,今天的新民歌也正是如此,这里面有着汉语的规律问题,也有文学和劳动的关系的问题。古代汉语和现代汉语是一样,三、四、五、六、七当中以五、七言最合乎劳动生活的节奏。

三、向古典文学学习的问题。我们向古典文学学习什么呢?我们必须学习文学传统,其中包括创作方法必须学习语言技巧,总之属于文学的继承性这个方面。在这方面新民歌给我们做了榜样,它的创作方法是革命的现实主义和革命的浪漫主义的结合,是中国文学,尤其是民间文学优良传统的发展;在语言技巧上它充分发挥汉语的特长,有些优秀的新民歌,把语言的形象性利用得极好,到了无以复加的地步。优秀的新民歌善于运用汉语,通过它我们完全明白语言的继承性,明白汉语的规律,通过它我们又知道学习古人怎样善于运用汉语,发挥语言的形象作用。

读"丰收集"[①]

我想写一篇《读〈丰收集〉》,未提笔先吟了一首诗:

> 读罢丰收喜欲狂,
> 叫它丰收实敢当。
> 薄薄本子小篇幅,
> 又真又美新方向。

这首诗就是我对《丰收集》的感情。我从一本薄薄的《丰收集》预感到文化革命时代的文艺将来的伟大的丰收。短篇小说是很不容易写的东西,《丰收集》令我很想谈它。并不因为我在吉林,这是本地风光,所以想谈它。这当然也有关系,"惟土物爱",是人之常情。主要还是因为《丰收集》自己的美丽,我对它是"乐莫乐兮新相知"。

我是比较早写短篇小说的,那时是受了外国的影响,这种文学形式确实新鲜。加之以"五四"以前我们是做古文,把人的脑子弄得太不像样子了,一旦读了莫泊桑,读了契诃夫,能不感到

[①] 手稿,约作于1959年,署名冯文炳。

要改变改变空气吗？我们真是群起而趋之,一时短篇小说如雨后春笋,作者确实有春天来了的感觉。可惜我自己渐渐脱离了生活,不知道向社会学习,向群众学习,只是向书本上学习,向技巧学习。技巧学会了一些,反而腻了。后来我又觉得还是中国的民族形式好(中国的小说戏剧都是一种列传体的形式),对一般学外国短篇小说而写的东西感得它是新的古文似的,很容易看出它的架子来。这个意见在我心里藏了很久。一九五八年我国工农业大跃进,在短篇小说的创作方面也有一个大跃进,《丰收集》也正是证明,这回读了《丰收集》,〈它〉我欢喜若狂。我经历了三个时代,我有三个时代的不同的感觉。清末民初学做唐宋八大家的古文,是"少年老成";"五四"初期是"久在樊笼里,复得返自然"的小鸟儿一般的歌唱;今天,以一个长久抛弃了短篇小说的作者来说,我感得毛泽东时代的春天来了,我确实很像《丰收集》里《开头》那一篇的老头们要从头学习呢。

　　我赞成作家是灵魂的工程师这个说法,我认为灵魂的工程师就是创造新人。《丰收集》给我们创造了新人。这些人物都不是概念化,可谓有血有肉,这就很不容易,必须作者和他所制造的灵魂是共呼吸的。有些故事引人入胜,读起来欲罢不能,表现我们的作者有工程师的很好的本领。我们今天的工程师非政治挂帅又决无所用其技,他的故事写得好,是因为他是我们社会的主人,他在我们社会里如鱼之得水,鸟之在林,所以他笔下的制造有声有色了。要把我的心得都写下来,在一篇文章里我是应接不暇,下面我只就两篇小小说来谈谈,就是《金凤》和《加急电话》这两篇。

　　《金凤》不到二千字的故事,把一个人物写得多么完全,她的灵魂多么美丽呵！我作为一个读者,不暇问这是否真人真事,我只佩服作者怎么这么容易地写得出来。就算真人真事,写得出来就是艺术。不完全是真人真事,经过作者的加工,而能轻描淡写地写得真实,就是艺术。第一段以八行写金凤过去十三年,恰好,恰有用处。第二段以两行写金凤对今天社办食堂。第三段,真是写得快,写得自然,一下子就揭开了金凤的思想矛盾:"我可下子拔出腿来了,怎能还做饭呢?"作者有了这样说时"快"(旧日说书人是说"说时迟,那时快!")的本领,往下的笔墨自然都是毫不费力了。第二天队长动员金凤,金凤"只好答应下来",寥寥几行,松松几句,把队长、把金凤都写出来了。接着炊事员金凤第一天,通过写一个人物小四和群众的几句反映,再加金凤自己的一言和一二动作,把我们人民公社公共食堂的集体生活都写出来了,可谓"又有统一意志,又有个人心情舒畅、生动活泼"！这里面的小四可爱,群众的语言好听,"顺手拿起一棵大葱,慢慢地扒着,其实她是要听听群众的反映"的金凤如在眼前。

第二天金凤由徐六代写的黑板报,形式极好。黑板报上的言语都是我们的金凤的心之声,"如果大家让我长远地做饭,我也乐意,而且要把饭做的更好,让大家吃的又香又饱,鼓起干劲多翻地。"群众异口同声的"同意!""欢迎!"都给我们听见了。我们读者也是"同意!""欢迎!"深深地爱这个人物,而且受了一场集体主义的教育。

《加急电话》同《金凤》一样能够引人入胜,越读越愉快,这种愉快提高了我们的集体主义的精神,感到做人的幸福。我们社会主义时代的文艺的美感是史无前例的。过去我们读莫泊桑、读契诃夫总是感到在一种不知名的魔掌下(现在我们知道它的名字,是不合理的社会制度!)难为有许多许多的生命在那里呼吸而已。《金凤》是直叙,《加急电话》有插写。直叙难得有风趣,插写容易不自然。而《金凤》写得有风趣,《加急电话》极自然。《加急电话》的主人公王大娘出场极快,更难得的通过王大娘写出东风人民公社办公室,只有一句的文章,一句自成一段:

> 办公室的电灯还点着,社干部正在外屋开会,研究雨后抢种的事。

接着又极其自然地介绍了社长,只有一句的文章,一句自成一段:

> 孙社长一看她来了,忙站起来说:"王大娘管事真不少哇!三更半夜还有人来加急电话呢!"

就这一句文章把孙社长写得多好!写得自然,写得真实,叫人爱读。插叙而叫人爱读,是很不容易的,一般的插叙总容易叫读者认为是作者故意作的安排,这样只是叫读者"知道了!"不一定爱读。

当王大娘接了红旗社的电话,知道红旗社是要轳辘,"本想把这件事告诉给社长,又一想社长那个火性子脾气非着急不可,……"这把王大娘的性格写出来了,孙社长的性格也写了一些,写得极自然,而同时是帮助故事的发展,因为故事是今夜王大娘自己送轳辘去。这种地方都值得佩服,就是写得自然,不为穿插而穿插。

"现在谁送轱辘去呢？社里的人正忙着呢。干脆自己连夜去一趟吧。"这是一段。而接着一段：

> 东方刚发出鱼肚白色，王大娘就来到红旗社了。到社长家里一问，社长没在家，说是在南沟那块地里收拾点播机已经一宿没回家了。

这接得真好，一点不费力，只描写一句天色，王大娘已到红旗公社了，省却了许多的转湾磨角。我确实是佩服这种文章。

接着又给我们介绍了红旗社，可谓诗中有画，画中有诗，而句子极其简单：

> 王大娘从社长家里走出来，就直奔南地走去了。刚拐过柳树趟子，一群人就出现在眼前，地里还明晃晃地点着几盏大保险灯。

又把红旗社的张社长写得多好：

> 红旗社的张社长正忙的满手泥，一听有人找他便走过来说：
> "我就是！大娘，您有事吗？"

也是一个"忙"字，"忙"的满手泥，在明晃晃的保险灯之下。

接着就是故事的高峰了，王大娘这位"老积极"同昨夜正在红旗公社突击点播机一台的王大爷这位"老刚强"，老两口子，在人群中意外地相见了,因为缺乏做粘辘的材料,故把王大娘星夜电召来了。

灵魂的工程师,并不是一个头衔,是表明你做的是一种什么性质的工程。首先要自己以政治为灵魂,对建设社会主义要有冲天干劲,然后才能创造新人。其次,既然是工程,就需要技巧。我认为《金凤》和《加急电话》能作证明。

最后我对《加急电话》提点意见。《加急电话》临了王大爷见了王大娘把事情原原委委告诉她,王大爷的话似乎一口气说得太长了,读起来就不自然似的。故事里的说白和叙述,需要分寸,不完全靠说白,也不完全靠叙述,总之要读起来有神气,要自然。当然,故事要明白。我相信作者有本领把王大爷的话说得更像王大爷当时说的,让读者不以为是作者在替王大爷说话。不必要王大爷一口气说许多,插几句作者的恰当的叙述。

再提点意见。《加急电话》第一句:"夜深了,东风人民公社的王大娘才从托儿所回到家里,躺到床上。"在这一开头,"王大娘"前面最好是不加"东风人民公社的"附加语,一有这个附加语读者就猜着了你是在写小说,所以有小说笔法。其实小说笔法尽可不有。要让读者知道王大娘是东风人民公社的王大娘,最好是下文"办公室的电灯还点着"的"办公室"前面加"东风人民公社"六个字。这看起来是小事,也不小,杜甫说他写诗"语不惊人死不休",作者如果让读者猜着你在写什么,就不足以惊人了。总之要处处写得自然才能引人入胜。再见!敬礼!

伟大的战士[①]
——纪念鲁迅逝世二十五周年

鲁迅的一生是追求真理的一生,是战斗的一生,是为中国革命服务的一生,是光荣的文学家的一生,他的一生给我们做了知识分子和工农大众相结合的榜样,中国人民永远纪念他!

鲁迅所追求的真理是中国革命的真理。他在青年时以"我以我血荐轩辕"题自己的照片。他最初在日本学医是为了救中国,他说他"知道了日本维新是大半发端于西方医学的事实"。后来改攻文学,是因为他受了刺激,他认为第一要着是改变国民的精神,"而善于改变精神的是,我那时以为当然要推文艺"。到了五四前夕写《狂人日记》,他还不忘记徐锡麟,《药》的"夏瑜",明明表示他记得秋瑾。《狂人日记》的"救救孩子"的呼声在"五四"前夕是起了很大革命作用,促进了知识分子的反封建斗争。用鲁迅杂文的话来说就是"革命要革到老子身上"。鲁迅的民主主义思想不是剥削者资产阶级的反封建,他是背叛本阶级,站在人民大众的立场反封建。到了"五卅"时期,鲁迅为中国人民揭穿了所谓西方文明的假面具,同时就表现了他的一边倒的感情,

---

① 载《长春日报》1961年10月19日第3版,署名冯文炳。

他在一篇《忽然想到》里说:"我们的市民被上海租界的英国巡捕击杀了,我们并不还击,却先来赶紧洗刷牺牲者的罪名。说道我们并非'赤化',因为没有受别国的煽动;说道我们并非'暴徒',因为都是空手,没有兵器的。我不解为什么中国人如果真使中国赤化,真在中国暴动,就得听英捕来处死刑?""其实,这原由是很容易了然的,就因为我们并非暴徒,并未赤化的缘故。""因此我们就觉得含冤,大叫着伪文明的破产。可是文明是向来如此的,并非到现在才将假面具揭下来。"凡这些都是鲁迅追求真理的过程,战斗的过程。中国革命必须走反帝反封建的历史必由之路,伟大的战士鲁迅正在这路上走。

然而鲁迅也有过"彷徨"的日子。他说他有个时候"成了游勇"。"新的战友在那里呢?"他苦闷着。"路漫漫其修远兮,吾将上下而求索。"他想到了古代的爱国主义者屈原。中国共产党向他伸之以援助的手。于是鲁迅的思想起了突变,由进化论走到阶级论,——这是瞿秋白同志当时对鲁迅的思想作的科学的论断。他接受党的领导,1930年后他的具体工作是在上海领导左翼作家联盟。这时有蒋介石反革命的文化"围剿","而共产主义者的鲁迅,却正在这一'围剿'中成了中国文化革命的伟人。"当左联成员柔石等五位同志被杀,鲁迅写了《中国无产阶级革命文学和前驱的血》,他说"我们的这几个同志已被暗杀了,这自然是无产阶级革命文学的若干的损失,我们的很大的悲痛。但无产阶级革命文学却仍然滋长,因为这是属于革命的广大劳苦群众的,大众存在一日,壮大一日,无产阶级革命文学也就滋长一日。"这话极重要,是鲁迅从一生的斗争中摸索出来的真理,过去他认为他是"游勇",现在他是属于人民大众了。毛主席教导我们必须和工农民众相结合,鲁迅就是知识分子和工农民众相结合的光辉的榜样。这样,鲁迅就有了新的力量,他从《二心集》起写的八个杂文集,都是集体主义的作战,又狠又准,把敌人打得寸骨寸伤,这是文学史上的奇迹,这是为政治服务的范本,这是一位听党的话的老英雄留给我们的遗产。在纪念鲁迅逝世二十五周年的时候,我们应更好地学习鲁迅,在党的领导下,为社会主义贡献出更大力量。

仰之弥高　钻之弥坚[①]

毛主席《在延安文艺座谈会上的讲话》发表二十周年了,我怀着极兴奋的心情,汇报我自己学习这一篇马克思主义关于文学艺术的经典著作的心得。其实我读毛主席的《讲话》算是很晚的,是在一九四九年北京解放之后,但这并不使得我气馁,倒是增加了我的干劲,就是奋起直追。在我的十余年的学习之中,也很有一个过程,前前后后的体会是由这个方面到那个方面,由局部到整体,但始终不是被动地学习,是自动地学习,联系实际地学习,感到读书乐地学习。到现在,我对于学习毛主席的著作,不敢轻易说"懂得",当然,每次学习是有些体会,从今天的体会看起来,那以前的所谓"懂得",实在还是距离得很远。"仰之弥高,钻之弥坚",这八个字我用来说明我学习毛主席的著作的心情。

党和毛主席对我的教育,第一件大事就是政治第一。我本来是一个作家,受欧洲资产阶级文艺思想的影响极深,表现在爱好文学之后就脱离政治,脱离社会现实,而向外国文学和古典文

---

① 载《长春》月刊 1962 年 5 月 1 日 5 月号"纪念毛主席《在延安文艺座谈会上的讲话》发表廿周年"专栏,署名冯文炳。

学学习,就是向书本子上讨生活,结果自己的无源之流就干涸了。于是又钻佛教的经论和孔子的学问,个人的生活到了极狭窄的境地。而这时正是抗日战争时期。中国共产党领导的伟大的抗日战争,在日本投降的时候我还是不知道,到北京解放后我才如梦方醒。这一觉悟,在我真是一个大觉悟,我能够相信共产党。到了一九五二年思想改造运动中,我感到象我这样的人,对不起党,对不起毛主席;也对不起古代的屈原和杜甫,因为我以前并不重视他们两人,尤其不重视杜甫,倒是爱好陶渊明、李商隐、庾信三个人。我的惭愧是真的。我的争取进步的勇气确实是有的。一九四九年春天,我开始读《新民主主义论》、《在延安文艺座谈会上的讲话》,这一年还读了《湖南农民运动考察报告》、《中国社会各阶级的分析》,还读了《论人民民主专政》。对以上各篇,深浅不同地都有所体会。一句话,我相信党,相信毛主席,相信毛主席的学问。当时我有一句话藏在心里不敢说,我认为历史上中国人会学印度佛教的道理,今天毛主席会学马克思列宁主义。这话我现在敢于说出来。我读毛主席的《讲话》,首先信服的是政治标准第一、艺术标准第二的提法,我一点怀疑没有,可以说是身入心通。

歌颂呢?还是暴露呢?这个态度问题在我也是解决得最早的。我过去从事文艺创作,或者读古今中外的文学作品,有自己对之而心花怒放的一面,那时我不能用科学的术语来说明自己的状况,其实就是毛主席的一句话:"他们所感到兴趣而要不疲倦地歌颂的只有他自己"。到得自己的一点材料都完了就厌弃文学,这是我的状况。我对于陶渊明、李商隐、庾信,为什么喜欢他们的作品呢?也就是因为他们善于表现自己。当然,这些古人的表现自己,具体问题要作具体分析,不能一概而论,而我在人民革命的时代,欣赏甚至学习他们的表现自己,是决没有出路的,只能是时代的落伍者,所以我很快就落后了。在自己的痛苦的经验教训之下,这些话一入我的眼帘:"对于人民,这个人类世界历史的创造者,为什么不应该歌颂呢?无产阶级,共产党,新民主主义,社会主义,为什么不应该歌颂呢?"我当时外貌上虽然没有狂叫,精神上是狂叫,歌颂!歌颂!我确实懂得歌颂的科学意义。因为开始懂得歌颂,也就懂得暴露,暴露是暴露本阶级,所以鲁迅最可贵,可惜我过去做不到这一点。这时我重新有做作家的要求,就是懂得什么是人民的作家。于是我有一个苦闷,有强烈的歌颂的感情,而没有生活。要生活,生活马上也就来了,一九四九年十月一日,在天安门前听到毛主席的声音:"中国人民站起来了!"我立地要写一首诗。我当时想的是新诗。我认为我能够有一首杰作,却是不成功,但心里没有放弃着写。我的工作岗位是在大学中文系作教学工作,在教学和科学研究上,我发现我的立场开始变了,而且我感得我的眼光大亮,处处有新的发现。这时我有研究杜诗的要求,我是从一个问题引起来的,我想到《赠卫八处士》和三"吏"、三"别",这些诗都是杜甫在同一年春天同一旅途当中写的,在三"吏"、三"别"里,农村中壮丁都没有了,于是老年人从军,未成年的孩子从军,"肥男有母送,瘦男独伶俜",何以这个卫八处士家里男女成行,象《桃花源记》里面的世界呢?我想这才是活的历史,是地主阶级"生常免租税,名不隶征伐"的历史,而历史的担子是人民挑起来的,是人民抵抗异民族的侵略。我进一步懂得杜诗的价值在于杜甫歌颂人民,他的《前出塞九首》明明是歌颂一个兵士,明明是写一个兵士的传记,过去我一般地读过去了,现在令我对之深思,我发现了许多问题。这是毛主席的《讲话》对我的教育,我能够得到一个判断,杜甫是写兵。因为"写兵"已经是美学上的一个术语,我从感情上接受了,所以在考虑问题的时候就起了作用。

这时我真象青年似的,又想创作。但是没有生活。有时遇着写一首诗的材料,又感到这首诗还是不容易写。这所说的都是写新诗。我认为我确实懂得汉语的美,我适宜于写小说,我应该对祖国有贡献,这将怎么办呢?我的苦闷之情颇重。我当时因为眼睛有病,不能参加劳动。我想,我如果能够参加劳动,我一定能有贡献,能写出好的小说来。因为我对作家"必须长期地无条件地全心全意地到工农兵群众中去"的指示确信不疑。又想,我虽不能参加劳动,应该能够写出歌颂诗三百首来,这样也可以了,我相信我做得到,因为我已经有许多题目。就在这个感情之下我写了一首诗,大胆地在报上发表了,说我要写歌颂诗三百首。现在想来,我当时还太保守,一九五九年我学习新民歌一口气写了三百首,只表现了我的感情的一点点儿。这就说到新民歌的问题上面来了。新民歌对我的启发极大。我是一九五八年读了新民歌之后才体会到毛主席《讲话》里面这些话的意义:"提高要有一个基础。比如一桶水,不是从地上去提高,难道是从空中去提高吗?那末所谓文艺的提高,是从什么基础上去提高呢?从封建阶级的基础吗?从资产阶级的基础吗?从小资产阶级知识分子的基础吗?都不是,只能是从工农兵群众的基础上去提高。也不是把工农兵提高到封建阶级、资产阶级、小资产阶级知识分子的'高度'去,而是沿着工农兵自己前进的方向去提高,沿着无产阶级前进的方向去提高。而这里也就提出了学习工农兵的任务。"这些话我以前是不加思索地读过去了,因为不知道如何去思索。等到读了一首又一首的新民歌,我乃知道要重新来读《讲话》,用功来思索。好比最初我在《吉林日报》上读到《喜的月亮少半边》这一首:

  日落西山月夜天,
  地里人们干的欢,
  笑的青山直张嘴,
  喜的月亮少半边。

  它大令我惊异,又叫我生起一种新的美感,是我第一次和劳动人民的灵魂有了接触。做了一天的活,到了黄昏时,看见张着嘴似的青山就有"笑得〔的〕青山直张嘴"的形象,看见半边月就连忙唱出"喜的月亮少半边",这样的欢天喜地的感情,知识分子诗人无论如何不能有。如果没有劳动人民的感情,就等于和劳动人民没有共同的语言,怎么能空谈"提高"和"普及"呢？我思索毛主席"提高要有一个基础"的话,"而这里也就提出了学习工农兵的任务"的话,我真是汗流夹〔浃〕背,我以前的思想意识里,虽说不知道思索,无形中恐怕有一个"高度",就是知识分子方向的"高度"。我认识到我对思想改造缺乏实践。新民歌首先是以劳动人民的思想感情教育了我。我真切地认识到劳动人民的灵魂的美丽。又如我读了一位建筑工人的《一颗红心跳蹦蹦》:

  一片灯火一片红,
  一颗红心跳蹦蹦,

跳得瓦刀点头笑,
跳得红砖满天跑。

跳得砖墙随风长,
转眼烟囱入云霄;
心啊心啊为啥跳?
总路线宣布了!

这颗红心感动了我,它使得我也"一颗红心跳蹦蹦"。在知识分子的作家当中,我只见过丹麦安徒生的童话真是表现着天真的心,但那是诗人的感情,我们的新民歌却是工人同志的天真的心,是工人同志相信党,是以劳动来实践的。又如我读了一首《擦大炮》:

雪停了、天亮了,
起床忙来擦大炮,
炮卧阵地似白虎,
身上披着白龙袍。

炮脚板上落雪花,
好象绿布生白毛,
炮弹躺在木箱里,
盖着雪被睡大觉。

瞄准镜,玻璃造,

光手擦炮最周到,
风吹手背象猫咬,
镜儿对着战士笑。

炮脚板上结冰花,
使劲擦来不见效,
嘴呼哈,冰雪化,
替炮洗个干净澡。

我读了这首诗,我惭愧我没有同解放军战士在一起生活,我没有到艰苦的生活当中去。这首诗所表现的人民解放军的革命乐观主义精神,在我没有读它以前,无论如何想象不到。"炮卧阵地似白虎,身上穿〔披〕着白龙袍",世上哪里有这样生龙活虎似的生物?而有的,它是我们的战士的驯养物,是他手下的大炮!"炮弹躺在木箱里,盖着雪被睡大觉",这个炮弹该有多么的安全感,它保护得多好,我们读着感觉它非常温暖,而它身上是盖着"雪被",——奇怪,这里的"雪"为什么没有一点寒意的侵袭呢?这是我们的战士的精神所笼罩着。我读了这首诗之后,懂得要向工农兵学习,要学习他们的艰苦生活,学习他们的革命乐观主义。于是我拿起《讲话》来读,我知道我原来不加思索的地方,存在着我自己的问题,我对"普及"和"提高"都谈不上,我并没有真实的基础。我从新民歌确实受了教育,我认为我自己的感情很起了变化。从此我对工农兵文艺方向是"知之者不如好之者,好之者不如乐之者"。知道什么叫做普及,什么叫做提高。这时我精神上有一个大的解放,即是我自己不想再做作家,我没有这个可能。我爱好汉语,这时我知道我对汉语的修养是有限的,我无须替汉语耽忧,新民歌证明劳动人民是语言的主人,汉语是源远而流长。好比我读了一首《四川出现双太阳》:

　　阳春三月好风光,
　　四川出现双太阳,
　　青山起舞河欢笑,
　　人民领袖到农庄。

　　这首诗就减轻了我的负担,我要写歌颂诗,现在我知道"日月出矣,而爝火不息,其于光也,不亦难乎?"我有心悦诚服地自己消失了的感情。而到次年我学新民歌体写了三百首歌颂诗,我的主要目的不是为得自己要做诗人,而是相信五七言体这个抒情诗的工具,中国诗原来也有它的民族形式,自己应该试一试。"五四"以来我长期考虑中国诗的形式问题,中国诗的形式问题还是劳动人民在大跃进运动当中给知识分子诗人指出解决的方向了。这件事逼得我做了一些科学研究。根据我的研究,诗还是应该"歌"("五四"新诗离开了诗的"歌"的性质,发展到另外一条路上去了,但这条路也有远大的前途),汉语的五七言体就是最容易歌的,尤其合乎劳动中歌唱的节奏。不论五言或七言的句子,都是最后三个字一顿,这就是五七言体最容易歌的缘故。这和我们的名字以三个字为最普遍是一样的道理。戏台上周瑜唱:"心中恼恨诸葛亮,他的八卦比我强。""诸葛亮"三个字就比"诸葛孔明"四个字好唱,也比"孔明"两个字好唱。新民歌有一首《放炮工》,是五言体,最后一节四句是:"硝烟满天飞,岩石咧了嘴,剥开皮来看,嘿嘿都是煤。"这里面"嘿嘿都是煤"一句就证明五言之所以为五言,"嘿嘿"一顿,"都是煤"一顿。有一首《织布谣》,是七言体,第一节四句是:"小小布机没多高,齐到姑娘半中腰,它是姑娘小伙伴,叽叽喳喳谈不了。"这里面"叽叽喳喳谈不了"一句证明七言之所以为七言,"叽叽喳喳"一顿,"谈不了"一顿。从语音说,汉语以五七言体最合乎歌唱的节奏。从语法说,汉语语法又最容易造成五个字、七个字的句子,我写我的《歌颂篇三百首》,除抒写我的歌颂之情外,就是从汉语语法的角度来种一块试验田,关于这一层,在这里就不多谈。新民歌使得我相信中国诗的民族形式问题,具体的事实就是,一新耳目的劳动人民的思想感情而以最自然的形式五七言体歌出之,其中很大的部分是口头创作。这说明作为诗歌工具的语言是一个民族的语言,是全民的事,不是知识分子的专长。这又说明五七言体是由汉语来的,因为它的口头创作的性质。这又说明诗歌是伴着劳动产生的。小说戏剧的民族形式问题,我考虑得倒较早,解放前就考虑过,我认为中国的小说戏剧有为群众所喜闻乐见的自己的形式,其特点是采取列传体,是从四方八面地写,同中国画一样,只要经营布置得好,并不考虑到焦点透视的问题。而且我的感情愈到后来愈觉得中国小说戏剧较之外国小说戏剧能够来得更自然些,更真实些,原因就是它的表现方法能够更自由些。现在新民歌又叫我知道中国诗原来也正有着民族形式问题,我真是如获至宝,眼界大开。我体会到党所领导的采风运动的伟大意义,它是工农兵方向进一步的实践,毫无疑问工农兵方向是人类消灭剥削以后的美的方向,是向前看的方向。

我再说一遍,自从采风运动之后,我对工农兵文艺方向是

"知之者不如好之者,好之者不如乐之者"。从此我自己并不梦想做作家,我一点遗憾没有,我相信我能作科学研究,阐述毛泽东文艺思想,我有无限的欢欣。

我对民族形式问题决定作进一步的研究。由诗歌的民族形式,又把以前自己考虑过的小说戏剧的民族形式综合起来思考,这时我体会到毛主席所提出的革命现实主义和革命浪漫主义相结合的创作方法,是一语破的,历史上中国文学艺术的民族形式问题也正好以现实主义和浪漫主义相结合来概括,就连汉语语法的特点也在于它是富于表现理想的,它是现实主义和浪漫主义的结合。比如"阳春三月好风光",这是实写的句子,外国语是同样的表现,但接着"四川出现双太阳",在外国语里就有动词的问题,因为这是现实生活不可能的事,表现这种不可能的事,动词要有变化,而汉语的"四川出现双太阳"的句子说明汉语的动词是绝对的使用,不受外面的条件的限制,它的表现思想的生命力真是大。接着"青山起舞河欢笑"一句也是一样,这种欢天喜地的思想感情在汉语里容易写,容易写得亲切,它和"人民领袖到农庄"实写句毫不费力地接合起来了。象这样动词的绝对使用,按其实质是现实主义和浪漫主义的结合,所以汉语语法也表现着民族形式。本来各民族的语言首先就是其各自的民族形式。毛主席的两结合的提法是一把钥匙,在科学研究上能帮助我们打开许多门户。

直到这时我还是一个经验派,所习惯的思想方法还是限于形式逻辑,我绝没有意识到这样的思维形式有如何的局限性,真是蟪蛄不知春秋,可叹也。一九五九年反右倾运动当中学习五个观点,对我的进步有极大的关系。这一次读《矛盾论》,我对我自己提出了更高的要求,参考了列宁的《哲学笔记》。我这才开始懂得辩证逻辑,知道"同一性"是怎么一回事。我觉悟到在自然科学中懂得"同一性"尚易,好比阴电、阳电本来是具体之物,五官可以感觉,不能单独存在,若社会科学的研究对象,"同一性"的具体性完全是从理智来的,它真不容易发现呵! 在马克思以前,谁能发现"阶级斗争"这一个同一性的实体呢? 我更体会到"同一性"的转化的意义,受了列宁笔记的启示,列宁说:"在自然界和生活中,是有着'发展到无'的运动。不过'从无开始'的运动,倒是没有的。运动总得从某个东西开始的。"就是这话使得我的思想跃进。我过去钻研佛教的经论,知道佛教有"无始有终"四个字,"无始"是否认"有始"("有始"就等于说"从无开始"),"有终"是承认"发展到无",不过佛教是唯心,它所谓"有终"是说"烦恼"可以消灭,消灭就成了佛。现在因列宁的话我记起佛教的"无始有终"四个字,这四个字帮助我懂得马克思主义的唯物辩证法,我确信人类社会的发展是由阶级斗争而达到阶级的消灭,就是"发展到无"。那么共产主义社会的到来,是逻辑的必然结果,而这个逻辑不是形式逻辑。这在我也叫做"闻道"。这时我有无限的勇气,我已经不是经验派,我有理想了,从世界观上解决了共产主义的问题了。解放以来受了党和毛主席的教育,我从政治觉悟提高到哲学的根本问题了。记起一九四九年初读毛主席《论人民民主专政》时,偏是第一段读不懂,把这一段暂且放下了,对以后一段一段的话倒是多少都有自己的体会。现在偏偏想起《论人民民主专政》第一段,可见读书不易呵! 这时我又惭愧以前读《实践论》、《矛盾论》都没有懂得,也不知道怎样求懂。今天知道,毛主席的"两论",是马克思列宁主义精华之所在呵！这时我对自己搞科学研究就更有信心了,用一句老话就是"欲罢不能"。我们要有雄心大志建立辩证唯物主义美学。我们有毛泽东思想的武器。毛主席《在延安文艺座谈会上的讲话》是我们的美学的具体根据。美学本来是上层建筑的一种,而这个上层建筑和其他的上层建筑如政治经济学、法律学、伦理学等很有些不一样,最突出的是美学对象人民性的东西很多,它的继承性的部分不少,而资产阶级思想也最容易在这个领域内复辟,在文学艺术方面崇拜古人是人之常情呀！马克思、恩格斯、列宁没有系统地讲美学问题,问题没有提到当时的日程上来。高尔基、鲁迅感到这个问题,高尔基认为资产阶级在文化创造过程中的作用曾经是大大地被夸大了的,特别在文学艺术部门是如此,鲁迅相信从连环图画可以产生密开朗该罗、达文希,从唱本说书里可以产生托尔斯泰、弗罗培尔。列宁在一九〇五年发表了《党的组织和党的文学》,于是"党的文学"四个字成了公开的号召；毛主席在一九四二年发表了《在延安文艺座谈会上的讲话》,指出了工农兵文艺方向,这个方向就不限于是党的文学,它替美划了界限,人类未来的美具体地说是工农兵方向的美。马克思说:"从来的哲学家只是各式各样地说明世界,但是重要的乃在于改造世界。"毛主席在《讲话》里指示我们:"革命的文艺,应当根据实际生活创造出各种各样的人物来,帮助群众推动历史的前进。"这就是马克思主义的哲学在美学范围的体现。这样的美学,在历史上是树立不起来的,这样的美学,恰恰能说明历史上的美的局限性,历史上进步的文学艺术对人类历史有贡献,但不能产生"帮助群众推动历史的前进"的奇迹。所以然是因为历史上进步的文学艺术虽然都是从生活中来的,但不是从阶级分析方法来。历史上进步的美学如革命民主主义者车尔尼雪夫斯基极有价值的"美是生活"的论旨,对生活也恰恰缺乏阶级分析。在马克思主义出现以前,不可能有阶级分析方法。毛主席领导中国革命是从《中国社会各阶级的分析》一篇文章起,在《讲话》里毛主席也正是号召作家们用阶级分析方法:"中国的革命的文学家艺术家,有出息的文学家艺术家,必须到群众中去,必须长期地无条件地全心全意地到工农兵群众中去","观察、体验、研究、分析一切人,一切阶级,一切群众,一切生动的生活形式和斗争形式,一切文学和艺术的原始材料,然后才有可能进入创作过程。"实践这个伟大的美学的原则,从一九四二年以来,新中国的人民文艺,和"五四"新文学比较,显然是两个性质的东西了,"五四"新文学属于批判的现实主义的范畴,它不可能写群众的正面人物,新中国人民文艺所写的英雄人物则从群众中来,到群众中去,"帮助群众推动历史的前进"。最有趣的,鲁迅小说的美和晚期杂文的美也恰成对照。鲁迅小说的人物,是从生活中来的,但不是从阶级分析方法来,有名的阿Q,作者说,"我的方法是在使读者摸不着在写自己以外的谁",所以《阿Q正传》也只能是批判现实主义的作品了。鲁迅晚期杂文的美充分证明是马克思主义予以力量,也就是阶级分析方法给作者以智慧,如《伪自由书》里一篇《"有名无实"的反驳》,根据一九三三年上海的报纸,刻画了两个人物,一个是排长,一个是兵,排长说他"不幸生为中国人!尤不幸生为有名无实之抗日军人!""至于比排长更下等的小兵,那不用说,他们只会'打开天窗说亮话,咱们弟兄,处于今日局势,若非对外,鲜有不哗变者'。"很分明,这完全不是《阿Q正传》的空气了,这说明鲁迅用阶级分析方法观察生活,反映生活,被压迫的中国人民没有什么叫做"国民性"。《"有名无实"的反驳》最后作者有一句总结:"要不亡国,必须多找些'敌国外患'来,更必须多多'教训'那些痛心的愚劣人民,使他们变成'有名有实'。"这是鼓动中国必须有一个全民的抗日战争,这样的文章就表现了它的"帮助群众推(动)历史的前进"的性质,是马克思主义阶级分析方法给予的智慧。到了我们今天,作家创作如柳青《创业史》,群众集体创作如人民公社史的《挡不住的洪流》,其特征都是用阶级分析方法塑造人物形象,农村中的贫农才是治国平天下的大人物了,他们愿跟着党奔向社会主义。当我读《挡不住的洪流》里面的《草苗争长》和《激流》两篇时,我是不知手之舞之足之蹈之,其中李和清、伍平安、伍石宝,都是在党教育下的贫农,古代的知识分子说什么"人皆可以为尧舜",实际上"六亿神州尽舜尧"是我们今天的事。李和清、伍平安、伍石宝,无论是正史二十四史,或是小说《三国志演义》、《水浒传》,哪里也没有他们这样的美丽的灵魂。辩证唯物主义到中国而有毛泽东思想,毛主席关于美学的理论乃指导出了群众创作如《挡不住的洪流》的作品,它证明在人类生活当中劳动人民是主人,真正反映劳动人民的文学艺术是从古以来的花园里所没有栽培过的花种。在中国建立辩证唯物主义美学的时机已经成熟了。我个人决定了这个科学研究的方向,是很经过了一段过程的,从采风运动中我已经动了春天的心,反右倾从源头上推动我前进,读了《创业史》、《挡不住的洪流》,拿它们和"五四"时期的《阿Q正传》比较,我确信毛主席教导我们的阶级分析方法是辩证唯物主义美学所以高于以往的美学者。

我爱"枯木朽株齐努力"的形象[①]

我这写的是一则诗话。

诗话当然是短文章,写起来决不费工夫的。但我这篇短文章蓄意颇久,读了郭沫若同志的《"枯木朽株"解》之后就想写了。我有与郭老争鸣的意思。也有古诗人陶潜"奇文共欣赏,疑义相与析"的意思。

我的这一则诗话可能关系到一件大事,就是,在伟大的诗人的笔下必定是形象,而不是典故。就说旧诗词用典故,也不过是利用它作为词汇,诗的灵魂还是形象。好比毛主席的《水调歌头》,用了"巫山云雨"的词汇,虽然它是典故,而实有一幅图画在读者眼前,"更立西江石壁,截断巫山云雨,高峡出平湖",乃长江上游的拦河坝把雨水拦住了。今年五月发表的主席《词六首》之一的《渔家傲》,其中"枯木朽株"一词就更平常,无论它见之于司马相如的文章也好,见之于邹阳的文章也好,总不外是一个词汇,枯木朽株就是枯木朽株,只不过毛主席用来,该赋予它多么伟大的生命呀,我真爱这个形象。它难道不是指白云山上的"枯木朽株"说的吗?我觉得它为主席的革命乐观主义的精神所笼

[①] 载《长春》月刊1962年11月1日11月号,署名冯文炳。

罩着,枯木朽株在这里一点也不是枯木朽株,它极其生动鼓舞,所以首先就是一句"白云山头云欲立",因为听见"白云山下呼声急",连忙就喊着"枯木朽株齐努力",因为"枪林逼"了。写的都是当时的实景,"枪林逼"的"林"字、"逼"字逗引着"枯木朽株",别看这个山上的老树木,革命的现实主义与革命的浪漫主义在这里结合起来了。伟大的诗,所用的词汇,哪怕它是典故,字面有出处,决不同于一般人的用代字,生花之笔有生动的形象。我最爱读主席的这一首《渔家傲》,我读之仿佛身临其境,白云山上的枯木朽株都在助战了,因为"飞将军自重霄入"。敌人的枪林之密也真是逼近来了呢。"枯木朽株齐努力"的形象,同下面"七百里驱十五日,赣水苍茫闽山碧"一样,令我应接不暇。我的诗话当然是糟粕,吐不出诗的精华来,我还是把主席的词读一遍:

  白云山头云欲立,白云山下呼声急。枯木朽株齐努力,枪林逼,飞将军自重霄入。
  七百里驱十五日,赣水苍茫闽山碧。横扫千军如卷席,有人泣,为营步步嗟何及!

整首词都是生命,我确实最爱"枯木朽株"的生命,青年人最好就把它当着山上的老树木看,我不同意郭老引导我们去查书。愿就有道而正焉。

难忘的图画[1]

在"五四"时期读鲁迅的小说《药》,感到有许多新鲜的描写,这些描写的特点是给人的美感极深,同时读了之后所受的教育真是美感的教育,无论如何忘记不了。我总记得下面的文章:

> 老栓也向那边看,却只见一堆人的后背;颈项都伸得很长,仿佛许多鸭,被无形的手捏住了的,向上提着。静了一会,似乎有点声音,便又动摇起来,轰的一声,都向后退;一直散到老栓立着的地方,几乎将地〔他〕挤倒了。
>
> "喂!一手交钱,一手交货!"一个浑身黑色的人,站在老栓面前,眼光正象两把刀,刺得老栓缩小了一半。那人一只大手,向地〔他〕摊着;一只手却撮着一个鲜红的馒头,那红的还是一点一点的往下滴。

这是辛亥革命时期,杀了革命党人,刽子手拿了革命党人的血卖给老百姓的图画。鲁迅小说的细节都是真实的。在这真实

---

[1] 载《长春》月刊1963年1月1日1月号,署名冯文炳。

的细节之中,对那"一堆人",也就是作者在别的文章中所谓的"看客",作了一笔刻划,"颈项都伸得很长,仿佛许多鸭,被无形的手捏住了的,向上提着。"我当时读之深受感动的就是这个形象。这个形象是作者当时用他的世界观刻划出来的,读者所得的是美感,是形象的教育,鲁迅以他的爱国的思想,改造"国民性"的思想,教育我们了。

鲁迅到后来世界观转变了,我们今天更是接受了党的思想改造的教育,对文学艺术所产生的美感,也就有着根本上的改变。鲁迅小说《药》的美我还是承认的,我感谢他给我以难忘的图画,我更其感谢的是柳青的小说《创业史》上有一幅图画,当我读到这幅图画时,我记起鲁迅的图画,我确切地知道鲁迅的图画已经是旧的了,是"五四"初期的产物了。我所指的是《创业史》上描写供销合作社前排队的一群人,柳青是这样写的:

> 排队买东西的第十七个老汉,个子本来很高大,因为罗锅腰,显得低了,不被人注意。他穿着笨手笨脚的新棉袄新棉裤,左胳膊上挂着一个竹篮子,里头平放一个空豆油瓶。他低头用右手指抹眼泪,抹掉又溢出来了。
>
> 大伙终于注意了这个奇怪的老汉。为什么在大伙高兴的时候,他流泪?而且看样子流上没完罗〔啰〕。
>
> 所有的人都看见:这个老汉满面很深的皱纹,稀疏的八字胡子,忧愁了一辈子的眼神,脖颈上有一大块死肉疙瘩。看来,几十年沉重的劳动,在这个人身上留下过多的痕迹,很明显,很突出。上万赶集的庄稼人里

头,这样的人也是少数!

　　终于,有人认出来了,——这是梁生宝他爸嘛!

　　(略)

　　当排队的庄稼人顾客知道这是灯塔农社梁主任他爹的时候,一致提议让老汉先打油回去;老汉上了年纪,站得久了腿酸。梁三老汉不干,大伙硬把他推拥到柜台前面去了。

我真爱这幅图画,我,作为一个读者,受了很深的教育,爱我们的社会,亲近于我们的人民,难为作家柳青给我们塑造了梁三老汉这个不朽的形象。从我自己说,"五四"以来读小说时所受的美感,最初莫过于鲁迅的《药》所刻划的"颈项都伸得很长"的看客,再是1960年读《创业史》读到梁三老汉被大伙推到柜台前去,我不觉而掩卷深思了,我们今天的作家应该叫做"灵魂的工程师"。

冯文华烈士传略[①]

大革命时期的中国,倘若没有毛主席的《湖南农民运动考察报告》这篇记载,中国共产党人领导的中国农民革命的轰轰烈烈,便无从而传给后代。有了《湖南农民运动考察报告》,那就是毛主席的话:"孙中山先生致力国民革命凡四十年,所要做而没有做到的事,农民在几个月内做到了。这是四十年乃至几千年未曾成就过的奇勋。"笔者在我黄梅县亲眼见过这奇勋。每次读《毛泽东选集》第一卷里这第二篇文章,事隔三四十年,当时在黄梅县的共产党人、黄梅县的农民运动,在我的记忆里又火一般地红起来了。农民运动,接着就是蒋介石反革命大屠杀。当我读陶承同志《我的一家》时,我用新民歌体写了"歌烈士"一十五首,其二、三首云:

"我的一家"千万家,
蒋介石"清党"杀杀杀,
当时猖獗首两湖,

---

① 手稿,作于1964年9月30日。原件现存湖北省黄梅县民政局冯文华烈士档案内。

所以陶妈妈记长沙。

老汉家住在湖北,
想起都是布尔什维克,
除了革命无生命,
共产党员就是血。

我所想起的当时我黄梅的布尔什维克,其中有我的弟弟文华。

当我读毛主席赠李淑一同志的《蝶恋花》词,"我失骄杨君失柳,杨柳轻扬,直上重霄九。"我也就想到我的弟弟文华,也想到与我家相隔只有二家的石炳乾烈士兄弟二人。毛主席愿天上明月"万里长空,且为忠魂舞。忽报人间曾伏虎,泪飞顿作倾盆雨。"这是最真最美的文字,今天用来纪念大革命时代的烈士,此外不需要说什么。

冯文华烈士〈以〉一九〇二年生于黄梅县小南门城门口的家里。一九二二年在武昌湖北省立第一中学毕业。一九二四年加入中国共产党。一九二五年在杭州,入浙江省立工业专门学校,学习化学工程。这年父亲死,家境困难,上不起学,去杭,回黄梅。一九二六年初,黄梅县城内打倒土豪劣绅的运动就热烈起来了,游行示威,呼口号,虽只喊"打倒石南屏!"(石为县城劣绅)而所有的绅士都发抖。有人面对文华说:"石家同你家是世交!"文华的严峻的目光直视着说话人,使得他不敢再开口,赶快退避。县城打倒土豪劣绅的运动是文华领导的。文华留给人的印象最深的,是一个共产党员背叛了自己出身的家庭的形象。与此同时,有夏家河的农民常来找文华,两人说话的亲热,表现着文华确实是与劳动人民结合起来了。

一九二六年革命军北伐,十月间革命军进黄梅县城,黄梅建立了第一次国共合作的革命政府。文华以共产党员任国民党县党部常务委员。当时的群众无论有什么事情都说着:"去找常委。"言下就是去找文华。他和群众的关系真是好。党在群众中的威信真是高。一九二七年文华是黄梅县农民协会主席。这年五卅纪念日他以县党代表的身分出席由县工会举办的"纪念顾正红"大会,在会上向一千多人民群众讲了话。这时蒋介石已在上海发动了反革命政变。参加北伐的何健部队暗中与蒋介石勾结,密令部下施展反革命阴谋,六月二十七日驻孔垅匪团长段衡假开军民联系会议之名,邀请县党部和人民团体负责人参加,文华和孔垅邢家镇同志就在会场上被捕,当日壮烈牺牲。

所以文华是黄梅在大革命时代农民运动声势浩大之下突遭反革命毒手最早牺牲的烈士。

文华牺牲后,他的爱人胡纯,一个家庭妇女如骏马一般奔赴古角山(她的娘家在那里),一定要报仇。她后来当了我游击队长,为匪团防首领王焕廷所杀。文华在县城活动时,常深夜回家,两人夜半私语总是讲革命,此为文华的母亲告之于我的母亲者。

一九六四年国庆前一日冯文炳于长春